D1577355

ЗВЕЗДНЫЙ

ЛАБИРИНТ

ЗВЕЗДНЫЙ ЛАБИРИНТ

СЕРГЕЙ ЛУКЬЯНЕНКО НИК ПЕРУМОВ

НЕ ВРЕМЯ ДЛЯ ДРАКОНОВ

ИЗДАТЕЛЬСТВО АСТ • ЛЮКС LUXE

МОСКВА 2004

УДК 821.161.1-312.9
ББК 84 (2Рос=Рус)6-44
Л84

Серия основана в 1997 году

Серийное оформление А.А. Кудрявцева

*В оформлении обложки использована работа художника
Anry, предоставленная его агентом Николаем Симкиным*

Подписано в печать 10.06.04. Формат 84×108^1/$_{32}$.
Усл. печ. л. 21,84. Тираж 10000 экз. Заказ № 1963.

Лукьяненко С.
Л84   Не время для драконов: Фантаст. роман / С. Лукьяненко,
Н. Перумов. — М.: ООО «Издательство АСТ»: ОАО «ЛЮКС»,
2004. — 413, [3] с. — (Звездный лабиринт).

ISBN 5-17-006623-6 (ООО «Издательство АСТ»)
ISBN 5-9660-0234-7 (ОАО «ЛЮКС»)

…В этом мире солнце желто, как глаз дракона — огнедышащего
дракона с узкими желтыми зрачками, — трава зелена, а вода прозрачна. Там
тянутся к голубому небу замки из камня и здания из бетона, там живут
гномы, эльфы и люди, там безраздельно властвует Магия…

Пробил роковой час — и Срединный Мир призвал человека с Изнанки.
В смертельных схватках с сильнейшими магами четырех стихий он должен
пройти посвящение, овладеть Силой и исполнить свое предназначение…

УДК 821.161.1-312.9
ББК 84 (2Рос=Рус)6-44

HYMN OF APOLLO

The sleepless Hours who watch me as I lie,
Curtained with star-inwoven tapestries
From the broad moonlight of the sky,
Fanning the busy dreams
                from my dim eyes, —
Waken me when there Mother,
                the grey Dawn,
Tells them that dreams and that the
                Moon is gone.

Бессонные Часы, когда я предан сну,
Под звездным пологом ко мне
                свой лик склоняют.
Скрывая от меня широкую луну,
От сонных глаз моих
                виденья отгоняют, —
Когда ж их мать, заря, им скажет:
                «Кончен сон,
Луна и сны ушли», — я ими пробужден.

Перси Биши Шелли. Гимн Аполлона,
1, 1 — 6, перевод К. Д. Бальмонта

ПРОЛОГ

Есть миры, где солнце зелено, а песок черен. Есть — где горы из звонкого хрусталя, а реки несут чистое золото быстрой воды. Есть такие, где снег — цвета крови, а сама кровь, напротив, белее белого. Есть миры, где замки еще не уступили место громадам серых многоэтажных игл, и есть такие, где эти иглы давно заброшены, а на их руинах воздвигаются стены замков.

Есть миры, где рассвет встречает слитное хлопанье мириад крыл существ, парящих высоко над землей, где торжественный гимн восходящему светилу сливается с воплями умирающей на презренной земле бескрылой сыти. Есть миры, где солнечный свет встречает лишь глухую стену закрытых ставен — ибо он там горше яда.

Но речь не о них.

Есть миры, где ночь и день слились неразрывно. Где можно поднять взгляд к солнцу и увидеть звезды. Где можно выйти в ночь и увидеть солнечный свет.

Речь не о них.

Есть миры, где солнце желто, как зрачок дракона, трава зелена, а вода прозрачна. Там тянутся к голубому небу замки из камня и здания из бетона, там рвутся в небо птицы, а люди улыбаются друг другу.

В путь.

ГЛАВА 1

Погас свет.

Когда мелкие неприятности преследуют тебя постоянно, это уже не мелкие неприятности, а одна Большая Неприятная Система. Именно Система, с большой буквы. А теория учит, что ни одна по-настоящему Большая Система не может не иметь под собой по-настоящему Глобальной Причины. Глобальная же Причина — это такая вещь, пренебречь которой можно только один раз.

Виктор на ощупь пробирался к двери, где таился вмурованный в стену, точно сейф, распределительный щиток. Мебель, похоже, решила воспользоваться случаем и слегка прогуляться по квартире, появляясь в самых неожиданных местах. Один оказавшийся на дороге стул он обманул, засада не удалась, зато второй радостно ткнулся ему в ноги. Потирая на ходу ушибленную коленку, Виктор осторожно протянул к нему руку — и тут зазвонил телефон. Даже не зазвонил, а мерзко и ехидно заорал, подпрыгивая от усердия. Так звонят, наверное, когда случился пожар или кто-то умер. Звонки шли частые и отрывистые, вроде бы межгород, а это значит и вправду что-то случилось. Мама позвонила бы лишь в том случае, если на их Богом забытый городишко обрушилась стая огнедышащих драконов.

Огнедышащих драконов с узкими желтыми зрачками...

Виктор помотал головой, отгоняя вдруг привидевшуюся чушь, и прыжками рванул к аппарату, опрокинув по пути стул.

Вероятно, тот же самый, но злокозненно вернувшийся на прежнее место.

Рывком сорвал трубку.

В трубке молчали. Только доносилось очень-очень медленное хрипловатое дыхание.

— Алло? Алло, мама, ты?!

Он уже знал, что это не мама. Но признаваться себе в этом упрямо не хотел.

В трубке размеренно дышали. С присвистом, точно втягивая воздух сквозь неплотно сжатые (острые-острые!) зубы.

— Алло... — повторил Виктор. Устало и покорно, удерживаясь на самой грани телефонной вежливости, рано или поздно превращающейся в поток отборной ругани, от которой через минуту самому становится неловко.

— Не выс-с-совывайся... — шепнула трубка. Протяжно, через силу, словно неведомый собеседник хотел сказать что-то куда более обидное, но тоже нашел в себе силы сдержаться. — Живи... тихо... живи... пока...

Прижимая к уху забибикавшую трубку, Виктор стоял, глядя в просвет между шторами. В просвете была ночь, темнота, слабая жиденькая белизна фонарей с соседней улицы. Нет, люди стали людьми не тогда, когда придумали керосиновые лампы и электричество. Вначале они придумали темноту — такую непроглядную, что природе и не снилась.

— Уроды, — сказал Виктор. — Козлы.

Хотелось сказать что-нибудь позлее и покрепче. Вот только ругаться одному в пустой и темной квартире так же глупо, как поэту декламировать в одиночестве только что сочиненные стихи.

— Идиоты, — добавил Виктор, бросая трубку на рычаг.

Теперь он пробирался к щитку куда медленнее и осторожнее, чем раньше. Спешить не хотелось. Да и некуда было спешить. Выбило пробки в старой квартире, эка невидаль. Позвонил пьяный дурак или обкурившийся сопляк. Со всяким бывает.

Но почему так часто? А?

Большая Неприятная Система. Мама, наверное, сказала бы, что кто-то его сглазил. Но нельзя же быть таким суеверным!

— Пробки, пробочки, — успокоительно сказал Виктор, опершись одной рукой о стену, а другой шаря в поисках распределительного щитка. — Сейчас кнопочку нажмем...

Он нащупал что-то холодное, неровное, стал водить пальцем, соображая, на что же напоролся. Виток, другой...

Электропатрон. Пустой. Пробка даже не отключилась, она попросту исчезла.

Руки не удивились, в отличие от сознания. Они, эти руки, медленно, чтобы ненароком не дернуло, отползли от патрона и спокойно приоткрыли входную дверь.

На лестнице, как ни в чем не бывало, горел свет. На полу у самого порога валялась пробка. Вывалилась, значит. Выкрутилась. Случайно. Сама. Бывает?

Нет.

Поражаясь собственной невозмутимости, Виктор поднял пробку. Аккуратно вкрутил на место. Вжал кнопку.

Послушно вспыхнул свет, заголосил телевизор, натужно вздохнул старенький холодильник.

Очередная неприятность. В одном ряду с прорвавшейся трубой, взорвавшимся кинескопом, забившейся канализацией и тому подобным. Чуть поэкзотичнее, правда. Хотя... есть в психиатрии специальный термин для таких «необъяснимых» ситуаций, когда человек абсолютно уверен, что сделал что-то, а на самом деле — нет. Ну, скажем, отвлекся, когда вкручивал эту самую пробку. Вчера, когда ее в последний раз выбивало. Да, вот только почему свет горел? Электрончики тоже поверили в то, что пробка вкручена?

Дверь закрыть надо...

Он потянул ее на себя... и тут в край створки, возле самого низа, вцепились чьи-то тонкие, испачканные кровью пальцы. Вернее, пальчики. Длинные ногти блеснули золотом — яркий, праздничный лак, неуместный, но красивый рядом со свежей кровью.

Наверное, надо было испугаться.

То ли въевшиеся профессиональные навыки, то ли тот злой, еще не прошедший запал, но Виктор не почувствовал страха. Так же медленно и бережно, как минуту назад, вынимая пальцы из оголенного, ждущего электропатрона, стал приоткрывать дверь. Когда окровавленная рука соскользнула — осторожно протиснулся в щель.

Она лежала на резиновом коврике, прижав колени к груди.

Девочка-подросток. Девчонка лет тринадцати или, может быть, чуть старше. Рыжая. Волосы недлинные, растрепанные. В черных зауженных брючках и распоротом сбоку темном свитерке.

«Потеряла много крови», — мелькнула первая мысль. Тонкое, высокоскулое, белое-белое лицо. Не мертвенное, даже не бледное — именно белое.

Прежде чем нагнуться к девочке, Виктор все же окинул взглядом лестничную клетку. Не было на ней никого, и не слышно было ни звука. Словно весь подъезд вымер давнымдавно, а истекающая кровью девчонка под его дверью появилась из ниоткуда.

Девочка еле слышно застонала.

Он подхватил легонькое тело, машинально отметив, что крови под дверь натекло не так уж и много. Но бледность такая — она-то откуда? И кровавых следов нет, и площадка чистая. Раненая словно с потолка свалилась на его коврик.

Все так же бочком, словно боясь раскрыть дверь шире, он протиснулся обратно в квартиру. Телевизор из комнаты бормотал что-то свое, вечно веселое и успокоительное.

— Больно? — спросил Виктор. Даже не ожидая ответа, просто надо было что-то говорить, пока он нес девочку из прихожей в комнату, укладывал на диван... дьявол с ней, с вытертой светлой обивкой, мгновенно покрывшейся бурыми пятнами. — Сейчас...

Вначале вызвать «скорую». Он не питал лишних иллюзий по поводу оперативности своих коллег, но, значит, тем более это надо сделать в первую очередь. Потом — перевязать девочку. И закрыть дверь!

— Не надо, — неожиданно громко сказала девочка. — Никуда не звони... Виктор.

Он даже не остановился, даже не удивился тому, что девочка знает его имя. Сегодня такая ночь, когда не стоит ничему удивляться. Виктор протянул руку к телефону, сорвал трубку.

И выронил — из микрофона вывернулся, расплываясь в воздухе, клуб вонючего черного дыма.

— Не звони! — повторила девочка.

Собирались медленно — в час Серого Пса, самое унылое время ночи. Час, когда все заранее определено, неизменно и известно наперед. В такое время лучше всего собраться беззаботным кругом старых друзей, развести костерок пожарче, откупорить старое доброе «Aetanne», достать видавшую виды гитару, да спеть что-то вроде «Эх, по камню, по черному камню, где не чуешь земли ты корней...», а потом, после грустного — что-то донельзя веселое, может, даже фривольное, если нет в компании дам.

Но делать нечего. Час Серого Пса — и скользящие тени крадутся по самому краю ночи, такой темной, что слепой станет проворнее зрячего. Под плащами не видно мечей. То, ради чего они собираются, потребует иного оружия. Не для ритуальных дуэлей с себе подобными. От того, чем кончится эта встреча, зависит многое. И пусть не все из идущих знают размеры опасности, никого не приходится торопить. Медленно расступаются деревья, редеет лес, столетие назад изрядно покалеченный топорами дровосеков. Когда-то здесь тянулись дороги, стояли дома. Но время ничего не щадит. Неумолимое время, с которым никому не хочется соглашаться. Даже молодые деревца, что так любят пепелища, успели вырасти и одряхлеть. Даже камни фундаментов рассыпаются ныне в прах под корнями трав...

Дорога в час Серого Пса опасна, но не так, как в иные часы ночи. Бродят Неупокоенные, высоко в аэре кружат Летящие; из-под лесных завес смотрят голодные алчные глаза тех, кто так и не смог преодолеть векового страха и выйти из чащобы. Их следует остерегаться, но не более. Бояться стоит иных, когда-то бывших друзьями и соратниками. Они, пришедшие с родных берегов, — здесь самые лютые враги. Забыт давно тот миг, когда они стояли рядом, не сжимая рукояти мечей, забыт и проклят.

Наверное, навсегда...

На разоренной земле, где бессчетные разы сшибались закованные в броню армии, среди иссеченного, измочаленного леска, где каждое дерево истыкано стрелами, на крутой скале, взлетевшей над озером, стоял замок. Вернее, то, что от него осталось.

...Привратные башни обрушивали не пушками и не таранами, те остановились на дальних подступах, завязнув в липких мхах и упав в тайные ямы, — стенобитным заклятием. Остались лишь фундаменты да груды битого камня, обильно припорошенного серой пылью, — магия раздробила гранитные глыбы. Земляные ежи затянули, заткали резаную рану рва, оставленную грубыми заступами.

Приветствовали друг друга молча — этикета и положенных фраз для подобных встреч еще не придумали. Тронный зал был разрушен сильнее всех помещений, когда-то тут отшумела самая отчаянная, последняя битва оборонявшихся и нападавших. До сих пор остатки стен хранили следы наложенной строителями волшбы, последнее, что удерживало их от падения. Единственная уцелевшая винтовая лестница вела в зал, подобно птичьему гнезду прилепившийся к остаткам стены на высоте двадцати человеческих ростов.

Здесь не стоило шутить с магией. Особенно — с боевой.

Потому и встретились тут.

Те, кто пришли первыми, встали у основания разрушенной стены, добровольно соглашаясь, что их силуэты будут легкими мишенями. Знак доверия и мира. Но сколько раз уже эти знаки оборачивались ловушкой, усыплением бдительности, подлым расчетом...

И все-таки это был знак мира.

— Нам надо о многом поговорить, — начал высокий, закутанный в плащ мужчина, вожак пришедших первыми.

— В час Серого Пса? — с иронией отозвались из темноты, где едва угадывались коренастые фигуры припоздавших. Всем известно было, что произнесенное в этот час не стоит принимать слишком уж серьезно.

— В следующий час для нас нет правды, — невозмутимо ответил вожак. — Час Просыпающейся Воды — не наше время. И уж тем более — не ваше. Не стоит тянуть.

— Мы слушаем тебя, Ритор, — согласился незримый собеседник. Словно признал, что не стоит играть словами. — Путь был долог, не зря же мы шли?

Ритор оставил вопрос без ответа. Он так и не смог опознать отвечавшего ему. И это тревожило. Обернувшись, он окинул быстрым взглядом своих товарищей.

Четверо, как и договорено. Братья Клатт, слабые маги, но великолепные бойцы. На них ложилась вся тяжесть охраны в такие часы, когда слабела магия воздуха. Шатти, нестарый еще, но опытный чародей, подобно Ритору, маг первой ступени. Даже сейчас, во время Серого Пса, ненавистное всякой магии, от него исходило едва ощутимое дыхание Силы. По правую руку от Ритора стоял Таниэль, его племянник. Паренек, в свои шестнадцать лет уже заслуживший прозвище Любимец Ветра. Будущая надежда клана Воздуха.

Какое-то предчувствие, неясное и совершенно необоснованное — нет истинных предчувствий в час, когда вся магия мира спит, холодком обдало Ритора. Не стоило брать с собой мальчика! Пусть даже должен, согласно всем обычаям, присутствовать на переговорах кто-то, еще не ставший мужчиной, способный смотреть и слушать со всем присущим юности жаром — все равно.

Он не должен был брать с собой Таниэля!

— Что ты хотел сказать, Ритор? — повторил предводитель собеседников. Странно, он словно был не против заминки...

Ритор встряхнулся.

Предчувствия — чушь. Клан Огня никогда не был их врагом. А сейчас, на переломе ночи, они одинаково слабы — это любого удержит от предательства.

— Война близка, — сказал Ритор. Сказал — словно ринулся в холодный воздушный поток, берущий начало над горными ледниками. Поверит ли кто его словам? Люди клана Огня были первыми, кому он это говорил.

Фигуры у противоположной стены молчали. Застыли в тяжелой недвижимости длинные плащи.

— Война близка, — повторил Ритор. — А в кланах, как всегда, нет единства.

— Мы знаем, — прошелестело в ответ. — Но знаем и то, что единства — настоящего единства не было никогда.

— После войны... — начал Ритор.

— Эти времена давно прошли, — жестко ответил собеседник. Лица его Ритор по-прежнему не видел. Ни обычным зрением, ни тем более бессильным сейчас магическим. — После войны — да. Но потом... Глупо рассчитывать, Ритор, что без общего врага кланы не начнут считаться обидами. Странно слышать такое от тебя, мудрого.

Ритор вздохнул, провел рукой по лбу, не давая укорениться раздражению. Клан Огня славился своим упрямством. Ничего иного он, Ритор, ожидать и не мог.

— Хорошо, — сказал он. — Хорошо. Оставим единство. Пока оставим. Я только хочу сказать, что Прирожденные ничего не забыли и не простили.

— Ты можешь доказать свои слова? Но почему ты тогда настаивал на тайной встрече, почему не созвал всех имеющих Силу?

Лба Ритора коснулась холодная струйка страха. Клан Огня должен был понимать... Хотя они всегда отличались непредсказуемостью, как и питающая их силой своевольная стихия.

— Потому что на Большом Сборе все неминуемо закончится столь же большой сварой, — желчно ответил Ритор. Почему он должен объяснять и без того всем понятные вещи? — Что же до доказательств... Они, Прирожденные, — они все помнят! — Ритор сам поразился отчаянию, прорезавшемуся в его голосе. — Я знаю... все дети Воздуха знают! Южный ветер с Горячего Моря шепчет о кораблях, ждущих у Разлома, приносит запахи кующейся стали и варящихся зелий! А ветер севера набирается сил, чтобы раздуть пламя над нашими городами! Птицы улетают на запад раньше срока, стервятники потянулись из восточных пустынь — они ждут поживы. Прирожденные собирают войско!

— В первый ли раз, Ритор? Они уже пробовали. И сразу после великой войны, и семь лет назад. Что осталось от их армий, Ритор? Помнят ли твои ветра предсмертные крики Прирожденных?

Не было в голосе говорящего никаких сомнений. Не было и страха. В пробуждающемся утреннем свете закутанные в темно-оранжевые плащи фигуры застыли мрачными непреклонными изваяниями. Ритор почувствовал безнадежность.

— После войны мы еще были едины, — прошептал он. — А семь лет назад... да разве десяток кораблей это армия? Разведка, проба сил... Мы собрали все доказательства, какие могли. Теперь нужна ваша помощь, Огненные. Ветры многое видят... но только Огонь может сказать, что именно варится в поставленных на него котлах.

— Понятно, — ответили из темноты. — Но рассуди сам, мудрый Ритор, — дважды Прирожденные пытались покончить с нами. Дважды. С разными силами, разными средствами. Оба раза мы справились сами. Но... Нам понятна твоя тревога. Однако — разве не ты сам лишил нас защитника? Никто не скажет, что он — средоточие добра и справедливости, но Прирожденные вздрагивали при одном звуке его имени! Разве не ты пресек этот род?

Ритор опустил голову. Предводитель Огненных сказал правду. Чистую правду. Мельком Ритор успел заметить округлившиеся глаза Таниэля. Бедный мальчик... хотя почему бедный, война на пороге, пришла пора становиться мужчиной.

— Ты пресек этот род... — мягко продолжал собеседник. — Едва ли это можно назвать мудрым решением, не так ли, Ритор?

Было в этих словах нечто, заставившее Ритора вновь насторожиться. И опять — он не смог определить, что же его встревожило. Клан Огня всегда считался союзником... или по крайней мере он не считался противником. Что уже много.

— Ты не смог собрать достаточно сведений, чтобы убедить Большой Сбор, не так ли, мудрый Ритор? И теперь ты просишь, чтобы сыновья Огненных сделали недоступное сынам Ветра? Ты, убивший последнего из рода, чье прозвание зарекся произносить? Навлекший на нас беду?

Упреки били, словно острый водяной кнут. Ритор опустил голову. Да, Таниэль, да. Когда-то я, Ритор, покончил с величайшим проклятием нашего мира. И одновременно — с его величайшей защитой. Так бывает почти всегда, мой мальчик. Ничто не может иметь слишком много силы.

— К чему твои слова, Огненный? — Ритор поднял голову, сжал кулаки. — Сделанного не воротишь.

— Как знать? — загадочно отозвались из темноты. — Как знать, мудрый Ритор... убивший последнего из тех, чье имя проклято?.. Но, значит, ты считаешь, что войны не избежать?

— Да, — твердо ответил Ритор. Он вновь обретал почву под ногами... или воздушный поток под крыльями, как угодно. — Война близка. Она неизбежна. И если кланы вновь не станут едины, как когда-то...

— А что ты хочешь делать с едиными кланами? — последовал ехидный вопрос. — Если Прирожденные и впрямь сойдут с орлиноголовых кораблей, мы объединимся и так. Что же ты хочешь сделать, мудрый Ритор, объединяя нас до того, как начнется война? Ты лишил нас самой надежной защиты... убив Того, чье имя для тебя непроизносимо, убив вопреки мнению многих мудрых, — а теперь хочешь, чтобы мы все подчинились тебе? Ты что-то скрываешь, Ритор. Пришло время открытых слов, если ты еще этого не понял. Перестань вилять, подобно весеннему ветру, и отвечай прямо, коль хочешь рассчитывать на нашу помощь.

Клан Огня славился упорством. Трудно было ожидать от них иного.

Ритор вздохнул.

— Ветры несут разные вести. Обрывки заклятий летят через Горячее Море, словно сорванные листья. Прирожденные готовят нечто... нечто ужасное, остановить которое...

— Смог бы только убитый тобой? — резануло из тьмы.

— Да, — глухо признал Ритор. — Да. И поэтому...

— Ты вновь жаждешь всей силы кланов... зачем?

Ритор сжался. И впрямь — пришло время открытых слов.

— Судя по принесенному ветром, Прирожденные хотят создать Дракона.

На развалины пала тишина. От рокового имени, казалось, стали еще мертвее даже камни, вконец истерзанные былой магией.

— Создать Дракона? — раздельно произнесли в темноте. — Создать... Дракона? Да разве такое возможно?

— Как знать... — Ритор опустил голову. — Мы не верили и в их корабли, помнишь? А когда они появились — было уже поздно. Ты помнишь, сколько крови пролилось на том берегу?.. Помнишь?

— Я помню, — пришел шелестящий, словно быстротекущая вода, ответ. — Но корабли — это одно, согласись, мудрый Ритор, а Дракон — совсем иное. Но... ты нас не удивил.

— Как?! — поразился Ритор.

— Никто не ведает пределы сил, отпущенных Прирожденным. Мы не верим, что Дракона можно создать... но ты прав, мы не верили и в их корабли. Так что же тогда, Ритор? Что ты предлагаешь? Хочешь вновь тряхнуть стариной? — В голосе мелькнула издевка.

Главный вопрос, ради которого он, Ритор, не жалея сил, готовил эту встречу, наконец прозвучал!

— Приходит время Дракона, — сказал Ритор.

Его собеседник рассмеялся тихим булькающим смехом.

— Время тех, кого уже нет? Что с тобой, мудрый Ритор?

— Приходит Дракон, — повторил Ритор.

Наступила тишина. Он слышал, как за спиной вздохнул Шатти. Чародея тоже что-то тревожило.

— Я понял, — наконец отозвались из темноты. — Тебя не оставляет память о днях великой войны. Надежды и страхи — они из твоей юности, Ритор. Ритор... убийца Последнего Дракона.

Он сжал зубы, сдерживаясь. Клан Огня, остававшийся в стороне в дни войны, вправе был упрекать его. И все же...

— Мы не устоим перед вторжением Прирожденных. Тем более если их поведет Дракон Сотворенный.

— Но разве не приходит вместе с Драконом в наш мир и его Убийца?

Странно, предводитель клана Огня как будто бы ничуть не удивился. А ведь должен был. Должен. Если убит Последний Дракон... то даже Прирожденным не сотворить вновь такое чудо.

— Разве не был ты таким же Убийцей, Ритор? Разве не прошел ты посвящение Огнем, Водой, Воздухом и Землей, разве не творили над тобой обряды мудрецы всех поверивших тебе кланов? Если Прирожденных возглавит Дракон... мы противопоставим ему Убийцу.

— Есть другой путь.

— Другого пути нет, — жестко сказал предводитель Огненных. — Да и чем плох тот, который я только что привел тебе?

— Прирожденные могут сделать и кое-что еще, — медленно сказал Ритор. — Возможно, им не так и нужен тот же Дракон. Что они станут делать с ним после победы? Не так-то просто убить Дракона. Даже рожденному для этого. Гораздо проще раздуть вражду меж кланами... чтобы вновь вспыхнула усобица... тогда, чтобы взять нас, не нужно ничего. Мы сами перебьем друг друга. Разве не готов вцепиться и нам, и вам в глотки клан Воды? Разве клан Барсов не поссорился с Тиграми? Разве те же Водные, разве не разыскивают они последних из Неведомого клана — столь же неведомо зачем?! Разве вы не досаждаете клану Земли всем, что в ваших силах?

Последнее прозвучало слишком резко. Но брать назад эти слова было уже поздно. Однако предводитель клана Огня как будто бы ничуть не обиделся.

— Оставим ссоры и споры, — легко сказал он. — Если я понял тебя, Ритор... ты считаешь, что Дракон нужен нам?

— Да. — За горизонтом вдали прогремело — или это лишь почудилось Ритору? — Чтобы отразить армаду... чтобы победить Дракона Сотворенного.

— Значит, Дракона еще можно вернуть. — Огненные не спрашивали, они утверждали.

— Если не придет Дракон, наш мир погибнет.

— Вот как?

— Войны...

— Со всеми войнами мы справились сами. Ушло время Драконов, Ритор.

Да что же такое случилось с кланом Огня — до конца стоявшим за свергнутых повелителей мира?

— Нам нужен Дракон, — сказал Ритор. — И он... он придет.

Он ждал новой волны издевок, горькой иронии, упреков. Ведь всем известно, что Драконы ушли навсегда.

Во многом — из-за него.

— Я знаю, — ответил его собеседник. — Ты не убил последнего... или последнюю? Изгнал, но не убил.

Слова были сказаны. Ритор услышал, как за спиной начали переминаться товарищи. Лишь маг сохранял спокойствие. Может быть, потому, что в отличие от воинов и детей знал, как много ликов у правды.

— Да, — промолвил Ритор. — Я не мог убить, ведь...

— Знаю, знаю, — мягким, журчащим шепотом отозвался собеседник. — Не объясняй. Ты отпустил... и теперь последний Дракон пробуждается. Но он не нужен!

— Единственная защита нашего мира...

— Защита — мы сами! Ритор, мы не допустим возвращения Драконов! Пробуждается Дракон — и пробуждается тот, кто его убьет. Так было с тобой когда-то. Так будет и сейчас. И снова — война, пострашнее схватки с Прирожденными, которой ты пугаешь нас. Ты все забыл, мудрый Ритор?.. Или нет? И все же, несмотря ни на что, ты позвал Дракона, верно?

— Нельзя позвать Дракона. Он приходит сам. Я лишь чувствую это... слишком много их крови на моих руках.

— Зато можно позвать того, кто остановит Дракона. И мы сделали это.

Ритор почувствовал, как вздохнул за спиной Шатти. Что-то изменилось вокруг. Пространство вздрогнуло, когда сила начала возвращаться в мир. Кончался час Серого Пса, магия оживала. Пусть еще слабая — слишком далек был час Открытого Неба. Ритор ощутил, как вьются у пальцев струйки ветерков, услышал, как шепчет за спиной, в провале стены, воздух.

— Странно слышать такое от детей Огня... — прошептал он.

— Здесь нет Огня! — отрывисто сказал за спиной маг. — Ритор, здесь нет Огня!

Ритор вскинул руки — изо всех сил потянувшись к укутанной в плащи группе. Порыв ветра пронесся по залу, совсем слабый, его едва хватило, чтобы сдернуть надвинутые на лица капюшоны. Но даже это усилие далось с трудом.

Открывшиеся лица были бледными. Слишком прозрачными и чистыми для клана Огня.

— Предательство! — выкрикнул Ритор, машинально ловя рукоять несуществующего палаша.

Тот, кого он принимал за предводителя клана Огня, засмеялся.

— Почему же? Они не предавали вас, Ритор. Долго, очень долго мы уговаривали их назвать место встречи...

Братья Клатт синхронно — им не нужны были слова, чтобы понять друг друга, — шагнули вперед. Их сабли и пистолеты остались в лесу, в ста шагах от разрушенного замка, как того требовали правила, — даже в час Серого Пса маг легко ощутит припрятанное оружие. Но и длинные ножи в руках братьев кое на что годились. Таниэль тоже попытался прикрыть собой Ритора и мага, но предводитель клана локтем оттолкнул мальчишку назад. В схватке тот был не помощник.

— Мы уходим, — сказал Ритор. Скорее утверждающе, чем вопросительно, пытаясь придать голосу уверенность, которой не чувствовал.

Между кланами Воздуха и Воды не было открытой распри. Порой они даже дружили... как в дни великой войны. Быть может, им позволят уйти?

— Нет, — сказал тот, кто руководил детьми Воды. — Боюсь, что нет, Ритор.

Это был их час. Миг предельной Силы. И они не боялись ее проявить.

Все пятеро вскинули руки, сбрасывая с плеч чужие плащи. Лишь теперь стало видно, что оранжевая ткань кое-где прорвана, а кое-где покрыта бурыми пятнами. Под снятой с убитых одеждой светлели бледно-синие обтягивающие камзолы.

Это был час их Силы — и никто в мире не смог бы остановить магию Воды.

Клатты кинулись в бой, пытаясь успеть. Ритор видел, куда более ясно, чем ему хотелось, как старший из братьев споткнулся, зашатался, хватаясь за горло. Его гибкое, тонкое тело принялось раздуваться, мгновенно затрещала рвущаяся ткань, с тонким звоном посыпались на пол серебряные застежки. Ставший вмиг неуклюжим и неповоротливым воин рухнул, уши полоснул захлебывающийся крик. Потом старший Клатт лопнул. С отвратительным звуком рвалась кожа, кровь, ставшая ненормально светлой и прозрачной, била во все стороны.

Кровь — та же вода.

Младший жил на несколько секунд дольше. Любая магия нуждается в противовесе, и его плоть не лопалась, а иссыхала. Он даже успел ударить — нож скользнул по груди одного из врагов. Наверное, без привычной смертоносной силы, и все же тот застонал, отшатываясь, ломая слаженный строй. Высохшее, как мумия, тело рухнуло к ногам детей Воды. Мгновения замешательства были коротки, и все же...

— Уходи, Ритор! — крикнул Шатти, выступая вперед. Пришла его очередь умирать, и маг знал это.

Ритор оглянулся. Прорваться к лестнице мимо врагов было невозможно. Значит, оставался единственный путь. Проломленная стена, за которой светлело небо и дышала высота.

Чуть больше силы! Хотя бы чуточку больше!

— Таниэль! — Он потянул за собой паренька. Увидел страх в его глазах. В свой час тот был способен на многое, но сейчас... — Таниэль, иначе смерть!

Им в спины ударило ветром. Наверное, маг отдавал сейчас все свои силы в последней схватке, короткой и безнадежной. Детей Воды отшвырнуло к лестнице ревущим воздушным потоком. Их предводитель схватился за горло, как минуту назад старший из Клаттов. Основной удар маг обрушил на него, вытягивая воздух из легких, пытаясь удушить. Не будь сейчас часа Просыпающейся Воды — Шатти сумел бы это сделать.

— Прыгай! — крикнул Ритор племяннику. Паренек выдохнул, не отводя от него перепуганного насмерть взгляда, и шагнул в пустоту.

За спиной свистнул водяной бич.

Прыгая, Ритор обернулся и успел увидеть, как гибкая голубая плеть, окруженная ореолом разлетающихся капель, перерубила тело мага, от правого плеча к левому бедру, сверкнула, взлетая к сводам зала, и метнулась к нему. Боец не успел совсем чуть-чуть — еще не утих вызванный магом ветер, и бич, тянущийся из его руки, дрожал, нащупывая дорогу в чуждой среде.

Ритор уже падал.

Воздух ударил в лицо — ласково и растерянно.

Не твой час, Ритор, что ты делаешь, Ритор...

Он падал — с высоты двадцати ростов. Внизу кувыркалось тело Таниэля. Вот паренек собрался — раскинул руки, ложась на воздух. Слабое свечение окутало фигуру мальчика, когда тот попытался лететь. Выплеснулись мерцающие магические крылья.

— Нет! — закричал Ритор. Но крик унесло ветром.

Даже самый сильный из детей Воздуха не смог бы взлететь в час Просыпающейся Воды. Но Таниэль слишком верил в себя, в свои силы, в родную стихию. Его возраст не признавал компромиссов.

Он верил так сильно, что на какой-то миг Ритору показалось — мальчик справится...

Аура, окутывающая Таниэля, полыхнула особенно ярко — и угасла. Воздушные крылья так и не расправились.

Не было времени, чтобы почувствовать боль. Падение скоротечно. Ритор закрыл глаза, всем телом ощущая воздушный океан вокруг, вытягивая тонкие ниточки Силы, рассеянной в пространстве. Ему не удастся создать крылья. Но это не единственный путь...

Воздух уплотнялся, сжимаясь под ним тугой подушкой, прозрачной линзой. Детская забава, одно из первых упражнений в магии. Кто дольше продержится на невидимой опоре, кто выше подпрыгнет, раскачавшись на упругой воздушной перине... Как мог Таниэль забыть несложные заклинания? Или помнил, но предпочел воспользоваться серьезным, взрослым умением летать?

От удара о землю воздушная линза лопнула. Удерживаемый магией воздух облегченно рванулся в стороны. И все же падение смягчилось. Ритора слегка подбросило, качнуло на стремительно уменьшающейся опоре. От перепада давления заложило уши. Потом он коснулся камней, но уже без прежней убийственной скорости. Прокатился по склону, замер, вцепившись онемевшими пальцами в ветки кустов, выросших на краю давно пересохшего рва. С этой стороны замок не штурмовали, и ров не был заткан земляными ежами, сохранил порядочную глубину и острые колья, вкопанные в дно.

Было очень тихо. Точнее — казалось, что вокруг царит тишина. Лишь бухала кровь в висках. Ритор встал, сглотнул, сделал пару жевательных движений. От ушей отлегло.

Неподвижное тело Таниэля лежало совсем рядом. Достаточно было одного беглого взгляда, чтобы понять — паренек мертв. Он ударился спиной о камни — и в изломанном, выгнувшемся теле уже не оставалось жизни.

Все же Ритор шагнул к нему. Если не спасти — так хотя бы унести тело...

Земля задрожала, потекла под ногами. Мутная вода фонтанчиками плеснула из-под ног. Ритор вскинул голову — и увидел, что сверху, сквозь пролом в стене, смотрят на него дети Воды. Проклятие!

Он побежал. Плыла, превращаясь в мокрую кашу, земля под ногами. Но он был далеко, враги уже не видели его под сводами деревьев. И не так-то просто сразить лучшего из клана Воздуха.

Даже — в чужой ему час.

ГЛАВА 2

Виктор опустил дымящуюся телефонную трубку на стол. Все происходило как в дурном сне, когда привычный мир рушится, и причем рушится — неторопливо и насмешливо. Все, к чему он прикасается, умирает. Лопаются трубы, взрываются кинескопы, горят телефоны... Что может гореть в новеньком импортном аппарате? Изоляция проводов, порошок в микрофоне? Да какой там порошок, от крошечной горошины электронного микрофона столько гари никогда бы не возникло!

Но едкий черный дымок продолжал куриться. Вспомнилась идиотская шутка из детства, когда он с приятелями звонил по первому попавшемуся номеру и, захлебываясь от смеха, кричал солидным, «взрослым» голосом: «На телефонной станции пожар, опустите трубку в таз с водой!»

Может, и впрямь...

«Еще секунда — и я начну хохотать. Позорно, истерически хохотать, стоя спиной к умирающему ребенку...»

И это была правильная мысль. Дурь вылетела из головы. Виктор отвернулся от несчастных останков телефона, подошел к девочке. По-прежнему в сознании, это уже хорошо. Но откуда такая бледность?

Склонившись над неожиданной пациенткой, он осторожно закатал окровавленный свитер. Девочка слегка повернулась, помогая ему. Молодчина.

Свитер задрался легко, это было одновременно и хорошо, и странно. Хорошо, ведь если кровь не успела засохнуть и приклеить одежду к коже — значит, ранение недавнее. Странно, потому что свежая рана должна была продолжать кровоточить.

— Как? — спросила девочка. Спокойно, без того мелодраматичного надрыва в голосе, что звучит порой у взрослых барышень, порезавших пальчик.

— Нормально, — ответил Виктор, чудом попадая ей в тон.

Он ожидал чего угодно. Зияющей раны, оставленной горлышком разбитой бутылки, или того, что на коже не окажется даже царапины. В конце концов окровавленная девочка может быть лишь живой отмычкой для шайки малолетних грабителей. А он ведь до сих пор не закрыл дверь!

Но рана и впрямь была. Тонкий, почти хирургического вида разрез. Уже не кровоточащий.

— Несильно зацепили, — сказала девочка, словно читая его мысли. — На переходе. Больно не было, только крови плеснуло...

— На переходе, ясненько...

Виктор зачарованно смотрел на рану. Повезло девчонке. Видимо, полоснули бритвой. Но задели слабо, лишь чуть пропороли кожу. И свертываемость у нее оказалась хорошая. И сама она не растерялась. Виктору, взрослому и достаточно крепкому человеку, и то было неприятно спускаться вечером в подземный переход. Вечно там разбивали лампочки, частенько воняло всякой гадостью, шевелились в углах бесформенные тени бродяг, готовящихся к ночевке. Вот кто-то и напал на девочку. Скот. А девчонка — молодец, отчаянная.

Вырвалась, вбежала в ближайший подъезд, лишь у двери упала... к счастью, не от кровопотери, как он вначале подумал.

— Все будет нормально, — сказал он. — Честное слово. Это только порез. Даже не стоит шить. Я обработаю перекисью...

— Хорошо, Виктор.

Она смотрела ему в глаза испытующе и серьезно. Не по-детски.

А еще — знала его имя!

— Откуда ты меня знаешь? — резко спросил Виктор.

Девочка молчала.

Похоже, эта ночь не собиралась дарить ему простые ответы.

Виктор быстро прошел в прихожую. Торопливо провернул замок. Потом, чувствуя легкое смущение, снял с гвоздя в стене ключи от второго, почти никогда не закрывавшегося замка, запер и на него.

Забаррикадировался, называется! Хлипкая картонная дверь и два жалких серийных замка. Мой дом — моя крепость...

> Стены, черные как ночь,
> Белый жемчуг куполов,
> Пусть печаль уходит прочь,
> Это крепость наших снов...
> Плеск лазоревой волны,
> Льется с неба солнца мед,
> Дети облачной страны
> Начинают свой полет...
> И не думай, не гадай,
> Где здесь сон и где здесь явь,
> Одного не забывай —
> Кто в ответе, тот и прав...
> Есть властитель в мире дня,
> Повелитель есть в ночи,
> Но от тайного огня
> Одному даны ключи...

...Виктор оторвался от стены. Ноги чуть дрожали, но чушь в голову больше не лезла. На каком-то немыслимом автопилоте он открыл аптечку, висевшую в прихожей, выгреб полиэтиленовый пакет с бинтами и пластырями.

«Самому пора лечиться...»

Девочка продолжала лежать, глядя на него. Виктор быстро, стараясь забыться в простейших действиях, оторвал кусок бинта, смочил перекисью, провел по тонкому разрезу. Перекись зашипела, выедая подсохшую корочку крови. Девочка поморщилась.

— Откуда ты меня знаешь, а? — раскрывая пакетики с лейкопластырем, спросил Виктор. Больному полезно заговаривать зубы во время процедуры. Но ему самому был важен ответ.

— Знаю, — девочка наконец-то снизошла до разъяснений. Жаль лишь, что ясности они не принесли никакой.

Чтобы закрыть рану, потребовалось всего три кусочка пластыря. Нет, определенно повезло девчонке! Скользящий разрез, поверхностный. Но откуда натекло столько крови?

— Бритвой полоснули? — спросил он.

— Нет, саблей.

Глаза у нее были серьезные. Но Виктор отвык верить глазам.

— Я не знаю, как тебя зовут, — начал он, закипая. — Не знаю, где ты настолько удачно оцарапалась...

— Тэль.

— Что?

— Так меня зовут. Тэль.

Внезапно Виктор понял.

Видел он как-то по телевизору таких вот мальчишек и девчонок. Неряшливо одетые, с волосами, перевязанными ленточками, с деревянными, а то и металлическими мечами за спиной. Называли они себя именно такими «красивыми» именами, собирались где-нибудь в лесу и занимались «ролевыми играми». Хорошенькая корреспондентка взахлеб рассказывала, что это новое молодежное увлечение, в ходе которого вырабатываются альтернативные формы поведения и познается история исчезнувших цивилизаций. Виктору от подобного зрелища было тоскливо. Во-первых, он верил в древние цивилизации гномов и эльфов не более, чем в империю Кощеев Бессмертных или конституционную монархию Бабы Яги. А во-вторых, уж слишком фанатично блестели глаза у ребят, посвятивших свою юность изучению эльфийской речи.

Наверное, и эта девчонка, Тэль, заигралась в подобные игры. Бродила в компании сотоварищей-эльфов, красила ногти золотым лаком, фехтовала ржавыми железяками. Вот и получила маленькую отметину на всю жизнь.

Прекрасное объяснение. Лучшего не придумать. Да и не хочется в этот поздний час отвергать простые и понятные объяснения.

Но откуда девочка знает его имя?

Может быть, видела в больнице? Доводилось порой поддежуривать в детских отделениях. Запомнила пигалица лицо и имя, а потом, случайно попав в квартиру, приняла случайность как должное... Дьявол, сплошные домыслы...

— Тэль, — как можно ласковее сказал Виктор. — Я должен сейчас позвонить твоим родителям... хм...

Он покосился на телефон. Тот, правда, уже не дымился, но...

— Тэль, я выйду, внизу есть таксофон, — сказал Виктор.

Девочка улыбнулась:

— Тебе некуда звонить.

— У твоих нет телефона? — сообразил Виктор.

Было уже за полночь. Веселенькое дело!

— Вставай, — сказал он наконец. — С тобой ничего страшного не случилось. Я сам отвезу тебя домой.

Тэль словно ждала разрешения. Немедленно села, оправила свитерок, сложила руки на коленях. Аккуратная примерная девочка. И не скажешь, что в голове сквозняк.

— Ко мне на такси не доедешь, Виктор, — сообщила она. По-деловому, без всякой насмешки или вызова. Напротив, с благодарностью, словно предложение ей очень польстило.

— И что же тогда делать?

В глубине души Виктор надеялся, что девочка встанет и уйдет. Сама. И пешком. Нет, конечно, это было бы не слишком правильно — отпускать ребенка, да еще раненого, в ночь.

Но где-то в глубине души ворочался холодок предчувствия. И говорил он одно: если девочка сейчас не уйдет — из его квартиры и из его жизни, то будет плохо. Очень плохо.

Почему только эти сволочные предчувствия такие однобокие? А что произойдет, если он сейчас выставит девчонку за дверь? Станет лучше?

Тэль смотрела ему в глаза.

— Мы ляжем спать, — сказала она с подкупающей простотой. Подумала и уточнила: — Я маленькая, мы на тахте поместимся. А утром пойдем ко мне.

Вот теперь Виктора проняло окончательно.

— Так, — сказал он. Взял девочку за плечо, поднял с тахты. Молча поволок в прихожую. В голове сразу возникла целая куча неприятностей, которые крылись за предложением Тэль. То ли вычитанные в газетах, то ли мгновенно придуманные гнусности. Самым безобидным было пробуждение в обчищенной квартире... да что у него воровать-то? Далее следовали небритые граждане кавказской национальности, включенные утюги, сроки за растление малолетних и прочие радости бульварных газет.

— Виктор! — Девочка внезапно вывернулась из его рук. Прижалась к стене, под злополучным электрощитком.

— Выметайся, живо! — Виктор пытался говорить зло и убедительно, но получалось это плохо. Ну не походила эта девочка на пособницу какой-то грязной аферы! Никак не походила! Да и в словах ее, похоже, не было ничего, кроме предложения уснуть на одной кровати. — Выметайся!

— Почему? — совсем растерянно спросила девочка.

— Почему, говоришь? — Виктор указал взглядом на пол. Конечно, основная лужа была в подъезде, но и здесь хватало бурых пятен. — Это не твоя кровь! Ты бы так не прыгала, Тэль... или как там тебя!

— Не только моя, — легко согласилась девочка. — Я отбивалась.

Час от часу не легче! Может быть, на лестнице этажом ниже валяется труп?

— Он ушел. А мне было не до него. Я шла к тебе.

От легкости, с которой Тэль отвечала на незаданные вопросы, делалось неуютно.

— Почему — ко мне?!

Виктор уже не рассчитывал на нормальный ответ. Может быть, потому его и получил.

— Наши предки знакомы.

Ох уж этот жаргон! Предки! И все-таки что-то проясняется. Виктор с безумной скоростью прокрутил в голове маминых подружек и их мельком виденных чад. Смутно вспомнились несколько рыжих девчонок. Надо позвонить маме. Спросить, кто из дочек-внучек ее подруг предпочитает играть с самодельными мечами, а не с куклами и компьютерными приставками... Да. Конечно. Позвонить...

— Идем в комнату, — устало сказал Виктор. — Ладно. Хорошо. Я идиот. Я доверчивый кретин. Не требую объяснений и доказательств. Но скажи, пожалуйста, откуда наши предки знакомы?

Девочка обиженно поморщилась:

— Они вместе воевали.

— Что?!

Несколько секунд Виктор потратил, пытаясь представить маму или папу на войне. На какой-нибудь «необъявленной». Маленькая, пухленькая учительница математики в джунглях Вьетнама или близорукий, в очках с линзами минус семь, отец в горах Афганистана... Надо же, какая увлекательная версия!

— Девочка, мои родители не воевали. Нигде и никогда. Честное слово. Их даже в тыл врага с парашютом не сбрасывали.

— Я не говорила о родителях, — спокойно возразила Тэль. — Твои бабушка и дед — воевали.

Виктор осекся на полуслове. Родителей отца он толком и не знал. Рано умерли, и, кажется, произошло что-то такое в их жизни, о чем вспоминать особо было не принято. А вот баба Вера...

В детстве он проводил у нее каждое лето. И тогда, и сейчас баба Вера жила в глухой деревеньке в Рязанской области. Есть такой тип людей, что совершенно не переносят городской жизни. Даже в мамин городишко она выбиралась редко и с неохотой. В Москве, у него, не бывала никогда, хотя здоровье (тьфу-тьфу) позволяло. Была баба Вера высокой, без намека на старческую сгорбленность. С острым взглядом янтарных глаз, с черными и на восьмом десятке лет волосами. А еще в ней было то, что называют «породой». В войну — настоящую, единственную, которой принято гордиться, была она немногим старше Тэль. Но — воевала. В партизанском отряде. Маленький Виктор, как водится, в свое время пристал к бабушке с расспросами: «Расскажи, как убивала фашистов!»

И баба Вера рассказала. Да так подробно, что мама, услышавшая от сына восторженный пересказ, первый и последний раз поругалась с бабушкой. Виктор, укрывшись с головой одеялом, перепуганно вслушивался в перебранку из соседней комнаты. «Мама, да ты сумасшедшая! — кричала на бабушку его мать. — Шею резать не с той стороны, где стоишь, да? А то кровью запачкаешься? Ты что ребенку рассказываешь? У него же травма, психическая травма будет!» И голос бабушки, спокойный, ледяной... как у Тэль... как у Тэль! Что-то о лице смерти и цене жизни. Про то, что Виктор не спит, все слышит и от маминой истерики у него как раз и может быть психическая травма.

Бабушка всегда знала, когда он спит, а когда притворяется. И звала его только Виктором. Никаких Витенек-Витюшек-Витюлечек, от которых коробит любого мальчишку. С бабой Верой было хорошо и жутковато одновременно. Виктор мог соврать маме или отцу, но бабушке даже не пытался.

— Ты мне веришь? — неожиданно спросила Тэль.

Виктор пожал плечами. И честно сказал:

— Нет.

В щитке щелкнуло, и свет погас.

— Часто так? — с живым интересом спросила девочка из темноты.

— Отойди от щитка. — Виктор поймал ее за руку и оттащил в комнату. — Стой.

Поминутно налетая на стены, он выбрался на кухню, стал на ощупь искать свечку. Все, хватит на сегодня войны с проводкой. Завтра надо вызывать электрика.

Свечка нашлась не сразу. Почему он за пять лет не научился ориентироваться в собственной квартире? Стоит погаснуть свету — и словно сходятся стены, а потолок опускается и давит. Никогда ведь не жил в роскошных просторных апартаментах...

Когда Виктор, прикрывая ладонью язычок огня, вернулся в комнату, Тэль у порога уже не было. Она сидела на тахте, задумчиво листая журнал «Медведь». Журнал, кстати, раньше лежал на книжной полке.

— Очень смешно, — сказал Виктор, опуская свечу на столик. — Значит, так. Времени второй час. Так что ты остаешься.

— Спасибо, — поблагодарила девочка.

— Ляжешь здесь. А я на полу. Утром пойдем к тебе домой.

— Обещаешь? — требовательно спросила Тэль таким тоном, словно Виктор коварно заманил ее в квартиру и не дает уйти. Пришлось пару раз глубоко вдохнуть, прежде чем ответить... между прочим, с ощущением, что совершается огромная глупость.

— Да. Клянусь.

— Я тебе верю, — согласилась Тэль. Отложила журнал и стала наблюдать, как Виктор достает из шкафа запасное одеяло и подушку, стелит себе на ковре, в том уголке комнаты, что давно был отведен для припозднившихся друзей. Слава Богу, она не вызвалась помочь, Виктор был уже на взводе.

— Моя постель — попона боевого коня, — мрачно сказал Виктор, усаживаясь на сложенное вдвое одеяло.

— Ты умеешь ездить верхом? — живо заинтересовалась Тэль. Он даже отвечать не стал. Встал, потянулся к свече. Уже давя пальцами крошечный лепесток пламени, краем глаза увидел, что Тэль стягивает свитерок, одетый, оказывается, на голое тело.

Дьявол! То ли абсолютное простодушие, то ли циничная развращенность. Тэль в том возрасте, когда подобное поведение еще не означает однозначного предложения... и уже не в том, когда не значит абсолютно ничего.

Ему казалось, что он вообще не заснет этой ночью. Но сон пришел сразу, едва Тэль закончила возиться на тахте. Словно ничего удивительного не произошло, словно он спал в полной безопасности и в одиночестве.

А снился Виктору умирающий конь, красивый белый конь, лежащий на зеленой траве. Боевая попона, сплетенная из металлических колечек, была истыкана короткими толстыми стрелами. Конь вздрагивал, поднимая белую морду с кровоточащей круглой раной во лбу. В голубых словно небо глазах светилась человеческая мука. Виктор нагнулся над ним, провел ладонью по холке. А потом перерезал коню горло коротким широким клинком.

С противоположной от себя стороны, как учила бабушка Вера.

Была в ее движениях грация, недоступная человеку. Лой Ивер, глава клана Кошки, коснулась тонким пальчиком золотой пудры, небрежно насыпанной в грубую деревянную чашу. Милый контраст роскоши и простоты... если забыть, что розовое дерево не растет в Срединном Мире.

— Ты становишься похожа на куклу, — бросил из бассейна Хор. — Хватит мазаться, Лой.

Женщина словно не слышала. Провела пальцем под глазами, оставляя сверкающий золотистый след. Лицо, раскрашенное сапфиром, золотом и серебром, и впрямь обретало кукольный вид. Темно-синие глаза, золотистые волосы, матово-белая кожа — и все это карикатурно подчеркнуто теми же цветами.

— У тебя не чешется кожа от этой дряни? — раздраженно повышая голос, спросил Хор.

— Чешется, — призналась Лой.

— Так прекрати мазаться.

— Красота дороже.

Хор издал хрюкающий звук. Не то смеялся, не то возмущался.

— Зачем тебе это нужно, Лой?

— Что? Бал?

— Нет. Насмешливые взгляды наших дураков, фальшивые комплименты гостей...

— И страсть в глазах юнцов... — мягко прошептала Лой.

— Блудливая кошка, — сказал Хор. Это не было оскорблением. Просто констатация факта.

— Хор... — Лой отвернулась от зеркала, подошла к бассейну. — Когда в женщине видят лишь накрашенную смазливую дурочку — проще...

Он плеснул в нее водой. Словно бы игриво, но ведь прекрасно понимая, как Лой этого не любит и как легко превратить сложный узор цветных пудр в грязные потеки. Лой увернулась, покачала головой.

— Ладно. Я понимаю. Обещаю, Хор, сегодня я не буду шататься и хохотать после второго бокала вина. И целоваться по углам со сластолюбивыми магами чужих кланов — тоже.

Хор с сомнением смотрел на нее из теплой, парящей воды. Он был огромен, мускулист, каждое движение выдавало в нем воина. Он так же не знал недостатка поклонниц, как Лой — нехватки кавалеров. Вот уже десять лет, как весенние схватки подтверждали его право быть другом Лой.

И все же он ревновал ее.

Не мог не ревновать. Лой, и ветреная и верная, способная и танцевать до упаду и неделями просиживать над полуистлевшими магическими трактатами, швыряющая золото клана на минутные прихоти и правящая тем же кланом железной рукой, искусно лавирующая между постоянно готовыми вцепиться друг другу в глотку сообществами кланов, оставалась вечной загадкой. Темно-синие глаза умели делаться то бездонными, то, напротив, непроницаемыми, словно черные камни под спящей водой — особенно когда она выносила кому-то смертный приговор. Лой умела так пройтись по залу, неважно, в прозрачном бальном платье или закутанная от шеи до пяток в черное, что у мужчин останавливалось дыхание, рты наполнялись жадной слюной и разум едва-едва удерживал последние рубежи под натиском обезумевшей плоти, рвущейся из глубин страсти. В такие минуты Хор, как никогда, бывал близок к сумасшествию, к настоящей мании убийства.

И Лой, похоже, об этом прекрасно знала. Тем не менее ей нравилось дразнить его, играть с огнем, балансировать на грани, висеть на волоске; собственно, в этом и заключалась квинтэссенция того, что именовалось «Духом Кошки» — быть вечно на самом краю, скользить на гребне волны, ни во что не вмешиваясь и ни подо что не подставляясь. Кошки слыли первейшими интриганами в мире. И Лой среди них была лучшей. Злые языки утверждали, что Кошки сумели бы договориться даже с Прирожденными; а кое-кто шел дальше, утверждая, что они, мол, предадут в любой момент, как только сочтут это для себя выгодным, а может быть — уже и предали. Никаких доказательств никто, само собой, никогда собрать не мог, а Кошкам, казалось, совершенно все равно, что про них говорят. Даже более — шуткам над собой они смеялись едва ли не первыми. А кроме того, слыли авторами всех более-менее остроумных.

Еще они были знамениты своими балами. Где в ход шли любые снадобья и развлечения. Где, согласно неписаным, но твердо поддерживаемым правилам, никогда не сводились счеты и члены враждующих кланов могли говорить спокойно, не хватаясь за оружие. На балах у Кошек отчего-то разом забывались все обиды и оскорбления.

Лой, полуприкрыв веки, послала в Хора тщательно выверенный взгляд. Сегодня ей и впрямь было не до флирта. Что-то неладное случилось с кланом Огня. Обычно на ее балы они являлись одними из первых. А теперь — их никого нет. Тоскливо мается возле стены бледный юноша с алым газовым шарфом на левом рукаве — и все.

Правда, хорошо и то, что эта странность — пока единственная. Остальные завсегдатаи уже собрались.

Бальный зал Лой Ивер был обычен для лесных правителей. Магия обратила молодой дуб в громадного, поистине «небеса подпирающего» колосса, поднявшегося высоко-высоко над туманными вершинами Поющего Леса. Ветви нижнего венца кроны опускались вниз до самой земли, сплетаясь так, что получились самые настоящие стены, не хуже крепостных. Каждая из ветвей толщиной была в столетний обычный дуб.

Ивер позаботилась и об остальном. Из-под корней великана бил ледяной ключ; Лой не слишком любила воду, как и всякая Кошка; но хрустальные капли на зеленой листве были так красивы, так легко играли в отблесках громадного очага, что она не удержалась.

Под темно-зеленой (или, в зависимости от сезона, густо-золотой) листвой вольно гуляли ветры. Лой вспомнила, сколько ей пришлось в свое время уламывать знаменитого Ритора. Убийца Дракона долго отнекивался, но в конце концов не устоял, сотворил нужное заклятие. Правда, после этого отчего-то ни разу не появился на ее балах. А жаль. Ивер была честолюбива. Ее предшественница танцевала «огненную» с самим Каэдроном, Каэдроном-Владыкой, когда молодой еще Дракон навестил Поющий Лес. Бабка Лой, Ивер Первая, ухитрилась заполучить на один из своих вечеров пленного принца Прирожденных, взятого в случайной морской стычке. Принца привели Воздушные, они потеряли в бою трех лучших магов, они едва держались на ногах — однако бабка тогда не подкачала, добилась своего, и память о «бале с Прирожденным» жива до сих пор. В отличие от принца, конечно.

Ах, какие интриги плелись здесь, какие хитроумные комбинации рождались из ничего, какие заключались союзы, пакты и альянсы, чтобы, подобно призракам, исчезнуть через несколько месяцев, преобразившись в совершенно иные оси, унии и лиги! Сколько требовалось мастерства и хитрости, чтобы, «постоянно оставаясь в середине, все же оставаться в стороне»! Кланы дважды отбились от Прирожденных, причем первый раз это была настоящая война; но ГЛАВНАЯ БИТВА — тогда, в прошлом, «когда был молод еще сам Хранитель», как говорили Драконы, — главная битва осталась проигранной. На горечи поражения взошли горькие же побеги. Кланы всегда, с самого первого дня их появления в Срединном Мире, стояли на самом краю кровавой и всеобщей междуусобицы. И пожалуй, разделись они на два примерно равных по силе лагеря, так бы и случилось. Однако в древности этому мешали Драконы — Лой не боялась называть владык минувшего по имени, она не верила в злую магию секстаграмматона, — а потом они, Кошки, остались одни. Не каждый ведал, кто именно пресек жизнь последнего из Властителей; Лой, конечно же, знала.

Да, да, наверное, именно они, Кошки, не дали вспыхнуть большой войне, лениво думала Лой. Пусть лучше бойцы Воды и Огня оспаривают друг у друга девчонок моего клана, чем методично насилуют их — после того, как вспорют животы соперникам. Пусть... а впрочем, неважно. Кошки живы и процветают, их побаиваются и уважают, уважают наравне с четырьмя Стихийными кланами, испокон веку стоявшими между кланами Тотемными и Крылатыми Властителями. Даже Тигры, страшные в рукопашной схватке, признали, что с Кошками лучше не связываться...

А меж тем в громадной бальной зале была осень, и глаз отдыхал, радуясь неярким и глубоким переливам золота на бесчисленных резных листьях. Собирались последние опоздавшие гости. Лой осторожно отогнула ветку. Сверху открывалась великолепная картина — угольно-черные плащи мужчин, изукрашенные искрящимися алмазными извивами, многоцветье женских нарядов: от сплетенного из топазовых нитей — пожалуй, и впрямь каменных, а не матерчатых — костюма Каниан Тай, самой скандальной и самой красивой дамы Земных, от целой волны трепещущего шелка цвета морской лазури (новенькая у Водных? Как интересно, никогда раньше ее не видела и даже не слыхала о такой... Лой почувствовала себя уязвленной — как такая красавица могла остаться неизвестной ей, Лой Ивер, главе клана Кошки?!) до лепестков живого огня, водопадов и струящихся каскадов или почти полного отсутствия какой бы то ни было одежды у гордых Пантер, презирающих стыд и условности. Блеск колье и диадем сливался с мягким свечением хрустальной росы, заранее рассеянной магией Лой по живым стенам зала. Лой еще раз посмотрела на молоденькую девушку Водных, покачала головой. Нет, почему она не знала? Зря, что ли, платит осведомителям всех кланов? Теперь уже и не успеть, не найти такую одежду, которая убийственным контрастом оттенит голубые шелка красотки. Разве что строгий охотничий костюм? Надо подумать...

Надменные Барсы в снежно-белых прямых одеяниях, игнорирующие роскошь, вторые (после гномов) оружейники Срединного Мира. Спокойные, флегматичные, но неудержимые в гневе Медведи, предпочитавшие, подобно эльфам, зеленое и коричневое, с толстыми золотыми цепями из необработанных самородков; вечно мятущиеся, всегда готовые кинуться в драку Волки во всех оттенках серого; невозмутимые Сапсаны и еще многие другие из Тотемных.

А особняком, на почетных местах ближе к громадному стволу, вели неспешную беседу гости из четырех Стихийных. Собственно говоря, в полном составе явился лишь клан Земли, обожающий празднества; от Воздуха пришли только двое, от Огня — один-единственный мальчишка с алым шарфом; от Воды снизошло больше, отсутствие первых лиц искупалось очаровательной дебютанткой, вокруг которой уже взвихрился настоящий хоровод ухажеров, тщивших оказаться занесенными в ее заветную бальную книжечку.

Лой ощутила слабое волнение. Что-то было не так. Никогда еще на ее бал не собиралось так мало Стихийных. Демонстрация силы? Она торопливо перебирала в уме все последние провалы — ничего серьезного, ничего такого, чтобы вызвать столь резкий ответ, — почти что разрыв дипломатических отношений и объявление войны!

Глаза Ивер потемнели. Нужно позвать Хора. Отправить еще разведчиков. И... хоть она и обещала не делать этого, ей предстоит несколько чисто деловых поцелуев по углам... и, быть может, не только поцелуев.

А потом... потом скрывающие вход ветви внезапно задрожали и, точно в ужасе, отшатнулись в стороны. Задувая трепещущее многоцветное пламя лучащихся светилен, пронесся холодный темный ветер. В открывшемся овальном проходе появилось несколько фигур — еще издали Лой опознала ни с чем не сравнимую тонкую ауру Воздуха, но при этом — словно бы напоказ — рассеченную полосой кипящей крови.

Знак Убийцы Дракона. Который можно скрыть — но не потерять, похитить, подделать или присвоить.

Ритор пришел на бал Лой Ивер.

Знаменитый маг был один. Рядом с ним, старательно глядя в сторону, шли лучшие из лучших бойцов клана Воды. Во главе с самим их предводителем, Торном. Он был единственным, кто смотрел прямо в глаза Ритору. Судя по выражениям лиц, разговор шел самое большее о погоде. Ничего не отражалось и в ауре, слишком сильны были оба, чтобы выносить на публику хоть что-то из своих дел, слов и тем более мыслей.

Однако Лой Ивер не была бы Лой Ивер, не почувствуй она в тот же миг неладное. Случилось нечто поистине страшное. И вот Ритор здесь... что же дальше? Кто он — предвестник войны, войны междуусобной, которой всегда так страшились Кошки?

Она должна это узнать. Как и то, почему нет никого от Огня.

Ритор плохо помнил, как выбрался с того проклятого места. Все его спутники были мертвы, и, как знать, что делают сейчас с их телами не менее искусные, чем сам Ритор, маги клана Воды? Что нашёптывают на ухо умершему от страшной жажды Клатту-младшему? Наверное, сулят вдоволь мягкой, прохладной, вкусной, ледяным шаром катящейся по горлу влаги; и, право же, ни у кого не повернётся язык осудить погибшего за то, что его собственная мёртвая плоть оказалась настолько слабее духа.

Однако же он, Ритор, выжил. И теперь пришло время обдумывать месть. Измыслившие и исполнившие такое злодейство должны умереть. Их гибель не воскресит ушедших друзей, но, быть может, послужит уроком для остальных.

Время шло, приближался дневной зенит Силы, однако Ритор упрямо шёл пешком, пробираясь напролом через бездорожье. Эту часть страны давным-давно отгремевшая война выжгла настолько, что ни люди, ни гномы, ни эльфы, ни другие обитатели Срединного Мира так и не вернулись сюда. На месте испепелённых магией лесов поднялись новые, лишь кое-где остались отвратительные, покрытые вечно белёсой плесенью проплешины — где сражавшиеся пустили в ход Жизнебой, самую страшную отраву, когда-либо сотворённую чёрными алхимиками кланов...

Край Затенённых Лесов вплотную подходил к восточному рубежу владений Лой Ивер. Поющий Лес странным образом совершенно не пострадал, оказавшись на краю невиданных по ярости баталий. «Наверняка и здесь, — угрюмо подумал Ритор, — не обошлось без знаменитого «Духа Кошки», незримого хранителя-оберега этого клана...»

И тут он вспомнил, что ещё может успеть на бал. Лой с достойной лучшего применения настойчивостью бомбардировала его приглашениями, несмотря на то что он, Ритор, всю жизнь считал балы праздной суетой и гнездом разврата.

Маг поднял глаза к небу. Пожалуй, он уже достаточно далеко, да и сила Воды изрядно ослабела в этот час. Пошевелил плечами, ощущая привычное пение сгущающегося за плечами ветра, что было сил оттолкнулся от земли и воспарил. Как это было легко... если бы хоть часть этой силы была с ним на рассвете...

Сегодня он пойдет на бал. Он отыщет там Лой, пусть даже для этого ему придется прервать ее оргазм. Он заставит ее выложить сплетни и опросить всех шпионов. Она скажет ему все. Отчего-то Ритор не сомневался, что сумеет узнать от Кошки, как и кем вершилось это предательство, он не верил, чтобы бывалые чародеи Огня так легко поддались бы, даже окажись они захваченными врасплох.

А кроме того, ему хотелось посмотреть в глаза тем из клана Воды, что дерзнут после всего случившегося появиться на балу у Ивер.

— Приятная встреча, Ритор, — произнес навстречу ему голос — мягкий, льющийся, словно льдистый родник.

Предводитель клана Воды стоял, закутавшись в походный плащ. Спокоен, голова поднята, смотрит без вызова и насмешки, в глазах обычная светская любезность, словно и не было схватки в замковых руинах.

— Ты, наверное, шутишь, Торн. — Ритор владел голосом и лицом не хуже врага. — Если бы не бал...

— Прекрасно тебя понимаю, — без улыбки сказал Торн. Высокий, очень тонкий, он казался хрупким, но кому, как не Ритору, было знать убийственную силу этого утонченного мага. — Наверное, на твоем месте я поступил бы точно так же.

— Тогда чего же ты хочешь?

— Разговора. Ритор, отсюда тебе не уйти.

Ритор ощутил пробежавший по спине холодок. Что такое? Неужели?..

Они миновали коридор. Открылся громадный зал (нечего сказать, хорошая работа, хоть и слишком много подражаний эльфийскому), нарядная толпа возле столиков с угощением, роскошный оркестр, настраивающий причудливые духовые инструменты (струнные и клавишные Кошки отчего-то не признавали), и все это в хрустальном росистом блеске, в густом золотом отливе листвы, в легком дыхании свежего ветерка...

И в журчании текущей воды. В зале Лой Ивер все Стихии представлены были в равных долях.

— Тебе не уйти от Лой, — настойчиво повторил Торн; острый подбородок его совершал какое-то сложное движение, словно волшебнику Воды невыносимо жал свободный синий воротник. — Ты должен понять. Дело зашло слишком далеко, чтобы думать о сохранении каких-то глупых традиций. Выбирай, Ритор, — или мир, или традиции. Мы не можем выпустить тебя, даже ценой пролития крови у Кошек.

— На вас ополчатся все до единого кланы, — только и смог выговорить маг Воздуха.

— Ошибаешься. — Торн не забывал светски раскланиваться со встречными и ослепительно улыбаться, отпуская дежурные комплименты дамам. Ритор угрюмо брел рядом, уставившись в пол. — Ошибаешься, о Убийца Дракона. Далеко не все. Единства как не было, так и нет; а нам найдется что рассказать, если кто-нибудь дерзнет требовать ответа. Нам станут мстить ваши друзья, это так; но с ними мы сумеем договориться. Хотя, конечно же, — он деланно вздохнул, — путь сюда нам будет навек заказан. Впрочем, он будет заказан и так, если ты осуществишь задуманное и вызовешь в наш мир Дракона.

— Дракона нельзя вызвать, — с глухой тоской сказал Ритор. — Он приходит сам, когда настает его время...

— Это мы уже слышали, — насмешливо возразил Торн. — Собственно говоря, Ритор, и у тебя, и у нас цель одна. Если отбросить высокопарные фразы, ты ведь тоже стремишься к власти. К неограниченной власти над кланами Срединного Мира. И ты полагаешь, что, собрав как можно больше союзников-магов, сумеешь каким-то образом убедить Дракона в своей, скажем так, полезности. Очень разумный план, ничего не скажешь. Крылатые Властители всегда жаловали за верную службу, правда, предателей они тоже презирали. Как и мы, кстати. Ну, что ты дернулся? Хочешь влепить мне пощечину, простую оплеуху без всяких там магических изысков? Правда от этого не пострадает, Ритор.

— Чего ты хочешь, Торн? — Ритор славился выдержкой. Но на сей раз ее запасы пришлось израсходовать все без остатка.

— Я просто получаю удовольствие, взирая на твою перекошенную физиономию. Я оскорбляю тебя, я смеюсь тебе в лицо, а ты только и можешь, что бессильно скрипеть зубами. Потому что и ты, и я знаем — все, мной сказанное, правда.

— Лжешь, Торн, — с неожиданной усталостью безразлично сказал Ритор. Безразличие далось ему очень дорого, но об этом предводителю Воды знать было не обязательно. — Сам ведь знаешь, я никогда не стремился к власти, хотя, видят Ветры, мог бы. И ты знаешь, что только Дракон способен спасти нас от нашествия Прирожденных. Особенно если их возглавит Дракон Сотворенный.

— У нас есть чем ответить их Дракону, Ритор. Тебе ли забывать?

— Я уже слишком стар. Я истратил все, что было дано мне. Да и кто знает, поможет ли наш Убийца, Торн? Кто знает, что вложат Прирожденные в свое чудовище? Слишком серьезно все на этот раз. Только Сила. Чистая Сила, вот что может спасти Срединный Мир. Так почему же ты стремишься помешать мне? Боишься моего «диктаторства»? Вздор, ты для этого слишком умен и слишком давно со мною враждуешь. Не звенит ли в твоих карманах кое-что с родины, Торн?

— Ты хочешь сказать, не подкупили ли меня Прирожденные? — ничуть не обидевшись, весело рассмеялся тот. — Ну, едва ли мое слово многое значит для тебя, однако все ж скажу — нет, я не подкуплен. Просто я слишком хорошо знаю, кто такие Драконы.

— Я это тоже знаю, — сухо сказал Ритор. — Я помню и злобу, и ярость, и бессердечие Властителей. Потому я согласился... тогда. Но нельзя убить всю Силу мира. И не нужно, наверное...

— Клан Воды не пойдет больше ни под чью руку, сколь бы доброй и милосердной ни казалась она вначале, — серьезно ответил Торн. — Будь это Прирожденные, Властители или же наилучшие из нас, магов. Запомни это, Ритор. Мы будем драться. Ради этого мы выследили и взяли Огненных, первыми пролили их кровь. Потому что столкнись ты с ними — и новый Дракон, могущественный, почти неуязвимый, предъявил бы свои права на трон. Да, мы позвали Убийцу! Он уже в пути.

Так что, Ритор, даже если твой замысел исполнится — каким-то чудом, ибо тебе предстоит умереть, зала окружена, — нового Владыки над нашим краем не будет. Я достаточно четко выразился, почтенный Ритор?

— Более чем, — ответил волшебник.

— Тогда, — Торн сделал широкий жест, словно хозяин бала, — пользуйся случаем! Ешь, пей и веселись, ибо только так, в веселии духа, должно уходить из жизни истинному магу. И, мой тебе совет, сходи наконец к девочкам. Эти кошечки — м-м-м! — Он прищелкнул языком и закатил глаза, словно продавец рабов на невольничьем рынке. — Думаю, успех тебе обеспечен, только смотри, не перетруди чресла раньше времени. — Предводитель клана Воды внезапно оборвал разговор, резко свернув в сторону.

Только теперь Ритор понял, что на них с ужасом смотрит весь огромный зал.

ГЛАВА 3

Спать на полу — развлечение для молодых. К утру Виктор это решил однозначно. Не то чтобы болели спина или бока, но и отдохнувшим он себя не чувствовал. Еще безумно раздражало, даже сквозь сон, отсутствие края кровати. Наверное, человек всегда боится свалиться на пол. А когда такая возможность отсутствует — подозревает что-то неладное.

Уже просыпаясь, но еще не открывая глаз, Виктор перевернулся на спину. Да, попона боевого коня, наверное, поудобнее тощего одеяла...

Попона боевого коня!

Он вспомнил сон — мгновенно и ярко. Умирающий белый конь. И его рука с кинжалом. Мерзко. Ему редко снились такие красочные и неприятные сны. А вчера, после появления Тэль...

А здесь ли она еще?

Виктор открыл глаза. Окажись квартира пустой, он бы испытал облегчение. Даже если девочка прихватила бы с собой сгоревший телефон, самовыкручивающуюся пробку и прочие сокровища.

На тахте и впрямь никого не было.

Виктор встал, машинально заправляя майку в трусы, прислушался. Полная тишина. Ну вот, самый примитивный поворот событий оказался верным. Проверить, на месте ли деньги?

И тут на кухне что-то легонько звякнуло.

Мгновение поколебавшись, Виктор все же натянул вначале джинсы, а только потом выглянул на кухню.

Тэль стояла у плиты. Под сковородкой горел газ. Девочка просто что-то готовила.

Что-то очень странное.

— Доброе утро, — выдавил Виктор, испытывая легкое разочарование. Лучше бы бумажник сперла...

— Доброе, — согласилась Тэль не оборачиваясь. Выдержка у нее была потрясающая. Или она умела видеть затылком. — Я завтрак готовлю.

Виктор подошел к плите. Мрачно посмотрел на сковороду.

Кажется, это была яичница. Со скорлупой. Также в сковороде угадывались куски сплавившегося сыра, ломтики колбасы, мелко накрошенные кусочки хлеба и чахлые веточки укропа.

— Спасибо, — только и сказал Виктор. Все-таки девочка больна.

Выдержки у него хватило даже на то, чтобы начать есть жуткую стряпню. Как ни странно, оказалось вкусно. Вот только необходимость вылавливать кусочки скорлупы...

— Все ешь, — строго сказала Тэль. — Скорлупа тоже полезна.

Происходящее начало его понемногу забавлять. Дней через пять он уже сможет рассказывать эту историю со смехом. И даже добавит пару-другую причуд к характеру бедной девочки.

— Я постараюсь, — пообещал он.

Больше всего Виктора тревожила мысль, не забудет ли Тэль о вчерашнем решении отправиться домой. Мало ли, может быть, ей уже понравилось?

— Пора, — она снова угадала его мысли. — Ты обещал меня проводить, помнишь?

— Конечно. — Виктор с облегчением и в то же время — вот ведь незадача! — со странным чувством обиды поднялся из-за стола. Значит, даже для чокнутых девочек он не представляет никакого интереса!

— Я помою посуду, а ты пока собирайся, — обронила Тэль.

— Оставь, я потом сам уберу.

— Нельзя.

Пока девочка гремела на кухне посудой, Виктор выбрал из шкафа рубашку посвежее, проверив мимоходом, на месте ли деньги, очень надежно и оригинально спрятанные под стопкой простыней. Натянул легкий свитер — за окном было солнечно.

— Ты готов? — требовательно спросила Тэль.

Виктор устало посмотрел на нее. Хорошенькая девчонка, и глаза нормальные. Будь они и впрямь зеркалом души...

— Ничего не забыл?

— Шнурки погладить.

Тэль нахмурилась:

— Зачем?

Виктор вздохнул:

— Иди сюда.

Без лишних церемоний он развернул девочку боком, взялся за свитерок — тот, кстати, оказался аккуратно заштопанным, надо же, нашла иголку и нитки, — закатал вверх. Пластыря не было. И шрама тоже. Чувствуя, что сходит с ума, Виктор развернул Тэль — та послушно вертелась в его руках.

Бред. А что же он вчера обрабатывал перекисью? Нарисованный порез? Угу. Не первый же год имеет дело с ранами!

— Тэль, — деревянным голосом сказал Виктор. — Где твоя рана?

— Заросла.

— Я серьезно.

— Я тоже.

Статейки про экстрасенсов, усилием воли затягивающих раны, — это для газет. Но что делать, когда собственные глаза подтверждают — нет никакого пореза! И не было никогда! Кожа чистая и розовая, как у младенца.

Виктор с легкой опаской отстранился от девочки. Спросил:

— А ты одна домой не доберешься?

— Ты же обещал, — с ноткой обиды сказала Тэль.

— Ну... да...

— Пошли. — Девчонка была непреклонна.

— Так что с твоей раной? — В конце концов, это даже просто интересно. Хилер она филиппинский, что ли?

— У меня вообще все очень быстро заживает, — нехотя сообщила Тэль. — Давай об этом у меня поговорим, ладно? Как только придем.

Первым побуждением Виктора было махнуть рукой на все обещания и просто выставить малолетнюю нахалку из квартиры. Раны на ней быстро зарастают, видите ли! Не бывает такого, не бывает! Не бывает, и все.

— Ты обещал, — тихонько сказала Тэль. Глаза, миндалевидные, словно на персидской миниатюре, обиженно прикрылись.

Ох уж эти мне девчонки!

— Идем.

Никогда не спорьте с женщиной, даже если ей всего тринадцать. Особенно если ей тринадцать...

...Было воскресенье, да вдобавок еще и солнечное. В метро — давка. Тэль притиснули к Виктору; и, невольно напрягаясь, чтобы уберечь ее от напора разгоряченной, остро воняющей потом толпы, он неожиданно уловил ее собственный запах — чистый-чистый, словно над ромашковым лугом. Из глубины памяти вдруг всплыло: что-то похожее он уже ощущал — в доме бабушки Веры.

Откуда же ты взялась, Тэль? Понятно, тебе среди «мерсов» и казино делать нечего. Впрочем, и в серых, грязных, спивающихся деревеньках — тоже...

Доехали до «Щукинской», вышли. Влезли в трамвай. Потащились далее.

Мало-помалу подступало удивление. Впереди только Серебряный Бор, там обитают нью рашнс. На их доченьку Тэль тоже никак не походила.

— Куда мы...

— Молчи! — резко и сердито отрезала Тэль. — Нас могут ждать.

— Кто?

— Молчи! — Она сверкнула глазищами.

Ну разве взрослый, поживший и повидавший человек станет так просто подчиняться тринадцатилетней соплячке? Отвесит шлепка по заду, и вся недолга.

Однако Виктор почему-то и в самом деле умолк.

Миновали нудистский пляж. По песку прыгала компания голых мужиков — играли в волейбол. Зрелище, понятно, комичное, но обилие голых женщин и детей, загорающих рядом, придавало ему будничный оттенок.

Так и просилось на язык ядовитое «нам, надеюсь, сюда?», но Тэль лишь сдвинула брови, и шутить Виктору отчего-то расхотелось.

Они шли по какой-то тропке. Поразительно пустой для такого дня.

— Теперь смотри внимательно, — объявила Тэль. — Взять нас на переходе — самое для них лучшее. Никаких следов. Ни там, ни здесь. Если что-то случится, падай на землю и голову закрывай. Я сама со всем управлюсь.

— У тебя что, черный пояс? — осведомился Виктор. В свое время ему довелось немного позаниматься, он, конечно, не Чак Норрис или Брюс Ли, но за себя постоять сумеет. Если, конечно, их не десять человек с автоматами. Или мечами.

— Молчи, пожалуйста! Ведь я тебя просила! — Она обращалась с ним точно старшая сестра с несмышленышем-братишкой.

Дорожка делала поворот, сбегая вниз с невысокого холмика. Тэль остановилась.

— Если что случится, падай на землю и береги голову, — повторила она.

— Да понял я, — досадливо отмахнулся Виктор. Не хватало еще, чтобы эта пигалица все время поучала.

— Девять. Восемь. Семь, — Тэль начала считать шаги.

Виктор прикинул — десять шагов как раз где-то за поворотом, где тропинка петляет по склону вниз.

— Шесть. Пять. Четыре.

Девчонка была необычайно, сверхъестественно сосредоточенна. Если это игра, верит в нее она всерьез.

На плечи внезапно упали несколько ледяных капель. Машинально Виктор поднял глаза — туч и в помине нет, небо чистое, солнце сияет, как по заказу.

— Бежим! — крикнула Тэль. Схватила за руку, опрометью ринувшись за поворот. Недоумевающий Виктор побежал следом.

На головы обрушился настоящий ливень, даже в глазах потемнело. Взвыл ветер. По спине побежали холодные струйки.

— Скорее! — взвизгнула Тэль. Лицо ее перекосилось, словно от боли. Мокрая до нитки, она разом утратила всю свою загадочность. Обычная девчонка, угодившая под дождь.

Руки ее затанцевали над головой. Виктору показалось, между пальцев с золотистыми ногтями проскользнуло несколько искр.

Черт возьми, что происходит?

Они побежали вниз по дорожке, мгновенно раскисшей и превратившейся в настоящее болото. Из-под ног Тэль фонтанами летели брызги, она проваливалась едва ли не по щиколотку.

Виктор не успел даже удивиться тому, что сам он бежит нормально, лишь чуть поскальзываясь. Странно, весит-то он куда больше девчонки, это ему положено вязнуть...

Из-за дождя он смотрел вниз, а не по сторонам. И, наверное, просто угадал, когда надо поднять голову.

Они появились и справа, и слева, восемь промокших фигур в линялых тренировочных костюмах, какие носит собирающая дань с мелких торговцев «братва».

— Стой!

Тэль схватила Виктора за руку. Потащила за собой с такой силой, что он едва не упал.

— Бежим! Скорее! — взвизгнула девчонка. На миг она обернулась — лицо все в крови. Мелкие, как от булавочных уколов, алые капельки. Откуда?

— Стойте! — закричали несколько голосов.

Черт возьми. Виктор никогда не обольщался насчет возможности одного человека справиться хотя бы с тремя. Останавливаться желания не возникло. Ни малейшего.

Они бежали вниз по тропинке. Тэль, чье лицо превратилось в разукрашенную кровью маску, по-прежнему задавала темп. Вот только не успевали они, никак не успевали — по скользкому склону быстро не спустишься. Разве что...

Мысль была столь безумной, что Виктор даже не стал рассуждать. Рванулся, нагоняя Тэль, толкнул ее, подбивая под коленки. Девчонка возмущенно и протестующе крикнула, но уже падая на спину в жидкую, скользкую грязь. Виктор упал рядом.

Они катились, скользили вниз по раскисшей, обратившейся в кашу дорожке. Мокрые, все в грязи, словно по желобу аттракциона в аквапарке — вниз, вниз, вниз. За спиной что-то выли преследователи; дождь усилился, хлестал, точно плеть, по дороге вниз катился уже настоящий поток, словно сель в горах, беглецов закрутило. Да что же это такое творится?!

С того самого мига, как Тэль, взвизгнув, потащила его за собой по тогда еще сухой тропе, Виктор действовал словно автомат, не рассуждая, не удивляясь, не раздумывая, словно кто-то внутри него все уже знал наперед. А может, так оно и было?

А небо над ними оставалось чистым. Дождь возник сам собой, из ничего. Бывает. Так же как самовыкручивающиеся пробки.

Как ни странно, но Виктора почему-то не отпускала совершенно неуместная и глупая мысль — как отнесется Тэль к его неожиданному поступку. Почему-то он был уверен, что этот скоростной спуск спас им жизнь. И все же...

Он успокоился, лишь услышав смех Тэль. Заливистый и радостный. Словно ее лицо не покрывала кровь, а тело грязь. В движении Виктор удерживал плечо Тэль и даже ухитрился подтянуть ее ближе, страхуя голову. Пока под ними была липкая жижа — ущерб был больше моральным, чем физическим, но первый попавшийся камень или корень могли все изменить.

А потом небо — чистое голубое небо, с которого лил неуместный дождь, вдруг стало серым. И они слетели с тропинки, буквально вывалились во что-то мягкое, рассыпчатое, влажное.

В целую гору опавших осенних листьев.

Замерев, Лой Ивер прижала тонкие пальцы к вискам. Конечно, она не слышала, о чем говорили Ритор и Торн. Оба волшебника, не сотворив ни единого заклинания, окружили себя непроницаемой стеной. И уже одно это могло напугать до полусмерти кого угодно. Клан Воздуха старался ни с кем не враждовать. Но Ритор избегал светских игрищ Лой совсем по иным причинам, нежели простое нежелание столкнуться с врагом лицом к лицу. Лой понимала — сейчас и Ритор, и Торн доведены до крайности, на кон поставлено все, и пошла игра без всяких правил. Она чуяла убийство.

— Лой! Лой, что происходит?! — Хор возник рядом неслышной тенью. В доспехах, а отнюдь не в бальном наряде. — Я выслал дозорных, кругом полным-полно Воды. Уже полночь, их Сила растет, а Торн привел самых лучших. С такой массой нам не справиться, просто задавят магией. Лой, что случилось? Ты опять поцеловалась не с тем, с кем надо?

— Напротив, Хор. Похоже, мне сейчас придется срочно целоваться... Милый, ты ведь отвернешься, правда? — Даже сейчас она оставалась сама собой.

— Неужели они хотят... — Хор осекся.

— Если только я хоть что-нибудь понимаю — да, — ответила Лой. — Я пойду к ним, Хор. А ты поднимай наших.

— Незаметно взять на прицел всех Водных? — деловито осведомился Хор. Он слыл непревзойденным мастером рукопашного боя, стремительных и быстротечных схваток в темноте, когда непонятно, где враг, где друг. Но в вопросах, кому именно следует первым вогнать под веко крошечную отравленную стрелку, он полностью доверял Лой, и она никогда не ошибалась. Схватка с испытанными бойцами Торна могла стать началом конца клана Кошек; но кто может сказать, что Хор испугался?!

— Ты с ума сошел, — схватилась за голову Лой, не жалея тщательно уложенной прически. — Вот это точно — оскорбление. Наоборот, пусть они нас видят. Пусть поймут, что мы будем сражаться. До конца. А я... я сейчас обращусь к гостям. Я скажу, что происходит. И еще... придется сделать кое-что еще. Только ты, пожалуйста, не обижайся. Ради блага клана!

Как приятно, что порой благо клана совпадает с собственным желанием...

— Когда-нибудь я убью их всех, — бессильно прорычал Хор. — И притом без всякой там магии!

— Не делай глупостей, милый. — Она привстала на цыпочки, легонько поцеловала в висок, словно сестра. — Выводи наших. А я приготовлю самую горячую речь... нет, только все испорчу. Гостям пока говорить ничего не стану. Не медли, милый! И не пожирай меня глазами. Действуй!

Ритор в задумчивости стоял у теплого, словно живая плоть, центрального ствола. Чародеи тем и отличаются от обычных смертных, что умеют думать в любой ситуации, воспринимая даже угрозу собственной жизни всего лишь как еще одну тему для размышлений.... Торн, конечно же, не шутил. Он не умел шутить, этот ловкий и удачливый предводитель клана Воды, талантливый волшебник, почти что прирожденный маг. Он знал, чего хотел, и твердо шел к цели. Когда надо, напролом, а когда и лавируя. О, он вовсе не был этаким книжным злодеем, властолюбцем, тираном и все прочее. Он просто хотел сохранить существующий порядок вещей... или все-таки нет? Отчего Торн так упорно обвинял его, Ритора, в намерении узурпировать власть? Не потому ли, что сам втайне стремился к этому? Да нет, вздор. Ритор даже рассмеялся. Многие в прошлом пытались создать в Срединном Мире единое королевство. Невозможно. Вода не возобладает над Огнем, а Земля — над Воздухом. Даже Крылатые Властители так и не озаботились придать хотя бы видимость единства рыхлому сообществу кланов, хотя уж Драконы-то как раз и не встретили бы сопротивления...

Он подумал так и тотчас оспорил себя. Не встретили бы сопротивления? А сам он, Ритор?

Так что же ты задумал, Торн? Взыграла давняя человеческая гордыня — мол, все до меня дураки, один я знаю, что и как делать? Едва ли, ты более чем неглуп. Или ты возомнил себя спасителем мира? Но даже если ты справишься со мной, что возможно — сейчас ночь, моя Сила падает, а Сила Воды растет, Прирожденных тебе не остановить. А это значит, что мне, Ритору, погибнуть сейчас никак нельзя. Я с радостью отдал бы жизнь — даже тебе, Торн, — если б это спасло нас от вторжения. Но — не спасет. Когда орлиноголовые корабли выйдут из дымки, нам останется только одно — умирать с честью. Но если Прирожденных окажется слишком много, то не будет и этого.

Значит, надо прорываться, буднично решил Ритор. Ох, как же мне надоело это занятие. Кажется, ты не прожил ни одного дня без того, чтобы не прорываться куда-то. И все это считается высшей доблестью. Ты прорывался, когда судьба Убийцы Дракона казалась полной лишь сверкающих алмазных путей славы и геройства. Тогда ты был молод, жесток и глуп. Потом ты прорывался, преследуя по всей стране последнего, уже раненного тобой Крылатого Властителя. Последнего из некогда могучего рода. Потом ты... Впрочем, хватит вспоминать. Вот идет Лой Ивер, очаровательная Лой, о чьей чувственности и темпераменте прыщавые юнцы рассказывают друг другу срамные истории, краснея, пыхтя, сопя и чуть ли не кончая прямо в штаны.

Ритора окутало мягкое облако теплого аромата — Ивер славилась благовониями своего собственного изготовления. Быстрый взгляд из-под полуопущенных ресниц, едва заметный поворот упругого бедра, мелькнувшие на миг ямочки — и что это с тобой, Ритор? У тебя пересохло в горле? У тебя закололо сердце? Твой вороватый взгляд тщится проникнуть поглубже в острый вырез ее платья? Ты жадно смотришь на ее ноги, открытые выше колен?

— Этого не стоит стыдиться, — сказала Лой. Она была невероятно серьезна. — У тебя своя сила, а у меня — своя.

Ритор с трудом отвел взгляд.

— Ты смешной человек, Ритор. Могущественный маг краснеет, как мальчишка, глядя на мою грудь. У тебя были плохие любовницы, Воздушный.

— Зачем ты говоришь мне это, Лой? — Если она заодно с Торном и хочет вывести его из себя, это ей не удастся.

— Я думаю об этом сейчас. И говорю тебе. С таким мастером, как ты, нет смысла что-то скрывать. Может, не стоило так презирать моих кошечек, мэтр?

— Какое это имеет значение? — невозмутимо спросил Ритор. Ей не удастся вызвать в нем гнева.

— Значение имеет только то, — с внезапной резкостью сказала Ивер, — что вы с Торном собираетесь устроить тут потасовку. Мне плевать, из-за чего вы хотите драться — вы, Стихийные, просто помешаны на своих предрассудках, — но здесь я крови не допущу. И не допущу, чтобы тебя убили. Торн привел с собой слишком многих. Это будет не поединок, а убийство. Я хочу, чтобы ты ушел отсюда живым, Ритор.

— Почему? — хладнокровно спросил маг, и Лой невольно закусила губу — пробить эту ледяную глыбу казалось невозможным. Ну, разве что начать заниматься с ним любовью на глазах всего зала. Забавная мысль... но тут уж не выдержит Хор.

— Потому что как мужчина ты нравишься мне больше Торна, — ядовито сказала она, поворачиваясь к нему спиной. Как бы то ни было, цели она достигла. Ритору пришлось успокаивать свой гнев, тратить силы. Непроницаемая защита на краткий миг дала трещину. Разумеется, и десяток таких, как Лой, не смогли бы причинить ему никакого вреда, однако кое-что она понять успела.

Именно Торн хотел убить Ритора. А не наоборот.

Что и требовалось доказать.

— Все готово. Хор.

— Начинаем.

Ночь ожила.

— Эй, вы! — надсаживаясь, гаркнул Хор. — Которые тут из Воды! Вот что я вам скажу, Стихийные! Шли бы вы лучше к нам, у нас тепло, весело и сухо! Потому что сделать вам ваше дело мы все равно не позволим. Нас вдесятеро больше, и, даже если каждый из вас убьет девятерых, десятый его все равно прикончит. Голыми руками, без всякого оружия. Ну что, шпаги в ножны? Или будем драться?..

Темнота молчала.

— Мэтр Торн... — Лой церемонно присела, так, чтобы ему было удобнее заглянуть ей за край глубокого декольте. — Какая честь для нас...

— Брось, Лой. — Она заметила, как он нервно облизнул губы. — С каких это пор я стал «мэтром»? Просто Торн, это только Ритор у нас так любит официальные титулования...

— Тогда давай потанцуем, Торн. — Она грациозно опустила руку к нему на плечо.

Бал клана Кошек был уже в полном разгаре. Гости успокоились. Два могущественных мага разошлись, внешне — вполне мирно. Никому больше не было никакого дела до Ритора и Торна — никто не знал о случившемся с кланом Огня, никто не знал и о чем говорили волшебники. Наигрывала музыка; мягко кружились пары. По густой листве метались алые, серебристые и голубые отблески. Дебютантка из клана Воды танцевала без перерыва.

Торн и Лой вошли в круг. Тонкие пальцы Ивер тотчас легли на жилистую шею волшебника. Он вздрогнул.

— Что это с тобой, любезная хозяйка?

Лой знала, что у нее совсем нет времени. Хор уже начал действовать, а это значило, что Торн в любой момент может получить сигнал тревоги. И заглушить его можно было лишь одним-единственным способом. Кроме того, с ним долго притворяться было невозможно. Только стремительный натиск, как бы нелепо это ни выглядело. Впрочем, ее опыт говорил, что именно нелепостям мужчины верят легче всего.

— А что ты скажешь, если узнаешь — развратница Ивер очень хочет выяснить, каков же в деле настоящий маг? — Она сделала ударение на слове «настоящий». Сквозь тонкую ткань платья она ощутила, как ладони его мгновенно стали горячими. Он судорожно сглотнул.

«Еще один мальчик, — с легким презрением подумала Кошка. — Неужели высшая магия Стихийных и впрямь требует от своих адептов столько сил, что на самый обычный секс не остается времени?»

Голова Торна резко дернулась — трудно было различить согласный кивок в этом торопливом движении.

— Тогда пойдем, — шепотом сказала Лой, теснее прижимаясь к нему. Они растворились в стене бального зала.

Крошечный закуток был специально создан Лой Ивер для таких вот стремительных свиданий. Тут был сумрак. Торн стоял, уронив руки и тяжело дыша — ну точь-в-точь неопытный мальчик перед первой в его жизни ночью. Она усмехнулась — насколько же сейчас больше ее сила!

— Смелее, мэтр, — улыбнулась она, одним движением освобождаясь от платья.

Он схватил ее, точно тонущий — спасательный круг.

— Ну же... — хрипло прошептала она.

Маг терял голову, и это было хорошо.

Торн прижался к ней.

— А теперь скомандуй своим выпустить Ритора, — нежно промурлыкала Ивер. Сталь сверкнула возле самого горла Торна; острие оцарапало кожу.

— Ч-что?! — Казалось, он сейчас рухнет бездыханным.

— Мне не нужны трупы на балу, — резко сказала она. — Ты хотел убить Ритора. Я не допущу этого. Сводите счеты где угодно, но не на моих землях. Ты понял, Торн? Скомандуй своим людям отступить. Слышишь? Иначе, клянусь, я перережу тебе глотку. Что потом будет со мной, ты уже никогда не узнаешь. — Она вновь коснулась лезвием его горла.

Торн захрипел.

— Сука...

— Не стоит ругаться, — мягко сказала она. — Ты не оставил мне выбора. Командуй!

Несколько мгновений он колебался, и Лой подумала, что он и в самом деле не из трусливых.

— Хорошо! Ты победила... сейчас.

Она почувствовала волну магии.

— Готово...

* * *

— Послушай, как тебе это удалось? — мрачно спросил Хор, когда они кончили заниматься любовью.

Лой пренебрежительно фыркнула.

— Для настоящего мага он слишком сильно хотел жить, — сказала она. Словно плюнула в лицо невидимому Торну.

Было у американцев когда-то такое наказание — обмазать преступника в смоле и вывалять в перьях. Виктор никогда не мог сообразить, в чем же воспитательный эффект такого мероприятия?

Кажется, сейчас он начал это понимать. Вымазанный с ног до головы в грязи, облепленный листьями, Виктор стоял перед хохочущей Тэль и никак не мог решить — что же ему делать. Смеяться, плакать, удирать или отшлепать эту несносную девчонку, втянувшую его Бог весть во что?

Все-таки он выбрал смех. Уж очень нелепо выглядела Тэль. Как и он, впрочем. Виктор протянул руку, снял со щеки девочки прилипший лист.

— Как ты это придумал? — спросила Тэль.

— Ты же сказала, если что случится — падай, — невозмутимо ответил Виктор. — Вот. Я послушный.

Тэль снова хихикнула, уже тише. Виктор огляделся.

Полная чертовщина. Они были в лесу, и не в окультуренном, грязненьком подмосковном лесочке, а в нормальном, воскрешающем в памяти картины Шишкина. Холм, с которого они скатились, вроде бы наличествовал... вот только никакой тропинки Виктор на нем углядеть не мог. Небо, только что бывшее голубым, затягивали плотные тучи.

А самое главное — вокруг царила осень. Непоздняя, наверное, потому что было не так уж и холодно, но именно осень. С деревьев почти полностью облетели листья, лишь на вершинах осталось чуть-чуть бурого и желтого цвета.

И тихо. Очень тихо. Никогда так не бывает рядом с пляжами и прочими местами отдыха. Всегда находится придурок, решивший, что в нем гибнет певческий талант, или компания, включающая магнитофон на полную мощность...

— Где мы, Тэль? — спросил Виктор. Вопроса, где их странные преследователи, даже не возникло. Он просто чувствовал, что поблизости их нет.

— Дома. У меня дома. — Тэль провела ладошкой по лицу, стирая остатки крови. Ран не было.

— У тебя дома? — Виктор произнес эти слова медленно, по слогам. Только так и можно было заполнить звенящую пустоту, оккупировавшую сознание. Он не мог ни о чем думать. Не верил. Не мог поверить.

— Ну да. Ты обещал проводить меня домой.

— И... и где он, твой дом? В Серебряном Бору?

— Нет, — Тэль зябко обхватила руками тонкие плечики, — гораздо дальше.

— Ага. Параллельные миры. — Виктор попытался ехидно усмехнуться, правда, получалось это у него не слишком.

— Называй как хочешь. — Тэль безуспешно попыталась убрать с лица пропитанную грязью прядь. — Пойдем, тут неподалеку озерцо. Вымоемся.

— В такой холод?! — с ужасом произнес Виктор.

— Иначе замерзнем, — наставительно произнесла Тэль.

Холод с каждой минутой все крепче вцеплялся в их мокрую одежду невидимыми когтями.

— Бежим! — Тэль потянула Виктора за руку. И они вновь побежали.

Осенний лес многозвучен и мягок. Он обволакивает тебя, ты погружаешься в него, растворяешься в нем, и вот — уже не идешь — летишь, не чувствуя ног. С Виктором такое случалось нередко — даже в хилых и замусоренных перелесках «ридной Подмосковщины». Здесь же лес с первого мгновения, с первого вдоха вошел в него; все казалось странно знакомым, хотя многих деревьев Виктор узнать не мог. Вот, скажем, это, корою — граб, а листьями — чистый клен. Или вот — похожее на ольху, а длинные серебристо-золотые сережки на ветвях и вовсе ни к селу ни к городу.

Лес был чужим... и не был. Они с Виктором встретились словно два брата после очень, очень долгой разлуки.

Виктор и Тэль бежали по мягкому ковру палой листвы, проскальзывая сквозь облетевшие кустарники, мимо давно павших лесных исполинов, уступивших свет, воздух и землю молодым. Так бывает всегда, и нечего горевать об этом. Смерть есть орудие Жизни — не более того.

«Пьян я, что ли? Или это от холода?» — мелькнуло у Виктора. Сознание плыло. Гасло, растворяясь в тысячах лесных голосов, что со всех сторон нашептывали ему свои песни. Слов он не понимал... пока откуда-то из небытия вдруг не проступило лицо бабушки Веры. Да! Да, они вот так же бежали по ноябрьскому облетевшему лесу, прозрачному и звонкому, уже готовому принять снежный саван — после того, как Виктора слегка засыпало в каком-то овраге. Бабушка уронила туда свой серебряный медальон — единственное, пожалуй, украшение, с которым не расставалась. И он, со всей беззаботной детской готовностью помочь бабушке, стал спускаться по скользкому склону...

Странно. Словно повторяется все. Только нарастает, выходит на какой-то новый, более крутой виток спирали. Ведь и бабушка первым делом потащила его отмываться, и он, повизгивая от холода и восторга — мама никогда бы такого не позволила! — плескался в ледяной воде. А бабушка разводила на берегу костер — там, к счастью, оказалась целая гора валежника...

— Виктор, почему ты не стал с ними драться? — спросила на бегу Тэль. — Почему решил убежать?

— Бой без шансов на победу — удел дураков, — ответил Виктор. Никогда в нем не было тяги к таким вот красивостям, но в сказочном осеннем лесу слова показались уместными.

Тэль кивнула. С осуждением? С одобрением? Или просто — констатируя факт?

— Сейчас будет озеро, — сообщила она.

И как она здесь ориентируется? Действительно, местная. Озеро исправно показалось, блеснуло серой сталью воды.

— Прыгай! — Тэль рванулась, словно и не отмерили они только что без малого километр. — Прыгай сразу, а то духу не хватит!

И, подавая пример, с разбегу влетела в озеро.

Впрочем, нет, не влетела — слилась с ним, без всплеска и брызг уйдя под воду с головой. А вот Виктор плюхнулся, словно бегемот.

Ледяная вода, казалось, жжет больнее настоящего пламени. «Сердце остановится, дуралей!» — запоздало подумал Виктор.

Но сердце и не подумало останавливаться.

Тэль неожиданно оказалась рядом — требовательный взгляд впился ему в лицо. Неожиданно Виктор понял, что не чувствует холода. И воды вокруг себя тоже. Словно он стал частью этого ледяного озерца — а потом вода и вовсе исчезла, обратившись в серую туманную дымку, и солнце неожиданно оказалось рядом. Далеко внизу раскинулась земля — яркая, зеленая, голубая и коричневая.

...Сердце яростно гнало кровь по жилам. Могучие мышцы, застоявшись, требовали боя. Тела своего он не видел — да и ни к чему оно было ему сейчас. Там, внизу, вздымались башни города — они росли, близились, он мчался к ним, зная, что его там ждут.

...Город был поражен страхом. Он, только что паривший в поднебесье, гордо шествовал, незримый, по его улочкам, пустым, словно во время мора. Он — Судия. Ему должно было судить здесь. И покарать, если надо.

...Потом он внезапно очутился во дворце. Точнее, он понял, что узорчатые, покрытые мозаикой стены вокруг него есть стены дворца правителя. Здесь люди уже были. Сгрудившись в дальнем углу, они избегали смотреть на него. На него — кого? Он по-прежнему не знал. Тела своего он не видел, точно в компьютерной игре-стрелялке. Вот только это была не игра, и они это знали, и он знал. И в который раз, с удивлением и яростью, подумал — как смеют преступать законы те, кто не в силах противиться его воле, кто не смеет поднять сейчас взгляд...

...И когда, то ли в последней вспышке гордости, то ли в приступе страха, тот, кто правил этим городом и этими людьми, все же посмотрел на него — он улыбнулся. Улыбка его была смертью. Приговором и исполнением.

...Можно было сейчас развернуться и уйти. Им навсегда хватит этого страха, этого мгновения — никогда больше они не посмеют пойти против его воли. Или все же посмеют?

...Почему так холодно? Ведь вокруг огонь, горят стены резного дерева, горят мягкие подушки, разбросанные по полу, го-

рят те, кто посмел преступить его волю. Почему же так холодно...

...Тэль неведомо как дотащила его до берега. Очевидно, он потерял сознание. Переохлаждение. И откуда у нее силенки? Виктор слабо пошевелился, приподнимаясь на локтях. Все вокруг казалось неправильным, нереальным, и он не сразу понял, в чем дело. Изменился масштаб. В бредовом сне он был великаном — или окружали его лилипуты.

На берегу горел костер. Как Тэль разожгла огонь? Мокрая, ни единой нитки сухой, не говоря уж о зажигалке или спичках.

Только теперь Виктор понял, что почти раздет. Джинсы, рубашка и все прочее исходили паром над огнем. Слава Богу, хоть трусы остались на нем, сумасшедшая девчонка была начисто лишена комплексов.

— Так не сушат, но что делать, — услышал он. — Иначе ты бы замерз.

— Тэль... — начал он. Эта девчонка положительно позволяет себе слишком многое! Даже после всего случившегося. А он так и не понимает, что происходит!

— Все хорошо. — Она закончила возиться с костром и быстро разделась. Ее собственные свитерок и брючки теперь болтались рядом с вещами Виктора. Наготы она, похоже, совершенно не стеснялась. — Ты ведь выбрал, так?

— Выбрал что? — не понял он.

Она выпрямилась, глядя прямо на него. Строго сказала:

— Я не должна знать, что именно, скажи только — ты выбрал?

Видение вернулось. На миг — он вспомнил пламя. Только жаркое пламя. Его выбор?

Виктор не сказал «да» — Тэль поняла сама. Кивнула удовлетворенно и швырнула в огонь новую охапку хвороста. Виктор заметил, что она оцарапалась. Впрочем, что ей это? У нее и настоящие раны заживают за ночь.

— Нельзя сидеть, — сказала Тэль. — Надо бегать, Виктор.

Он представил себе эту сцену — как они, голые, станут носиться вокруг костра, и помотал головой. Но Тэль не унималась:

— Вставай! Ну!

Виктор опомниться не успел, как она выхватила из костра тлеющую ветку, даже не ветку, прутик, с огненно-рдеющей точкой на конце, и стегнула его по спине.

— Ты! — Он даже не сообразил, как, забыв смущение, вскочил и бросился за Тэль. — Ну...

Пожалуй, догони он сейчас девчонку, шлепок бы она получила крепкий. Вот только ловить Тэль явно было делом бессмысленным. Через минуту, отделенная от него костром, девочка остановилась:

— Виктор! Мир?

Он молча погрозил ей кулаком.

— Надо, чтобы кровь разошлась, — серьезно сказала она. — Не дуйся. Извини.

— Я не умею извинять, — сказал Виктор. И не успел даже сам удивиться своим словам, злым, напыщенным и вместе с тем абсолютно искренним. Мир вокруг качнулся.

...Его охватывало пламя. Било, кусало, жгло. Злое, беспощадное и вместе с тем беспомощное. Он все равно был сильнее. Куда сильнее, чем все враги, вместе взятые. Но их атака, их злоба — все это требовало ответа. Достойного. Он плыл — в кипящем, покрытом пылающей огненной пленкой море. К длинным, узким кораблям, высоко вскинувшим над волнами мачты с черными парусами, и еще выше — орлиноголовые носы.

Он знал, что сильнее. И будет сильнее всегда...

— Виктор, — сказала Тэль. — Виктор...

Открыв глаза, он поймал ее кисть, а другой рукой выхватил из огня, не глядя, на ощупь, словно чувствовал пламя всем телом, тлеющую ветку. И легонько стегнул Тэль по плечу. Девчонка взвизгнула, вырываясь.

— Теперь — мир, — сказал Виктор.

Почему-то он был уверен, что если бы только Тэль захотела — увернулась без труда.

— Согрелся? — без перехода осведомилась Тэль, потирая плечо. — Одевайся и пойдем. Медлить нельзя, враги отстали, но не навсегда. Они найдут Тропу. А нам надо успеть к скалам до ночи.

— К скалам? — нервно усмехнулся Виктор. — Ну хорошо, можно и к скалам. Можно к горам. Или к морю?

— К морю мы пойдем позже, — серьезно сказала Тэль. — Сперва — к скалам. Идти не очень далеко, но дорога плохая. Слишком близко к Серым Пределам.

Пределы! Он знал... или ему казалось, что знает. Спросить Тэль?

Нет, он не станет ее расспрашивать. В этой игре — когда предполагалось, что он знает и понимает все, а на самом деле он не знал ничего — крылась своя прелесть. Пределы? Пусть будут Пределы. Серые — тем лучше.

Одевались они, повернувшись друг к другу спиной. Словно это сразу переводило все на деловые рельсы. Виктор кое-как выжал на себе плавки, натянул джинсы. Одежда просохла полностью, а вот в ботинках, сырых и съежившихся, ногам было неуютно. Но с этим пришлось смириться.

ГЛАВА 4

До владений своего клана Ритор решил добираться по воздуху. Не хватало еще после такого тащиться пешком! Час Силы уже ушел, но до полного ее падения оставалось достаточно времени, чтобы покрыть отделявшее Поющий Лес от Клыка Четырех Ветров расстояние.

Когда сработала магия и мягкие воздушные струи подхватили ставшее почти невесомым тело, настало время размышлений. Ритор досадовал на себя — его подозрения насчет Лой не оправдались, а маг очень не любил ошибаться в людях, тем более в тех, кого знал уже давно. Ивер не была причастна к предательству. Кто-то иной выдал Торну Огненных, быть может — и из их собственного клана. Не исключено, конечно, что предал и кто-то из своих. Такое тоже случалось, тем более что — Ритор знал — далеко не все даже в его собственном клане разделяли мысль о том, что Драконов надо вернуть.

Спокойно могли предать... так сказать, по идейным соображениям.

Предателя найти будет нелегко. Но без этого нечего и надеяться отомстить. Впрочем, оспорил сам себя Ритор, это уже никакая не месть. Это самая настоящая война. Клан Воздуха и клан Огня не были связаны никакими союзами, но за погибших Огненных Ритор намеревался посчитаться тоже. Торн должен умереть. А вместе с ним — все те, что были тогда в замке. Все, до единого. Несмотря на то что это, конечно же, ослабит кланы Срединного Мира накануне неминуемого вторжения Прирожденных. Крамолу надо сломить в зародыше. Никто не смеет думать, что клан Воздуха смирится с подобным.

Однако Ритор отдавал себе отчет, что силы кланов примерно равны. Может, он сам и чуть получше Торна — во всяком случае, открытого поединка маг Воздуха не боялся, но вот магов второго ряда у Воды куда больше, и они во многом опытнее. Сказываются соседство ленных владений с Серыми Пределами, немирные эльфы на границе, неупокоенная нежить и прочее. Если бы не смерть Таниэля, братьев Клатт и Шатти... Хотя, если дело дойдет до открытой схватки — клан на клан — один, два или даже три лишних бойца роли не сыграют. В таком случае все решит случайность.

Вода и Воздух основательно ослабят друг друга, Огонь не сможет удержаться от мести, и вместо четырех Стихийных кланов врага в полной силе встретит лишь один — флегматики Земляные.

Этот расклад совсем уж никуда не годился. Даже если берег взорвется под ногами Прирожденных, горы стронутся с места и вулканы встанут на их пути — будет уже слишком поздно. Слишком. Корабли Прирожденных надо встречать в море, чтобы Срединного Мира достигли лишь жалкие остатки армады. Иначе не устоять.

Ритор заскрежетал зубами. Он удивлялся сам себе, вдруг проснувшейся в нем кровожадности... и вдруг вспомнил — вот именно таким, пьяным от предвкушения ливнем льющейся на него горячей драконьей крови был он, когда отправлялся в свой поход. Много лет прошло с тех пор, дурман боевого безумия, казалось бы, рассеялся — ан нет, дремал все эти годы где-то глубоко-глубоко, ждал своего часа.

Торн все рассчитал правильно, подумал вдруг Ритор. Воздух не станет мстить. Потому что с Прирожденными клан Воды тоже будет сражаться насмерть... если, конечно, брошенное в запале оскорбление Ритора насчет звонкой монеты с родины в карманах Торна не обернется страшной правдой.

Тогда останется только одно — умереть, сражаясь.

Если, конечно, не придет Дракон.

Но Торн уже вызвал его Убийцу... Едва ли волшебник Воды лгал. Маг его уровня должен понимать — правда куда более страшное оружие, а примененное в нужное время и в нужном месте...

У меня не хватает правдивых известий, с досадой признался сам себе Ритор. Наверное, Лой права, и услугами Кошек пренебрегать не следовало. Они, разумеется, хитры, коварны и во всем ищут собственную выгоду, но если уж сообщают какие-то сведения, перепроверять их не требуется никогда.

...Клык Четырех Ветров, или просто Клык, как называли его все, без исключения, обитатели Срединного Мира, вознесся высоко над зеленым речным крутояром. Уже возле самого устья Синяя Река, пробив горные стены, делала здесь широкую излучину, огибая пронзивший землю каменный утес. Здесь сходились горные леса и приморские дюны, здесь была южная граница кланов, дальше начиналось Горячее Море. К северу лежали горы, за ними — владения других кланов, Ферос — главный город Клана Земли. Теплые степи, перемежающиеся лесами, распаханные земли, городки, деревеньки, фермы и хутора. А еще дальше, за степями, за Зивашскими болотами, на сотни и сотни миль — страна, где живут и люди, и гномы, и эльфы, и еще те, чьи имена перечислять заняло бы слишком много места. Там — тоже города, ленные владения кланов, замки вассальных князей. Там тянется гномий Путь. А еще севернее, за кольцом Серых Пределов — необжитые, незнаемые земли, пустые и необитаемые. Никто из клана не хотел там жить, все, без исключения, выбрали теплое, ласковое взморье, так напоминавшее об утерянной родине. Дальний север остался незаселенным, и даже те, что приходили с Изнанки, предпочитали осесть южнее.

Леса служили обителью эльфам, горы — как и полагается, гномам. Прочертив страну железной нитью, пролег Путь; да вились желтыми змеями узкие тракты. Маги кланов, тем более Стихийных, захаживали туда редко. Только чтобы собрать полюдье — оброк, коим обложены все обрабатывающие землю, или занятые ремеслами, или содержащие свое дело, торговое, скажем, или питейное.

Клан же Воздуха обосновался возле этой скалы далеко не случайно. Клык являлся средоточием бурной и непостоянной магии аэра, здесь сталкивались набравшие разгон над бескрайней морской равниной ветры, здесь они встречали иные, собиравшие силу на горных высях; каменный клинок словно бы притягивал их, здесь они легко отдавали силу, здесь можно было взлететь даже в час полного падения волшебства прозрачной стихии.

Здесь учился летать Таниэль...

Ритор ощутил, как болезненно сжалось сердце, и тотчас же запретил себе думать о мальчугане. Его уже не вернешь. За него можно только отомстить. И хотя Ритор не раз и не два смеялся над глупыми суевериями, что, дескать, душа неотомщенного не может обрести покой, — сейчас он внезапно понял, что верит этому. Или же очень хочет поверить — чтобы оправдать задуманное?..

Синяя Река стала естественным пределом. Поселившиеся на самом краю леса сородичи Ритора не возвели на восточном берегу даже самого захудалого сарайчика, не говоря уж о перевозе. Не разбили они там и полей. И уже долгие годы никому отчего-то не приходило в голову отменить неусыпное бдение на вершине каменного Клыка, снять оттуда наблюдавших за восточным берегом дозорных. Никогда еще оттуда, с восхода, не приходил враг. Правда, не приходил и друг, а этого хватало, чтобы не убирать стражу.

Постройки теснились у подножия скалы. Предшественник Ритора добился, чтобы поселок обнесли каменной стеной — мало у кого в Срединном Мире укрепления были не из дерева. Когда-то, еще до великой войны, сокрушившей, между прочим, и Ббхчи, замок, где Ритор назначал встречу Огненным, из каменоломен на левом берегу Синей возили материал далеко на запад и север, возводя могучие крепости. Потом стало ясно, что мир лучше любых крепостей, потом разрабатывать обедневшие карьеры стало невыгодно и каменоломни забросили. Правда, немного камня для стен и башен клана Воздуха в них все-таки нашлось.

Поселок был довольно-таки крупным, пожалуй, даже не поселок, а небольшой город между горами и морем. Чистенький и зеленый — воды хватало. Одноэтажные домики, тонущие в древесных кронах, ближе к площади уступали место каменным в два-три этажа. На площади, где рынок, стояли: Храм Воздуха, школа, арсенал, ратуша и церковь.

Давным-давно сюда попал один фанатично верующий монах-францисканец; на родине его едва не сожгли, а здесь он оказался сильным магом. С тех пор и осталась церковь Святой Богоматери Неведомых Земель, тем самым францисканцем собственноручно расписанная. Он положил на это всю жизнь; в клане Воздуха умели ценить верность. У монаха нашлись последователи; традиция не прерывалась по сию пору, хотя всерьез, конечно, никто не верил. Но «малый храм», как еще называли церквушку, остался.

За стенами — поля, оросительные каналы, фермы и хутора, иные в целом дне пути от каменных рондолей городка. А еще — последняя станция Пути. Ее построили гномы, когда стало ясно, кто хозяин Срединного Мира.

Озеро быстро осталось позади. Местность постепенно повышалась, лес стал гуще. Приходилось все время пробираться по настоящему бурелому.

Нет таких лесов под Москвой, нет, что ни говори. Но это, кажется, уже перестало удивлять.

— Сейчас будет Кривая Горка, а потом Горка Белая, — тоном строгой учительницы сказала Тэль. — Их одолеем — придется спуститься в Бурёломный Овраг. Вот он-то и есть самое близкое к Серым Пределам место. Смотреть нужно в оба. Зато потом дорога полегче. Сначала холмы, а за ними и скалы. К вечеру дойдем... только б до заката успеть.

Виктор не стал спрашивать, почему им надо успеть до заката. Знал и так, что надо успеть, а отчего — не важно.

— Ты точно согрелся? — спросила Тэль, когда они поднимались на Кривую Горку. На взгляд Виктора, была она ничуть не кривее Белой, как и Белая — не светлее Кривой, но у названий собственные причуды. — Если заболеешь... нам нельзя задерживаться.

— Не заболею. Ерунда. Я как-то в детстве точно так же... извазюкался с головы до ног, бабушка заставила лезть в озеро.

Тэль хмыкнула.

— И вода похолоднее была. — Разговор помогал не чувствовать холод и противное хлюпанье в ботинках. — Грелись потом... вот так же точно, у костра. Домой шли, заплутали, вышли к деревне с яра... обходить уже сил не было. Бабушка спустилась как-то, мне велела прыгать. Прыгнул, поймала, но страху натерпелся.

— Боевая бабушка, — сказала Тэль. То ли одобрительно, то ли с иронией.

— Ты чем-то на нее похожа, — неожиданно для себя сказал Виктор. — А лет через полста...

— Спасибо, — фыркнула девочка.

Несколько минут они шли молча. А Виктор с проснувшимся интересом ворочал в памяти ту, давно, казалось бы, забытую историю. Обжигался ли он у костра? Нет, уже не вспомнить. И все равно похоже. Существует, конечно, закон парных случаев. Но не настолько же!

— Тэль, нам не придется прыгать с тех скал? — спросил он, стараясь, чтобы вопрос прозвучал шутливо.

— Никто и ничего тебя делать не заставляет, — ответила она.

— Тогда чего я здесь делаю? — мрачно осведомился Виктор.

— То, что сам хочешь.

— Я бы хотел поесть, — честно сказал он. — Даже остатки яичницы бы доел. Вместе со скорлупой.

— Виктор, я бы тоже поела.

Ему внезапно стало стыдно. В конце-то концов он — здоровый, крепкий мужик. Идет рядом с девчонкой-подлетышем и еще ноет...

3*

— Придется поискать ближайший ресторан, — сказал Виктор. — Белая скатерть, серебряные приборы, свеча на столе, теплые тарелки...

— А в тарелках? — с любопытством спросила Тэль.

В голове почему-то вертелись котлеты и пельмени. Ужин холостяка. Давно он не бывал в ресторанах... с подогретым фарфором, неярким светом, бутылочкой вина в плетеной корзине. И чтобы рядом — красивая юная девушка в вечернем платье.

Виктор покосился на Тэль. Нет, не подходила она на эту роль — ни по возрасту, ни по поведению. Да и он, скажем честно, не тянул на светского льва.

— В тарелках — манная каша, — мрачно сообщил Виктор. — Холодная и с комками.

— Не пойдет, — решила Тэль. — Если ты настаиваешь на каше, то ночевать будем голодными и в лесу.

Он растерялся.

— А если не настаиваю?

— Тогда — под крышей. И с ужином.

Лес вокруг был все так же девственен и безлюден. Но слова Тэль казались абсолютно серьезными.

— Ты не шутишь? — все же уточнил Виктор.

— За Холмогорьем — поселок. Маленький. Но там проходит Путь, и остановиться есть где.

Что такое Путь, Виктор решил не спрашивать. Наверное, последний раз с ним такое случалось в детстве, когда сам решаешь — для интереса! — не задавать вопросов. Путь так Путь. Холмогорье так Холмогорье. Его не покидало ощущение, что там, в глубине себя он все знал. И что есть Пределы, и что есть Путь, и что есть Холмогорье.

Некоторое время шагали молча. Тэль вообще оказалась не из болтливых.

Белая Горка давно осталась позади. Девочка то и дело озабоченно косилась на солнце — явно нервничала. Тоже на нее не похоже. Виктор уже успел свыкнуться с мыслью, что, даже ринься на них бешеный уссурийский тигр или ископаемый мамонт, Тэль бы, наверное, не повела и бровью, а просто...

За непонятной уверенностью в этом «а просто» пряталась темнота. Темнота, что, подобно плащу, скрывала Силу.

— Плохо идем, — озабоченно сказала Тэль. — Нам еще через Буреломный Овраг перебираться — а солнце посмотри уже где!

На взгляд Виктора, они и так проявили чудеса выносливости, достойные заправских туристов. Идти по старому лесу, заваленному многолетним валежником, да еще и в гору — непросто. Когда не знаешь, далеко ли идти — легче, но все равно...

— Поднажми, а? — просительно сказала Тэль.

— А ты поспеешь?

— Да.

После этого, конечно, выхода не оставалось. Виктор ускорил шаг, стараясь не думать о том, что завтра будут гудеть ноги.

— Как стемнеет, — чуть позже подбодрила его Тэль, — начнутся неприятности.

И снова он решил не уточнять, не поддавшись врожденной человеческой слабости гадать про грядущие беды. Солнце уже заползало за горизонт, когда они спустились с очередной Белой — или как там ее? — Горки и действительно вышли к оврагу. Неглубокому, узкому и сумрачному. Крутые склоны заросли незнакомым кустарником, по дну тянулась каменистая тропка — похоже, русло высохшей речушки.

— Ты постой так, немного... — попросила Тэль.

Виктор кивнул, не оборачиваясь. Мало ли какие дела... Через минутку Тэль подошла к нему, остановилась, напряженно всматриваясь вперед.

Овраг как овраг. Ничего страшного. И обещанные Пределы никак не заметны.

— Надо идти, — со вздохом решила Тэль. — Ты не хочешь подыскать оружие?

— Какое? — без особого воодушевления спросил Виктор. — Палку?

— Хотя бы.

После коротких поисков Виктор отломил от похожего на ясень дерева, поваленного не то бурей, не то... нет, лучше считать, что бурей, короткий засохший сук. Отбиться таким можно было разве что от агрессивного пуделя, но Тэль ничего не сказала. Пожала плечиками и пошла вперед.

— Пропусти меня... — начал Виктор, но ответа не последовало.

Вот так. Вот и вся его охранная функция — плестись за девчонкой, сжимая нелепую трухлявую палку. Легкость, с которой Виктор ее выломал, доверия не внушала. Но, оказавшись неведомо как и неведомо где, он не нашел ничего более умного, чем подчиняться, даже не задавая вопросов...

— Ты умеешь сражаться?

— Да, — Виктор решил чуть погрешить против истины. Что ни говори, а все его занятия восточными единоборствами были не более чем самоутверждением мирного интеллигента. Нет, физически он кое-что мог... но не раз и не два задавал себе вопрос — сумеет ли при необходимости драться по-настоящему. Мысленный ответ, как правило, был «да». Но кто его знает...

— Это хорошо. Здесь нужно уметь сражаться, — сказала девочка.

— Где — здесь? — с прорвавшейся досадой рявкнул Виктор. Наверное, очень громко, потому что Тэль обернулась и поморщилась:

— В Срединном Мире.

— Это — Срединный Мир?

— Да.

— Ну спасибо. — Виктор и сам не заметил, как завелся. — Наконец-то все стало ясным. Есть мир Медиальный, есть Латеральный, а есть Срединный...

Медицинские термины, примененные в этой обстановке, придали словам дополнительный сарказм.

— Нет.

Он замолчал.

— Есть Срединный Мир, есть мир Прирожденных, есть Изнанка. Ты жил в Изнанке.

Звучало это не то чтобы обидно, а скучно и буднично.

— И как мы сюда попали? Между мирами есть... э... ворота?

— Тропы, — равнодушно ответила Тэль. — Разве ты видел какие-то ворота?

Виктор не ответил. Будь голос девочки чуть поэмоциональнее, он бы принялся спорить, вопреки фактам настаивая, что вокруг подмосковный лесок. Или принялся бы выпытывать детали.

— Тэль, я понимаю, сейчас не время, но я имею право знать...

— Да, — легко согласилась девочка. — Только говори тише. И не перебивай. Место опасное. Есть три мира...

— Именно три? — Виктор мгновенно забыл ее просьбу не перебивать.

— Я знаю только их... — Тэль вдруг осеклась, и Виктор тревожно оглянулся по сторонам. Но нет, никого не было видно ни впереди, ни сзади, ни на склонах. — Да, я вру, — неожиданно сказала Тэль. — Трудно объяснять то, что всем известно... Мир — один.

— Спасибо, — искренне согласился Виктор. — А то я начал тревожиться за свой рассудок.

— Мы же не говорим про рубашку, что она состоит из внутренней стороны, внешней и середины...

Виктор не нашелся что возразить.

— Мир — один. Все дело в том, как на него смотреть. С какой стороны. Ты жил с внутренней. Там все иначе, чем у нас или в Мире Прирожденных.

— В Мире Прирожденных, наверное, живут маги и драконы? — едко спросил Виктор.

— Какая разница? Это только форма. Мир один, но на него можно смотреть с разных сторон. И жить... с разных сторон.

— И ходить — через стороны?

— Иногда. Вот это дано не всем.

— Почему?

— Потому что никто не выбирает, с какой стороны родиться. Если привыкнешь — будешь смотреть на мир так, как принято. Будешь видеть только то, что принято видеть.

— А ты откуда смотришь, Тэль?

Девочка тихо засмеялась:

— Хороший вопрос. Отовсюду.

— Значит, ты можешь ходить между мирами?

— Да. Так ты мне веришь?

Виктор ответил не сразу:

— Лес странный. Попали мы сюда странно. Да и ты сама...

Тэль снова засмеялась:

— Странная?

— Более чем. — В порыве откровенности Виктор не удержался и добавил: — Я был абсолютно уверен, что ты ненормальная. Все эти раны от мечей, переходы, загадки...

— А это верно, — Тэль ехидно улыбнулась. В полутьме ее глаза таинственно блеснули. — Меня и здесь ненормальной считают. За все эти синяки от метро, переходы и загадки...

— Какие синяки?

— Я вначале не знала, что входить надо очень быстро, чтобы ворота не закрылись...

Виктор хмыкнул, представив себе Тэль, зайцем пробирающуюся через турникеты.

— Но ты вела себя так, словно ничему не удивлялась... — Он вспомнил поведение Тэль и мысленно покачал головой. В метро она даже принялась читать какой-то дамский роман через плечо сидящей женщины...

— Да и ты себя ведешь так, словно ничему не удивляешься. Один—ноль. В ее пользу.

— Нечему пока.

— Ты радуйся, что нечему!

Голос Тэль мгновенно стал серьезным, и Виктор оглянулся. Нет, ничего... Или? Нет, показалось. Просто овраг, пересохшее русло ручейка, сплетенные, перепутанные кроны деревьев на склонах. Понятно, почему Тэль выбрала путь по оврагу — сверху просто не пройти. Впереди овраг перекрывал поверху, словно нерукотворный мост, толстенный ствол поваленного дерева. На ветвях упавшего исполина еще держалась листва, чуть пожухлая, но зеленая. Крепкое было дерево, и не старость вывернула его из земли.

— Здесь случаются такие бури? — спросил он.

— Где — здесь?

В голосе Тэль была ирония.

— В Срединном Мире, — обреченно уточнил Виктор.

— Это не буря повалила деревья. Это Серый Предел. Когда-то здесь шла война.

— Недавно, очевидно?

— Сотни лет назад. Но не для всех она закончилась, Виктор.

— Партизаны до сих пор валят лес? — Он попытался улыбнуться.

— Была большая битва. Две армии... в одной шли люди, а в другой — нелюди. Человеческую армию смели, почти всю. Мечи проигрывали стрелам и топорам... — Девочка замолчала, остановилась, тоже всматриваясь в поваленный ствол. Решительно сказала: — Постоим, Виктор. Мне что-то тут не нравится, очень не нравится.

Тишина царила гробовая, мертвая. Ни звука. И темно было так, что ничего и не разглядишь — лишь смутные тени деревьев на фоне темного неба.

— Тогда вступили в бой маги... — внезапно продолжила Тэль. — И мертвое войско встало и двинулось на врага, и тот полег... потому что мертвого трудно убить второй раз. Вот только силы маги не соразмерили. Слишком велик был их страх. Слова, которые нельзя произносить, еще звучали... и покой не пришел к мертвым. Погибшее войско врага тоже поднялось с земли. Все могло бы кончиться раз и навсегда — для живых. Вчерашние враги встали рядом, плечом к плечу, против своих павших товарищей. Но они бы не справились... ведь каждый погибший в их строю тут же поворачивался против них.

Виктор поморщился, сделал шаг к девочке, прогоняя наваждение. В детстве он не любил таких страшилок, что любили рассказывать под вечер в пионерских лагерях, потом не читал книжек Кинга и не смотрел всех этих «Кошмаров на улице Вязов». Сейчас ему казалось, что не стоит рассказывать такие байки в ночном лесу. Не страх — нет, что-то другое подступило, холодком прошлось по телу. Будто предостережение. Не слушай... не слушай слишком внимательно. А не то...

Тэль словно и не почувствовала, как он положил руку ей на плечо.

— И тогда пришел тот, кто только и мог все остановить. Встал между армией мертвых и армией живых — и отмерил Серый Предел.

— А я-то думал — всех...

— Нет. Не за что было наказывать — ни живых, ни мертвых. Живые были не виноваты, а мертвые — тем более. Но с тех пор появился Предел, за который не выходят мертвые и куда не стоит заходить живым.

— А мы — зашли?

Тэль дернула плечиками.

— Все меняется. Реки меняют русло, горы встают из земли. Раньше путь пролегал мимо Предела. Теперь — не знаю. Они могут думать иначе. Говорят, что стало опасно путешествовать здесь.

— Тэль, давай не будем друг друга запугивать.

— Тебе страшно? — В ее голосе послышалось удивление.

— Скажем так — неприятно. Я не верю в ходячие скелеты...

Тэль засмеялась:

— Скелеты не ходят! Как они ходить-то будут, если кости ничем не связаны?

— А мы ходить умеем? Тогда пошли!

Кивнув, Тэль двинулась вперед. Они успели сделать шагов пять и войти под поваленное дерево, когда раздался шум, и за шиворот Виктору посыпалась какая-то труха.

Он обернулся.

С дерева спрыгнули на землю чьи-то легкие фигуры. Четверо — двое перекрыли путь вперед, двое — путь назад.

Тэль прижалась к Виктору. Не закричала, нет, но явно испугалась.

— Это наша земля... — сказал один из незнакомцев, странно растягивая слова. — Земля мертвых... Вы на нашей стороне Предела...

— Мы идем мимо! — выкрикнула Тэль.

— Вы пройдете... если мы позволим...

Виктор пытался отслеживать движения всех четверых, отступая к склону и увлекая за собой девочку. Четыре тени молча окружили их, взяли в полукольцо. Почему-то Виктор не чувствовал страха. Словно и впрямь — смотрел дешевый фильм

ужасов, в котором раскрашенные актеры старательно изображали мертвецов. Но ладонь, в которой он сжимал сук, стала
неприятно потной. Нельзя не верить в опасность! Нельзя! В
этом мире возможно все... даже ожившие мертвецы.

— Позвольте нам пройти, — стараясь говорить тверже, попросил он.

— Золото... — прошипел кто-то из четверки. — Выкуп...

Тэль вскинула голову, удивленно посмотрела на Виктора.
И впрямь. Зачем покойникам деньги?

— А серебро устроит? — спросил он.

Тени дружно рассмеялись. Потом одна протянула:

— Устроит все...

— Жаль, что у нас нет ни золота, ни серебра. Может, рубли сгодятся? — Виктор сказал это вполне искренне, он готов
был выложить всю имеющуюся наличность. В конце концов
покойникам и впрямь деньги ни к чему!

— Рубли хочешь? Порубимся... только где твой меч? — Темная фигура пошевелилась, и блеснуло что-то металлическое.

— Что-то не так... — прошептала Тэль. — Не так, Виктор...

— Или оставь девочку... сам иди... — внезапно предложил
молчавший до сих пор, высокий и тонкий.

— Хорошо, договорились. — Виктор быстро отстранился
от Тэль, отвел глаза, чтобы не видеть ее лица, и двинулся вперед. Фигуры медленно, растерянно расступились. Он прошел
между ними — и коротко, без замаха, огрел ближайшего покойничка палкой. Удар пришелся куда-то по шее.

Трухлявый сук, конечно же, сломался. Но, как ни странно, мертвецу этого хватило вполне — он с оборвавшимся хрипом осел на землю.

— Ах ты... — завопил высокий, предлагавший оставить Тэль.
Закинул руки за голову — и в быстром движении было что-то,
сулящее большие неприятности. Виктор крутанулся, ударил
его ногой в грудь. Удар был простенький, да еще и из неудобной позиции. На тренировках такой отбил бы любой новичок.

Но, опять же, покойник оказался на редкость неумелым
воином. Может быть, в давние времена он был кашеваром или
маркитантом, а после смерти ничему научиться не смог?

— У-у-х-х... — только и раздалось в темноте, когда удар вышиб ему воздух из легких. В следующую секунду Виктор был рядом и, заранее готовый к отвратительному ощущению гниющей плоти под руками, перехватил высокому горло.

Горло как горло. А еще от покойника приятно и успокаивающе пахло цветами.

Несколько мгновений враг не сопротивлялся, потом нанес быстрый, — к счастью, скользнувший по щеке, удар локтем в лицо. И стал вытягивать что-то из-за пояса.

Только тогда Виктор, даже не думая, что он делает, перехватил горло противника локтем, потянул вниз, уперся коленом в спину. Он оказался неожиданно легким и хрупким, этот неумелый враг. И шейные позвонки хрустнули сразу, переводя врага в царство мертвых окончательно. Уже коснувшийся тела Виктора нож дрогнул и выпал из разжавшихся пальцев.

А рядом происходило что-то очень странное. Двое оставшихся противников, которым полагалось давно уже наброситься на Виктора, медленно отступали. Не от него — от Тэль. Девочка шла на них, что-то негромко говоря на незнакомом языке. Откуда-то появился свет — слабые оранжевые отблески высвечивали их лица. Самые обычные человеческие лица, плохо выбритые, немолодые.

— Не надо! — вдруг взвизгнул мужчина, который первым заговорил с ними. Повернулся, намереваясь бежать, — и вдруг по его телу пробежали бледные лепестки пламени. Миг — и он вспыхнул, огонь заревел, пожирая тело так легко, словно несчастный был облит керосином. Короткий, почти нечеловеческий визг, и горящее тело упало.

Последний враг убегал. Карабкался по склону, подвывая, выкрикивая что-то в смертельном ужасе, проламываясь сквозь кустарник. Тэль проводила его долгим взглядом, потом посмотрела на Виктора.

— Ты могла бы справиться и сама, — сказал он.

— Нет. Со всеми сразу — нет.

Виктор нагнулся над тем, кому он сломал шею. В свете чудовищного факела, пылающего вблизи, можно было рассмотреть лицо. Бледная кожа, тонкие черты. Глаза очень большие, волосы светлые, вьющиеся. Что-то тоскливое было в нем, чахоточно-угасающее, но уж никак не потустороннее.

— Мне кажется, мертвецом он стал только что, — сказал Виктор. Посмотрел на жертву своей одноразовой дубинки. В этом мужичке уж точно не было ничего необычного. Среднего роста, в темной одежде, грязноватый. Чем-то он напомнил Виктору сантехника или электрика из родного жэка, и при этих ассоциациях жалость к оглушенному почему-то исчезла. — И этот на зомби не похож...

— Это не нежить, — спокойно ответила Тэль, — это просто разбойники. Додумались...

— Значит, все твои истории — сказки...

Из леса, с той стороны, куда убежал последний разбойник, вдруг донесся отчаянный вопль. Захлебывающийся, прервавшийся на высокой ноте. Виктора пробила дрожь. И наступила тишина, еще более страшная, чем предсмертный крик.

— Почему же? — Тэль повернулась на звук — тоненькая фигурка, почти невесомая тень на фоне погребального костра. — Правда. Я лишь не знала, что мертвые еще чтут Серые Пределы. Так странно... мертвые помнят клятву лучше живых.

Она помолчала, потом задумчиво добавила:

— Или боятся хозяина — больше, чем живые.

В воздухе разносился отвратительный запах горящей плоти. Виктор поднял с земли нож, собираясь засунуть за ремень, но остановился, вовремя оценив остроту лезвия. Стал снимать с убитого пояс с ножнами и флягой. Еще из оружия имелся высокий лук из отполированного дерева и колчан со стрелами — все это крепилось за спиной, но для Виктора в таком оружии не было никакого прока.

— Как ты себя чувствуешь? — спросила Тэль.

— Ты о чем?

— Первый раз ты отнял чью-то жизнь.

Виктор попытался ощутить хоть что-нибудь... но не было никаких эмоций. Только сердце колотилось от хлынувшего в кровь адреналина. И все вокруг стало четким, рельефным, ярким. Словно при легком опьянении.

— Я защищал тебя.

— И себя тоже. Неужели думаешь, что смог бы уйти?

— Не знаю. Это роли не играет, я не бросаю... друзей.

Тэль не ответила. Подошла к телу лучника, легонько пнула его в голову, разворачивая лицо. Фыркнула:

— Конечно. Полуэльф.

— Кто?

— Ублюдок от человека и эльфа.

Ругательство в ее устах прозвучало сухим академическим термином.

— Ты хочешь сказать... — Виктор уставился на бледное тонкое лицо. — Он родился от человеческой женщины и эльфа?

— Конечно, нет! Эльфы человеческими женщинами не увлекаются. Это порождение человека и эльфийки. Скорее всего результат насилия, впрочем — возможны варианты.

— Если эльфам человеческие женщины не нравятся, то зачем...

— Он не совсем эльф, а я... еще не совсем женщина. Девочками-подростками полуэльфы не брезгуют.

После этих слов Тэль утратила к полуэльфу всякий интерес. Отошла, уселась на валун, вытянула ноги.

— Виктор, поищи, у него должен быть кошелек. Полуэльфы все ценное таскают с собой, они никому не доверяют.

Действие было неприятным, но, видимо, необходимым. Виктор обшарил карманы полуэльфа — их оказалось неожиданно много в тонких одеждах зеленого шелка. Из одного кармана он вытащил две тонкие, как лаваш, лепешки, скатанные в трубочку.

— Дай одну, — попросила Тэль.

Есть хотелось слишком сильно, чтобы не последовать ее примеру. Даже тяжелый дух горелого мяса не помешал Виктору мгновенно сжевать лепешку, удивительно вкусную, с резким запахом неведомых пряностей.

Наконец он нашел и кошелек — тяжелый кожаный кисет, внутри которого позвякивала пригоршня маленьких монеток — серебряных и золотых.

— Должен быть еще один, — сказала Тэль.

Второй кисет оказался меньше и легче, а набит он был поблескивающими камешками.

— Видно, не первый раз они шалили на Пределах, — заметила Тэль.

Виктор с облегчением прекратил обыск тела, отошел от полуэльфа. Бледное лицо убитого казалось теперь умиротворенным и нежным.

— Эльфийки, наверное, красивы?

— Да. Особенно по человеческим меркам.

Тэль не обратила внимания на то, что он сдался и верит ее словам. Виктор был за это благодарен.

— Наверное, такие... метисы... часто встречаются?

— Да нет, тут ведь все-таки нужно обоюдное желание. — Подумав, она закончила: — И, кстати, эльфиек всегда не хватает на всех.

— Этого тоже обыскивать? — Виктор кивнул на оглушенного мужичка, до сих пор валяющегося без сознания. Тэль брезгливо глянула на разбойника.

— Меч дрянной... денег такие с собой не носят. Добивай, и пошли.

Она встала и, не обращая больше внимания на врагов, двинулась вперед. Виктор постоял, потом наклонился над телом, достал нож.

Глаза разбойника открылись. Нет, наверное, он уже давно был в сознании, просто притворялся оглушенным.

— Помилуй, Владыка... — прошептал он. — Помилуй...

Виктор замер. Разбойник и не думал сопротивляться или убегать. Лежал, как баран на бойне, смотрел на него с обреченной покорностью.

— Мы не знали, Владыка...

Виктор покосился в темноту — но Тэль уже успела уйти далеко.

Он прижал отточенное лезвие к горлу разбойника. Показалась кровь. Виктор должен, обязан был убить его... он это чувствовал. Или все же был иной выход?

— Ты мой раб, — сказал он.

— Да, Владыка...

— Твоя жизнь не стоит ничего.

Человек явно считал так же.

— Иди, — пряча нож, сказал Виктор. — И передай всем то, что должен передать.

Он даже не побоялся повернуться к разбойнику спиной. В поведении того было что-то большее, чем страх перед сильным воином.

— Я раб твой... — донеслось сзади.

Тэль ушла недалеко. Она стояла метрах в двадцати, там, куда не доносилась вонь.

— Может быть, ты и прав, — сказала девочка. Голос ее был странно смущенным и виноватым. Она взяла Виктора за руку, и минуту они молча шли вместе. — Виктор... прости, что я стала давать тебе советы.

ГЛАВА 5

Овраг становился все мельче и мельче, а под конец вообще сошел на нет. Да и лес стал спокойнее, почти исчез бурелом. Под беззвездным, затянутым тучами небом, в кромешной темноте Виктор и Тэль выбрались наконец на какое-то подобие дороги. Земля здесь была так утоптана, что на ней ничего не росло, хоть и казалось, что заброшена дорога давным-давно. По контрасту с темной травой и кустарником она почти светилась в темноте.

— Старая торговая тропа, — сообщила девочка. — Раньше по ней шли караваны в южные порты. Потом Пределы разорвали дорогу, и тропа пошла в обход. А здесь... если кто и ходит, так через лес, по оврагу.

Виктор попытался мысленно представить карту. Лес. Овраг. Пределы. Утыкающаяся в них дорога.

— А мы куда идем?

— К Пути. Здесь маленький поселок, я же говорила. Почти все города в округе заброшены, никому не хочется жить у Пределов. Но Путь не перенести так просто, как караванную тропу.

Ничего себе тропа. На ней спокойно разъехалась бы пара карьерных грузовиков...

После леса и оврага идти было легко. Да и та крошечная лепешка, что нашлась у полуэльфа, неожиданным образом сумела его насытить и придать бодрости, словно чашка крепкого кофе.

Дорога петляла среди холмов, лес редел и расступался. Наверное, это было лишь иллюзией, но казалось, что становится светлее. Виктор посмотрел на часы — фосфорные искорки на концах стрелок уверяли, что нет еще и часу пополуночи.

— Еще далеко?

— Нет. С полчаса, — беззаботно отозвалась Тэль. Судя по голосу, она не видела ничего особенного в таких ночных прогулках и больше не ожидала никакой опасности. — Потерпи.

Виктор крякнул от досады, но ничего не сказал.

— Я, конечно, силы переоценила, — самокритично сказала Тэль. — Не подумала, что в темноте тебе трудно идти.

— А ты — видишь в темноте.

— Да, конечно.

— Может быть, ты тоже — полуэльф? — почти всерьез спросил Виктор.

— Нет, что ты. Женщин-полуэльфов не бывает. Никогда.

Виктор хотел было заметить, что, очевидно, все фенотипические проявления «эльфоидности» жестко сцеплены с полом, с «мужской» хромосомой или, скажем, в силу того же все полуэльфийки несут проявляющуюся еще в эмбриональном периоде летальную мутацию, но рассуждать о генетике применительно к эльфам как-то не получалось.

— Тогда откуда такой талант? Вот с разбойниками, похоже, я был на равных — им тоже темнота мешала.

— Виктор, неужели у меня не может быть секретов?

Спорить с этим смысла не имело.

— Тогда скажи, где ты живешь?

— А зачем?

— Как зачем? Я ведь обещал отвести тебя домой.

Кажется, ему удалось повергнуть Тэль в растерянность.

— Хорошо, отведешь, а что станешь делать потом?

— Вернусь к себе домой.

Тэль долго молчала, прежде чем спросить:

— Вот так просто — вернешься? Ты ведь уже поверил, так? Убедился? Ты понял, что мир можно видеть не только таким, как ты привык. И хочешь вернуться? Туда, в город, в свой дурацкий дом, дышать вонью и заниматься ерундой...

— Тэль! — Он оборвал девочку. — Я живу там. Понимаешь? Там мои родные и друзья. А моя работа, извини, куда приятнее, чем... резать людям глотки.

— Но ведь ты... — Она осеклась. — Виктор...

— Ну?

— Может быть, я ошиблась? — задумчиво спросила она.

— В чем?

— Да в тебе! Виктор, ведь ты должен жить здесь! Понимаешь? Когда человек перестает соответствовать своему миру, тот его отторгает. Выбрасывает. Думаешь, то, что у тебя дома все ломалось, — случайность?

— Так. — Виктор остановился, поймал в темноте плечо Тэль, развернул лицом к себе: — Говори. Хватит недомолвок.

Тэль засопела, словно самая обычная девочка, которой мешают поиграть в таинственность.

— Кажется, мое терпение исчерпано, — продолжил Виктор. — Вначале подбираю сумасшедшую, которая видит в темноте, исцеляется от ран за одну ночь, никаких комплексов не испытывает и эмоций не проявляет. Потом прусь с ней в лес, убегаю от каких-то придурков, попадаю неизвестно куда. Прыгаю в ледяную воду, бегаю голым вокруг костра, выслушиваю истории про разные миры, иду ночью по бездорожью. Пугаюсь мертвецов, убиваю разбойников! А теперь выходит, что мне все это должно нравиться?

— Чего ты хочешь, Виктор?

— Объяснений.

— Ты не принадлежишь миру Изнанки.

— Уверена?

— Конечно. Иначе ты не попал бы сюда. Но не это главное — дело в том, что ты нужен этому миру. Очень нужен.

— И ты пришла за мной, чтобы провести по Тропе из мира в мир?

— Да. Ты мог бы прийти сам. Так обычно и бывает с людьми, которые начинают смотреть на мир по-другому. Рано или поздно они находят Тропу и появляются здесь. Но ты — слишком важен. Нельзя было ждать и нельзя было полагаться на случай. Ты помнишь тех, кто встретил нас на переходе? Будь ты один, они убили бы тебя.

— А если бы я остался в своем мире?

— Все равно бы убили. На всякий случай. Да ты и не остался бы. Такие, как ты, не остаются.

Виктор засмеялся:

— Спасибо, девочка. Вот оно что. Ты, значит, мне помогала. Спасибо.

Раздражение накатывало все сильнее. Наверное, виной была усталость. А может быть — белое тонкое лицо полуэльфа, почему-то всплывшее в памяти.

— Это моя обязанность — помогать тем, кто приходит с Изнанки, — сказала Тэль. Она не почувствовала, как сменилось у Виктора настроение. — Ну, пошли. Нам только до поворота, а там — селение.

Дорога изогнулась, петлей огибая холм. А может быть, не холм — курган? Уж больно ровными казались его очертания в ночи. Какая разница... Виктор был сыт по горло приключениями. Как-то смазались, ушли далеко-далеко привычные заботы и проблемы, совершенно не волновала мысль о том, что завтра он не выйдет на работу. Но вот дом — маленькая квартирка с отклеивающимися обоями, сгоревшим телевизором и продавленным диваном — не отпускал. Хотелось туда. Пусть снова выкручиваются пробки и взрываются телефоны. По крайней мере это будет его дом. Его крепость. И не придется сжимать в кулаке мягкие, как шелк, волосы ублюдка-полуэльфа, сворачивая ему шею...

— Дьявол... — прошептал Виктор. — Дьявол...

Вот оно как, значит? Не сразу, не в тот миг, когда кровь горит от адреналина, а из горла рвется звериный рык. Тогда можно все — и убивать, и обшаривать карманы покойников, и жрать чужие припасы под запашок горелой человечины. Это потом, в тишине и темноте, подползут испуганно отпрянушие тысячелетия цивилизации, похлопают по плечу и укоризненно посмотрят в глаза.

Тэль молчала, даже если и понимала, что с ним происходит. Хоть на этом спасибо. Они чуть замедлили шаг, переваливая через склон холма, — дороге надоело петлять, и она пошла напрямую.

— Вот и поселок, — сказала Тэль.

Совсем рядом, метрах в ста, тускло тлела россыпь огоньков. Виктор помедлил, ощущая короткое, неожиданное разочарование. Идти оставалось пару минут.

— Я думал, придется куда-то прыгать... карабкаться... — признался он.

— Почему?

— Не знаю...

Подсознательно Виктор ожидал услышать собачий брех, но к поселку они подходили в полной тишине. Может, в этом мире нет собак? Как в нормальном мире нет эльфов, так тут собаки не водятся...

— Стой... — Тэль вдруг остановилась, схватила Виктора за руку. Навстречу им кто-то шел.

Виктор положил ладонь на рукоять ножа. Полночный прохожий приближался. Слышалось шумное дыхание, слегка заплетающиеся шаги. Виктор расслабился.

По крайней мере алкоголь в этом мире существует.

— Не... я не пойду короткой дорогой... — донеслось из темноты. То ли подгулявший человек их заметил, то ли беседовал сам с собой. — Нет... Я пойду через овраг. Там темно, там сыро, там страшно... Там крутые скользкие склоны... Там дует ветер!

Насчет ветра он явно ошибался, а вот со всем остальным Виктор был согласен.

— Я пройду через овраг... — напевно излагал свои планы человек. — И мне станет хорошо... э... я про... протрез... протрезвею!

Явно никого не замечая, он проследовал мимо. Лица Виктор не разглядел, понял лишь, что человек очень крупный, с солидным брюшком и немалого роста. Уже миновав их, пьяный на миг остановился и с тоскливым недоумением сказал невпопад:

— Свинцовые шарики! Это ж надо!

Виктор нагнулся к Тэль, и шепнул:

— Может, остановить? Он в таком виде...

— Как раз в таком виде спокойно дойдет, — беззаботно ответила Тэль. — Пьяным везет. А мертвецы, кстати, запаха алкоголя не переносят.

Почему мертвые являются абстинентами, Виктор спрашивать не стал. Из опасения, что у Тэль найдутся объяснения и придется поверить еще во что-то, совершенно безумное...

Хотя, казалось бы, по сравнению с самим фактом существования ходячих трупов, их неприязнь к перегару — мелочь, не стоящая внимания.

Дорога плавно перешла в улицу. Под ногами была уже не спрессованная земля, а аккуратно подогнанный булыжник. Здесь было светлее — у многих домов, несмотря на поздний час, светились окна, перед некоторыми горели фонари. Виктор жадно вглядывался, пытаясь найти отличительные черты этого мира. Что-то мистическое, нереальное или хотя бы средневековое.

Куда там!

Аккуратные чистенькие дома в два-три этажа. Большей частью первый этаж из камня, выше надстроены деревянные. Окна застекленные. Фонари... ажурные металлические плафоны с матовыми стеклами, правда, свет был уж слишком ровным.

А окончательно Виктора добила кнопка у дверей какого-то здания. Кнопка! Металлическая кнопка, расположенная на том месте, где и положено быть кнопке звонка!

— Здесь есть электричество?! — обвиняюще выкрикнул он.

Тэль удивленно посмотрела на него, и Виктор невольно сбавил тон. Лицо девочки на свету было усталым, почти серым.

— Ну?

— Почему?

— А почему бы ему не быть? Я же тебе не говорила, что здесь освещают улицы тюленьим жиром и березовыми лучинами?

— Нет, но... Если здесь... — Виктор запнулся, отчаянно подбирая слова. — Тэль, я могу поверить: в иной мир или в иную сторону реальности. Бог знает почему, но могу! Да, здесь эльфийки, которых вечно не хватает, спят с людьми! А мертвецы бродят за Серым Пределом, сооруженным чародеями!

Тэль снисходительно улыбнулась.

— Но тогда — здесь не может быть техники! Электричества, ламп, звонков, машин!

Над головами хлопнуло окно, и злой голос разорвал ночь:

— Да что же такое, вечно нажрутся как свиньи... Эй, проваливайте отсюда!

В запале Виктор едва не огрызнулся, но вовремя передумал. Во-первых, позиция для ссоры была крайне невыгодной, а во-вторых, он действительно был не прав.

— Виктор, ты устал... — мягко сказала Тэль. — Идем...

Послушно, словно и впрямь подгулявший мужик, ведомый почтительной дочерью, Виктор пошел за девочкой.

— Все возможно, — уговаривала его Тэль. — Это Срединный Мир, понимаешь? Тут все возможно...

Они остановились перед длинным двухэтажным зданием. Для разнообразия — полностью каменным.

— Гостиница, — пояснила Тэль.

Виктору хотелось съехидничать и сказать «трактир», но он удержался. Тэль уверенно открыла незапертую дверь, и они вошли.

Маленький зал, стены из красного обожженного кирпича, на них развешаны незатейливые, хоть и яркие вышивки. У одной стены — ряд массивных жестких кресел. У другой — внушительных размеров стол, за которым сидели двое людей. Несколько дверей, винтовая лестница, ведущая на второй этаж. Ничего необычного, так мог бы выглядеть маленький домашний отель где-нибудь в Западной Европе. Под потолком висела хрустальная люстра. Виктор обреченно вздохнул, отводя глаза от электрических лампочек.

— Добрый вечер! — звонко сказала Тэль.

Из-за стола поднялся тощий рыжий паренек, одетый в мятый костюм незапоминающегося кроя, в мятом сером берете на голове. Выглядел он смешно, но не более того.

— Доброй ночи, девочка, — неожиданным баском сказал парень. Тэль он удостоил лишь одного взгляда, пристального, но в целом равнодушного. Виктора разглядывал куда более придирчиво.

А Виктор не отрывал глаз от оставшегося сидеть за столом. Это был эльф.

И никаких комментариев Виктору не требовалось, чтобы понять различия между эльфом, полуэльфом и человеком. Наверное, хорошо, что вначале он видел полуэльфа, — контраст оказался не столь шокирующим.

Волосы эльфа походили на золотую пену, на стружку сусального золота, небрежно уложенную в высокую прическу. Лицо не производило того впечатления чахоточной красоты, что у полуэльфа, — оно было просто нечеловеческим, неземным, живущим по своим собственным законам красоты. Тело было тонким, изысканным, но хрупким его назвать тоже не получалось.

Эльф был чем-то иным, безмерно далеким от человека. Если людей Бог лепил из глины, то для эльфов, наверное, взял в качестве основы родниковую воду.

Но тонкие пальцы эльфа с небрежной грацией сжимали оперение стрелы, уже наложенной на тетиву тонкого лука. То, что лук лежит на столе, почему-то не успокаивало, Виктор был уверен, что через полсекунды стрела может вонзиться ему в грудь.

— Откуда вы пришли, путники? — поинтересовался рыжий парень.

— С юга, мимо Серого Предела, — ответила Тэль. Видимо, вопрос не подразумевал точного ответа.

— Ночью, мимо Предела? — с некоторым уважением спросил парень. — Храбрые люди...

Он еще раз посмотрел на Тэль — уже внимательнее, и его лицо едва заметно дрогнуло. Словно он узнал девочку... с удивлением, но узнал.

— Что вам угодно? — теперь парень был воплощенной вежливостью. Эльф чуть повернул голову, с любопытством посмотрел на товарища и убрал руки с оружия.

— Комнату.

— Одну, две?

— Одну.

— С одной кроватью, с двумя?

— С двумя.

— Свет, вода?

— Лучшую комнату.

— Конечно, уважаемые. Восьмой номер, Дерси!

Это был не страх, который охватил разбойника, едва не убитого Виктором. Скорее что-то вроде растерянности, когда человек не уверен в своих догадках, но считает за благо перестраховаться.

— Вот ключи... — Парень принял из рук сидящего эльфа два кольца с массивными ключами, с легким поклоном вручил их Тэль. — Что мы еще можем для вас сделать?

— Есть хочется... — жалобно сказала Тэль.

— Ресторанчик еще работает. — Парень кивнул на одну из дверей, ведущих из комнаты. — Вам подать в номер?

— Нет, спасибо, мы зайдем сами. — Тэль кивнула Виктору. — Расплатись!

Виктор молча достал трофейный кошелек, вопросительно посмотрел на юношу.

— Один золотой.

Эльф едва слышно хмыкнул.

Виктор молча отдал парню монету, которая, судя по виду, и была золотым. На монете не было никаких надписей, только вычеканенная с обеих сторон жуткая драконья морда. Парень принял монету с явным замешательством, отвел глаза, быстро спрятал в карман.

— Вы не берете старых денег? — полюбопытствовала Тэль.

— Нет, конечно же, берем. — Парень покосился на эльфа, состроил гримасу, явно призывая к молчанию. Ох, не нравилось Виктору происходящее, но вмешиваться было неразумно.

— Идем, я есть хочу... — Тэль потянула Виктора за собой. Эльф так и не проронил ни единого слова и не соизволил встать. Сейчас явно назревал серьезный разговор между ним и рыжим парнем...

За дверью «ресторанчика» было тихо и неожиданно прохладно. Виктор замер на пороге, с изумлением понимая, что его недавняя глупая мечта стала реальностью.

С полдюжины столиков, покрытых белыми скатертями, с приготовленными приборами из хрусталя и белоснежного фарфора, все незанятые. Никакого электрического света — лишь свечи в массивных канделябрах вдоль стен. Дразнящий запах пищи — наверное, идущий из открытой двери на кухню. Маленькая стойка бара, уставленного бутылками незнакомого вида, но однозначного содержимого. На высоком табурете, уткнувшись лицом в стойку, спал коренастый мужчина, одетый во что-то вроде полувоенной формы.

— Ого... — только и сказал Виктор. Захотелось протереть глаза. — Тэль, если бы ты сказала... про это место... я шел бы в два раза быстрее.

— Откуда мне было знать, что деньги появятся? — вопросом ответила девочка. — Хозяин!

За стойкой открылась маленькая дверь, из нее вынырнула девушка. Чуть постарше Тэль, может быть, лет шестнадцати-семнадцати, красивая, яркая — причем не от обилия косметики, а от природы. Тэль слегка смутилась.

— А где уважаемый Конам Молчаливый? — спросила она. — Уже спит?

Между девушками сразу повисло напряжение.

— Папа спит уже три года, — сухо сказала девушка. — Я не столь молчалива, как он, но, надеюсь, это единственный недостаток.

— Извините. — Тэль и впрямь выглядела смущенной. — Ресторан Конама славился на всем Пути...

— Он и сейчас не утратил славы. И не сменил имени.

— Мы очень устали и проголодались. — Виктор понял, что надо вмешаться в разговор. — Если вы еще не закрыты...

Девушка наморщила лобик:

— Кто же закрывается при виде посетителей? Еда, вино? Что вам угодно?

— Что стоит заказать путникам, прошедшим в полночь мимо Серого Предела? — вопросом ответил Виктор.

Девушка одобрительно кивнула.

— Сейчас вам все подадут...

На секунду она исчезла за дверью, а Тэль, вздохнув, с грустью посмотрела на Виктора:

— Классный был дядька...

— Конам?

— Да. Боец великолепный. Авантюрист! Впрочем... такихто много. А на старости лет купил этот ресторанчик, назвал его «Королевство Конама Молчаливого» и прославился на весь Срединный Мир.

— Забавная карьера.

— Славу не обязательно завоевывать мечом... — вздохнула девочка. — А дочку его я почти не помню.

— Ты здесь бывала?

— Да, но давно.

— Тот парень, он, кажется, тебя узнал.

Тэль дернула плечиками:

— Может быть. Ну и пусть.

Дочка Конама вернулась. Молча достала из-под стойки два высоких бокала, налила в них вначале красной жидкости из стеклянного кувшина, дополнила бокалы разноцветным содержимым еще из трех бутылок. Очень быстро, но так ловко, что коктейль в бокале не смешался, повис четырьмя слоями.

— Выпейте для начала, — предложила девушка.

Виктор сел за стойку, рядом устроилась Тэль. Взяла бокал, придирчиво посмотрела сквозь него на свечу.

Четыре слоя подрагивали, медленно проникая друг в друга. Виктор с изумлением понял, что жидкость превращается в семь полосок, составляющих полный спектр.

— Вы умеете делать «Радужные сны»! — воскликнула Тэль с явным восторгом. — Ой!

Кажется, похвала польстила девушке.

— Меня зовут Рада.

— Рада, а я слышала, что Конам клялся никому-никому не открывать этот секрет!

— Папа и не открыл. Даже мне. Я сама восстановила рецепт.

Виктор осторожно сделал глоток. Напиток явно был алкогольным, но совершенно необычного вкуса. Он слегка бодрил, буквально с первого глотка, и одновременно расслаблял тело.

— Нет ничего лучшего для уставшего путника в поздний час, чем бокал «Радужных снов»! — сказала Тэль. — Эх... и почему Конам так поздно нашел свое призвание. Какие чудесные напитки он придумывал!

Виктор испугался, что Рада обидится на эти слова, но девушка согласно кивнула:

— Да. А я вот не собираюсь заниматься ерундой. Утром приходите, я угощу вас «Кипучим днем» — за счет заведения. Это уже мой рецепт. Его оценил сам господин Анджей.

— Маг Земных? — заинтересовалась Тэль.

Рада кивнула:

— Да, глава клана. Он останавливался здесь, когда путешествовал в Снежные Степи. Такой хиленький мужичок, лысенький... — Рада перешла на шепот: — По виду — ну совсем обычный. Какой-нибудь наш охотник или плотник — и те попредставительнее будут. В чем душа держится... А пил — диву даешься!

То ли ночные посетители вдруг стали ей симпатичны, то ли девушка решила, что бизнес прежде всего, но первая ее холодность исчезла.

— Сейчас вам принесут еду, — сообщила она. — По ломтику тушеной рыбы, немножко зелени, сок и паштет из моллюсков. Это будет самым правильным ужином, поверьте. Вы надолго остановитесь?

— Нет, — с сожалением сказала Тэль. — Завтра уезжаем.

— Останьтесь хотя бы на обед. Эльфийский суп, куропатки в тесте и настойки клана Медведей. Не пожалеете.

Она улыбнулась Виктору и вновь скрылась за дверцей.

— Да, молчаливость не входит в ее недостатки, — сказал Виктор.

— Это точно, — допивая бокал, согласилась Тэль. — Да, кстати... ты ведь завтра возвращаешься домой? А когда, с утра или после обеда?

Виктор даже не нашелся что ответить.

Родные места. Здесь ты родился и вырос, Ритор. Здесь учился. Отсюда уходил в свой ставший знаменитым — для знающих — поход, сюда же и возвращался... не думая не гадая, что настанет день — придется своими руками исправлять почитавшееся ранее твоим же величайшим подвигом.

Конечно же, его заметили издали. Он не скрывался, пламенная аура Силы вокруг него видна была магам клана за многие мили. И когда он, погасив крылья, опустился возле крыльца школы магов, по совместительству — его собственного жилища, вокруг уже собралась толпа. Все молчали. Знали, что случилась беда.

Взгляд Ритора отыскал среди сбежавшихся мать Таниэля. И, не в силах вынести скорбного укора, волшебник опустил голову. Не сумел. Не уберег. Не защитил, и теперь все слова уже бесполезны.

Однако, несмотря ни на что, Ритор все-таки заговорил. Не должно быть секретов от своих. Вода искусна в магии обмана (как, впрочем, и Воздух), несказанное тобой поспешат выложить, переврав, враги.

Кратко, но ничего не упуская, Ритор рассказал о схватке с Торном и его людьми в заброшенном замке, о предательстве, погубившем Огненных, о том, как его, презрев обычаи, собирались убить на балу у Лой Ивер...

— Так что же делать, братья? Смолчать, перетерпеть, покориться? — закончил он.

Слушавшая его в гробовом молчании толпа в мгновение ока разразилась яростными воплями. Ритор видел воздетые кулаки, искаженные ненавистью лица, перекошенные от гнева и жажды мести рты. Вопль «Смерть им!», вырвавшийся из сотен глоток, подхваченный ветром, разнесся далеко окрест, и — знал Ритор — даже живущие на дальних фермах побросали сейчас работу, с тревогой вслушиваясь в порывы, полные ненависти.

«Война», — несся над площадью беззвучный крик домов. «Война и смерть им всем» — вторили скалы. «Огонь и гибель на их головы» — шумели леса.

И лишь мудрая, ленивая река на сей раз смолчала.

А море и вовсе не говорило ничего и никогда.

Наконец, когда бушующий ураган криков поутих, Ритор поднял руку.

— Обо всем, как и велит закон, будем говорить сегодня на совете клана, — обратился он к людям. — Я буду думать. И вы думайте тоже. Завтра на рассвете мы сравним наши решения.

«Не сомневаюсь, что они выберут войну, — мелькнула мысль. — Слишком хорошо здесь знают о нашей с Торном вражде. Сами кланы не сталкивались уже давно... но нападение есть нападение, и вражда с предводителем есть вражда со всеми. Клан поднимется. А это значит — войны не миновать. Мы сами вымостим дорогу Прирожденным...»

И в то же время Ритор даже помыслить не мог скрыть от собратьев правду. Быть может, когда отгорит первый гнев, ему удастся сдержать своих.

Потому что надо тратить силы не на бессмысленную распрю с могучим кланом Воды (подавляющее число людей в нем, само собой, ни в чем не виноваты), а уничтожить, пока не поздно, вызванного Торном Убийцу Дракона. В этих словах врага Ритор не сомневался. Таким не бросаются.

И не важно, что Убийца скорее всего тоже не виноват. Простой подсчет — тысячи жизней или одна.

Иное решение? Чтобы никто не погиб? Увы, мы не на занятии по этике, к сожалению.

...Ему казалось, он никогда не уснет. Когда так устаешь, организм словно во вред самому себе отказывается засыпать. Мол, помучайся, помучайся, будешь знать, как измываться над собственным телом. Виктор понимал, что это всего-навсего чрезмерный уровень адреналина и эндорфинов, повышенный ток ионных каналов и слишком активная перекачка синаптических пузырьков, — однако понимал как-то умом. А другая половина сознания отчего-то талдычила — это судьба тебя предупреждает, не спи в эту ночь, не спи, не спи, не спи-и-и!..

Раньше об эльфах, гномах и тому подобном он читал только в бульварной фантастике. Да и то изредка, когда ничего другого не находилось взять в дорогу. А вот теперь сам лежит на кровати в гостинице, охранником в которой служит самый что ни на есть настоящий эльф! Гм, если таковы эльфы — то каковы же тогда эльфийки? Эльфки, эльфиянки, эльфочки, эльфессы... интересно, а полуэльфки — они какие? Или их на самом деле никогда не бывает? Начинаешь понимать, почему эльфы не зарятся на человеческих женщин, а вот мужчины...

Он приподнялся на локте. Тэль мирно спала, тихонечко, как мышонок, посапывая в дреме. Виктор снова лег на спину. Невольно ему вновь вспомнились давешние разбойники... и тот несчастный, моливший сохранить ему жизнь... Как он там сказал? «Я раб твой, Владыка»?

Владыка...

Ничего не скажешь, приятно услышать. Что ни говори, каждый из нас втайне думает о себе — мол, меня не оценили, не поняли, я куда выше и лучше их всех, только вот из-за всяческих козней не могу развернуться как следует, а тогда бы я всем показал... Неудивительно, что лесть — одно из сильнейших человеческих орудий.

Виктор не уловил прихода сна. Сознание оставалось ясным, мысли — четкими и определенными. Он думал, что рассуждает про себя... и потому даже несколько удивился, внезапно увидав себя стоящим на незнакомом берегу. Песок был абсолютно, нестерпимо снежно-бел. Это еще неудивительно, хотя отыскать такую белизну на Земле... точнее — в Изнанке — не удалось бы, наверное, и на Северном полюсе.

Да, песок был бел, а вот вода, напротив, — иссиня-черна. Словно самая настоящая нефть. Виктор собрался было протереть глаза — правда, тотчас же понял, что удивляться глупо. Тут так и должно было быть. Сны — особая страна. Взгляд его скользнул вдоль берега — наверное, в полукилометре вода становилась красно-алой, словно солнце ветреным закатом; еще дальше, уже у самого горизонта виднелась блистающая, яркая зелень — а может, это уже были шутки атмосферной рефракции. Солнце, наверное, уже скрылось — светилось само небо, на горизонте ярче, а в зените уже проглядывали робкие звезды.

Вплотную к берегу подступали горы. Не обычные, привычные нам — а длинный строй математически правильных фракталей, как, едва вглядевшись, понял Виктор. Каждая «гора» чем-то напоминала исполинское дерево — блистающий полупрозрачный «ствол» в километр высотой, идеально правильные грани, каждая разделена на три части, средний отрезок служит основанием еще одного треугольника, поменьше, и так без конца...

К морю эти странные образования повернуты были гладкими срезами — словно основаниями.

Между этими не то строениями, не то естественными образованиями тянулись длинные языки привычно зеленой травы, высокой и острой, на манер осоки.

Еще дальше виднелся лес. Правда, фиолетовый, а местами и просто синий, словно в этом мире не существовало законов фотосинтеза.

А над самым краем леса Виктор заметил курящийся дымок. И пошел к нему — что еще оставалось делать?

Все это время он прислушивался к себе. Странный был сон. Очень уж яркий и реалистичный. Даже фиолетовые листья и черные волны выглядели уместными. И ладно бы просто уместными... во снах все кажется правильным. Но почему тогда он ощущает чуждость окружающего?

Непорядок. Хоть во сне бы расслабиться!

Он сделал шаг, другой... и вдруг понял, что ему здесь нравится. Тело наполнила пьянящая легкость, словно в воздух подкачали кислорода. Это немного напомнило симптомы глубинного опьянения — но Виктор-то сейчас не на глубине!

Он с трудом удержался, чтобы не пуститься бегом.

Широколистная «осока» затянула весь берег. В зарослях — ни единой тропки. Убедившись, что острые стебли не в силах проколоть джинсы, Виктор с удовольствием пошел напрямик.

Немного погодя он увидел, что дым поднимается над широкой и низкой крышей большого одноэтажного приземистого дома, сложенного из розовых каменных плит, сейчас изрядно подпорченных жирной копотью. Из широченной каменной трубы, тоже низкой и какой-то приплюснутой (отчего так? Тяга ведь плохая...) валил дым. Был он, как и положено дыму, густ, клубист и черен. Вокруг дома одуряюще воняло чем-то омерзительно-кислым — словно там, внутри, стояла целая батарея открытых чанов с дымящейся «солянкой», HCl, или там, скажем, с серной, H_2. Едкий запах полез в ноздри, Виктор закашлялся... точнее, это собралась закашляться его память. Сам он только с силой выдохнул, гоня прочь из легких эту гадость, ничего общего с привычными нам кислотами, конечно же, не имевшую.

Это был яд, вдруг понял он. Яд, напоенный вдобавок еще и магией. Правда, ему, Виктору, отрава почему-то вреда причинить не могла.

Дверей в доме не было. Широкий темный проем, где во мраке что-то тускло и равномерно вспыхивало.

— Эй, есть тут кто? — негромко спросил Виктор.

Огонь в глубине дома испуганно замигал и погас. И тотчас же раздалось гневное рычание, длинная разъяренная рулада, сложившаяся в нечто вроде «Кто посмел?!», только куда изобретательнее, с многочисленными отсылками ко всем родственникам виновника вплоть до двенадцатого колена.

Из тьмы выкатился невысокий, очень толстый человечек, широкоплечий, краснорожий, с необъятным брюхом и нависающими кустистыми бровями. Нос хозяина украшали многочисленные алые и синюшные прожилки. Запах ядовитой кислятины тотчас сменился до боли знакомым перегаром, словно от того же жэковского сантехника.

— Ты кто такой? — зарычал коротышка. Холщовые рубаха и портки на нем были все в пятнах и подпалинах. Руки же — в тонких хирургических перчатках, и при виде их Виктор едва не лишился дара речи. — Язык проглотил, неуч? — напирал меж тем хозяин.

— Молчи, — вдруг вырвалось у Виктора. — Как смеешь ты держать меня на пороге?!

Толстяка враз прошибло потом. Он отступил на шаг, однако взгляда не опустил.

— Ух ты, знатный гость ко мне пожаловал, — медленно процедил он сквозь зубы, стаскивая с рук перчатки. — Знатный и редкий... ну что ж, заходи, раз пришел, прочь не погоню. Запашок у меня, правда, тебе едва ли понравится... но уж не обессудь, коли явился незваным.

Толстяк если и боялся, то страх свой умело скрывал. И, судя по нему, был отнюдь не дурак подраться. Хоть и пригласил внутрь, сам стоял, загораживая почти весь широченный проход.

— Плохо ты гостя привечаешь, — нагло сказал Виктор, сам донельзя дивясь этой наглости.

Впрочем — это ведь сон... всего лишь сон.

— Уж как умею, — огрызнулся коротышка. Сдернув наконец с рук перчатки, он метко зашвырнул их в бочку — что-то отвратительно зашипело, из бочки повалил пар. — Как там у вас говорится? В гимназиях не обучались...

«Ну конечно же, я сплю, — подумал Виктор. — Откуда здешнему обитателю знать «Золотого теленка»?»

Ухмыляясь, толстяк пялился на Виктора. Глаза-буравчики беспокойно сверлили незваного, невесть откуда взявшегося гостя. Коротышка откровенно и недвусмысленно нарывался на неприятности.

«В этом мире уважают только силу, — подумал Виктор. — Деликатность, вежливость, миролюбие здесь воспринимаются как слабость».

Впрочем — только ли здесь? Мир снов — лишь слабый отсвет реального мира. Если здесь и сейчас, в сумбурном — пусть и таком ярком сне, от него ждут напора и натиска — значит, и на самом деле происходит то же самое. Давно ли нахрапистость и наглость превратились из пороков в достоинство? Может, и недавно, но порой кажется, что навсегда...

И все-таки, наверное, в Москве он едва ли решился бы на подобное. Протянуть руку и молча отодвинуть хозяина с порога его собственного дома.

Помня Серый Предел и ломающуюся с сухим треском шею несчастного полуэльфа, Виктор толкнул коротышку не в полную силу. Однако тот лишь похабно осклабился:

— Что-то слабоваты нынче стали срединники! Нукась, ты толкнул, теперь моя, стало быть, очередь...

Это, разумеется, оказался не толчок в плечо. Толстяк коротко и без замаха провел очень грамотный апперкот. Настолько быстро и профессионально, что невеликого умения Виктора не хватило даже отдернуть голову. Собственно говоря, он понял, что поднявший его в воздух удар именуется апперкотом, только оказавшись лежащим на спине.

«Ярость в тот же миг подняла его на ноги. Это точно сон, — снова подумал Виктор. — После таких ударов встают только в дешевых гонконгских боевиках. У меня сейчас должны были быть сломаны шейные позвонки, выбита челюсть и половина зубов — а я скачу как ни в чем не бывало...»

Теперь вокруг него был огонь. Руки, раскинутые в стороны, словно крылья, рассекали ярящийся океан испепеляющего пламени. Как смел этот... этот червь... как он смел поднять руку на него? На него. Владыку?!

Кулак обернулся сгустком рыжего огня. Мелькнуло перекошенное злобой лицо коротышки... вскинутая для защиты рука... но поздно.

Виктор ударил оскорбителя в скулу. И тот, несмотря на немалый свой вес (полтора центнера на глаз, не меньше) — кубарем покатился через порог, внутрь дома. С грохотом обрушились какие-то полки, кто-то жалобно не то заблеял, не то замяукал — и все стихло.

Огонь исчез. Душащая ярость — тоже. Болел кулак — словно Виктор хватил им по каменной стенке. Кожа на костяшках была содрана. Виктор поморщился, потряс кистью.

— Ну-у, какой ты, однако... — плаксиво пробубнили из темноты. — Предупреждать надо...

— «А кто у нас муж? — Волшебник! — Предупреждать надо!» — передразнил его Виктор цитатой из «Обыкновенного чуда». — Дальше драться станем?

— Чего уж... до срока, — буркнули из темноты. — Входи, входи, чего стоишь? Помоги встать — не видишь, полкой придавило? Я, ежели ворохнусь, все на ней переломаю...

Виктор проворно шагнул через порог. Глаза подозрительно быстро привыкли к темноте — слишком быстро даже для сна. В снах у нас порой есть крылья, и пули из дул нашего оружия летят медленно-медленно, по длинным изогнутым дугам — но вот в темноте мы видим плохо даже там.

Это, несомненно, была лаборатория. Совершенно не похожая на привычные ему — «изнаночные», как сказали бы в Срединном Мире. Здесь не было никаких приборов, агрегатов или устройств. Только здоровенные полки на стенах. Но на полках — ни единой бутыли, коробки, банки или любого иного вместилища. Непонятные предметы свалены кучами, следуя какой-то непостижимой внутренней логике. Огонь в очаге

горел сам по себе, ни дров, ни угля; на мгновение Виктор
даже подумал, не подтянут ли сюда газ.

Но, конечно, никакого газа тут не было. Просто сам по себе
горящий огонь. И над ним котел, черный, закопченный, с из-
зубренными краями. Виктору стало даже немного не по себе —
зазубрины на краях очень уж напоминали следы зубов. Прямо
на глаза попался очень неплохо сохранившийся рельефный от-
печаток человеческой челюсти. В натуральную величину. Верхней, с косыми, не исправленными в детстве резцами.

Виктор приподнял тяжеленную полку (каменная она, что
ли?), и коротышка выбрался на волю.

— Спасибо, — кажется, это было сказано довольно-таки
искренне. — А ты не из слабаков. Угощать, как у вас принято,
мне тебя нечем, так что не обессудь. Все в дело пошло.

— А что за дело? — как бы между прочим полюбопытствовал Виктор. Котел висел над огнем без всяких подпорок, запашок оттуда шел отвратительный, и помыслить об угощении
сил не было.

— Да так... — ответствовал коротышка без видимой охоты.
Почесал затылок. Покашлял. Снова почесал затылок.

И в это время в громадном сундуке, единственном сундуке
во всем доме, что-то мерзко заскреблось и зашебуршилось.
«Крыса, что ли?» — подумал Виктор.

Коротышка скривился, как от сильной зубной боли. Бросился к сундуку. Рывком распахнул крышку. Запустил туда
руку по самое плечо, ойкнул и миг спустя выпрямился.

Виктор окаменел.

В кулаке у коротышки дергался, суча тонкими ручками и
ножками, крошечный человечек, размером чуть больше перо-
чинного ножа. В нелепой коричневой шляпе с полями, красной рубашке и коричневых же штанах. Лицо у него было словно
выгоревшее, все в струпьях и шрамах. А на правой руке — что-
то вроде перчатки с пятью длинными (по его мерке, конечно)
остриями, что-то вроде монтерских «кошек».

— Извини, — промямлил коротышка. Размахнулся и швырнул пищащее создание прямо в котел.

Всплеск, раскаленная жижа полетела прямо в лицо Виктору;
он вскинул руку, загораживаясь... и в тот же миг проснулся.

4*

Тишина. Все спокойно. Он в комнате отеля, или постоялого двора, или гостиницы — тут и не поймешь, как чего называть. Еще темно, как ни странно. На соседней кровати еле слышно посапывает Тэль. Все в порядке. Все хорошо.

Только сердце бухает и ладони взмокли. Даже сейчас, вопреки обыкновению, сон не стал казаться нескладным. Нелепый, нереальный мир — но он до сих пор оставался столь же убедительным, как, например, эта гостиница.

Да, не помог Радин коктейль. Каких уж тут «Приятных снов!».

Попав из мира в мир, увидев существ, которым место в сказках, убив.... после этого на иные сны трудно претендовать. Только на мордобой с тупым уродом, который варит в котле миниатюрного Фредди Крюгера...

Виктор повертелся немного в постели, стараясь найти позу понеудобнее. Не хотелось снова засыпать после такого кошмара.

Но сон все же пришел — видимо, он слишком устал. Не было в нем никаких сновидений, ни приятных, ни страшных.

И то хорошо.

До того, как соберется совет, оставалось совсем немного времени. Ритор сидел у себя, на третьем этаже школы, в скудно обставленной просторной комнате — узкая жесткая кровать в углу, умывальник, небольшой шкаф — вот и все «для жизни». Остальное пространство занимали книги на тянущихся вдоль стен и поднимающихся под самый потолок полок да громадный письменный стол.

Дверь только что закрылась за матерью Таниэля.

Ритор, с усилием нажимая, провел ладонью от лба вниз по лицу. Что он мог сказать этой несчастной? Что ответить на горячечный бред ее обвинений? Ровным счетом ничего.

И он не отвечал. Хорошо, что не пришел брат. Значит — не обвинял. Значит — простил. Или — боялся дать волю своему гневу? Лучше не думать...

Сейчас соберется совет. Проголосовать за войну. Выставить голову Торна насаженной на кол — для всеобщего обозрения. Стереть с лица земли саму память о клане Воды. Они сильны? Ничего, наше дело правое, враг будет разбит, победа будет за нами!

Переубедить их невозможно. Даже самых лучших. Значит, ищи способ повернуть их гнев. На Убийцу Дракона. А потом будем думать, как сделать войну «странной»... до того момента, как из душной, парящей мглы южного моря не вынырнет орлиноголовый флот Прирожденных.

Что ж, в таком деле маленькая ложь позволительна. «Мне надо сберечь клан Воды для отпора врагу, — думал Ритор. — Торн может... гм... внезапно исчезнуть. А потом уже придет время Дракона». Он невольно вздрогнул.

Невдалеке звякнул колокольчик. Очень тихо — но услужливый порыв ветерка позаботился донести звук. Ритор решительно поднялся.

Совет начинается.

Он вышел из комнаты, не позаботившись запереть дверь — никто не дерзнет проникнуть к нему. Двинулся по широкой галерее, соединяющей все помещения школы. Конечно, никаких занятий сегодня не предвиделось, но все же ученики не разошлись. Близко к главной зале, где состоится совет, они не подходили, не рискуя наткнуться на суровую отповедь, а то и оплеуху, нанесенную невидимой воздушной рукой — маги сейчас были скоры на расправу. И все же и во дворе болтались мальчишки, едва умеющие чувствовать воздух, вроде бы играя, но нет-нет да и посматривающие на купол главной залы. А в комнатах для занятий с открытыми раз и навсегда окнами, просторных и пронизанных ветром, сидели ученики постарше... якобы погруженные в чтение книг. Ближе к зале Ритору попался один из самых талантливых выпускников школы, вот-вот готовящийся пройти испытание и получить плащ Воздушного, с поразительным усердием оттирающий и без того чистый пол. Аура у мальчика была почти непроницаема... но только не для Ритора. Несмотря на всю серьезность предстоящего, маг улыбнулся.

Что ж, пусть. Так было и будет всегда — ученики, переоценивая свои силы, пытаются подглядеть и подслушать. И он был таким. Пусть. Если вдруг у паренька получится — значит, он настолько силен, что уже вправе знать решения магов.

— Странное дело, — добродушно бросил Ритор, — раньше я не видал с тряпкой в руках учеников старше десяти лет...

Юноша поднял на него наивные — чересчур наивные — глаза. Невинно заявил:

— Мне показалось, что нехорошо все время отряжать на уборку младших.

— Какая мудрая мысль, — кивнул Ритор. — Разрешаю тебе заниматься уборкой каждый день, до самого испытания.

Паренек тоскливо уставился на тряпку, а маг прошел дальше.

Защиту уже поставили, причем такую, что Ритор даже не стал ее усиливать. Круглый зал, где собралось почти три десятка человек, был окружен по самым стенам коконом ветров. Ничего лишнего — только легкие плетеные кресла да такой же плетеный стол в центре, с парой старых книг, на случай, если кому-то изменит память и придется рыться в древних наставлениях, в бесполезной, но чтимой мудрости столетий. Воздух в зале был неприятно сух, но, учитывая все обстоятельства, это было необходимо. Разумеется, не было никакого огня — да и какая нужда в нем, купол был раскрыт, и помещение заливал солнечный свет. Конечно же, чистота царила стерильная, ни одной пылинки, ни одной крошки земли на полу.

Секретность. Может быть, преувеличенная, а может быть, совершенно недостаточная. Но лучше, если она есть.

Все взгляды остановились на Риторе, и маг поднял руку, приветствуя товарищей. Предстояла схватка. Беззлобная схватка между друзьями, желающими одного, но расходящимися в тактике. Самая тяжелая схватка.

— Кто-нибудь считает меня трусом? — спросил Ритор. Дал тишине устояться и неторопливо прошел в центр залы. Окинул взглядом магов клана, в который раз прикидывая, кто согласится сразу, кого удастся переспорить, а кто будет стоять на своем до конца. — Тогда я скажу то, что не всем понравится. Врага можно победить по-разному. Можно убить его. Если хватит сил...

Легкий, недовольный шум. Но возражений не было — среди сидящих здесь не водилось дураков и безумцев.

— А можно понять замыслы врага — и убить их.

— Уверен ли ты, что понял? — раздался тихий голос, при звуке которого Ритор вздрогнул. Кан-неудачник, так и не ставший хорошим магом, но прославившийся как лучший травник Воздушных, смотрел ему в глаза.

— Да, брат, — тихо сказал Ритор. — Да.

— Значит, мой сын не останется неотмщенным?

Ритор лишь кивнул.

У него не хватило духу пообещать это вслух — ибо он не знал, станут ли его слова правдой.

Виктор открыл глаза, когда утреннюю тишину разорвал чей-то гневный вопль. Шумели во дворе.

— Чтоб у тебя отсохли руки! Да ударит тебя током! Пусть сумасшедший маг превратит тебя в вонючую жабу!

Затейливость проклятий лишила Виктора возможности хоть на пару минут, хоть со сна, не раскрывая глаз, ощутить себя дома. Нет. Он по-прежнему тут, в сумасшедшем Срединном Мире, где бродят в ночи неупокоившиеся за столетия мертвецы, улицы освещены электричеством, а эльфы выполняют функцию охранников при гостинице. В мире, где даже сны стали не то волшебной сказкой, не то реальным кошмаром...

Комната была уютной, но небольшой. Вряд ли это лучший номер гостиницы, как клялся вчера рыжий паренек. Виктор глянул на кровать у другой стены — там никого не было. Покрывало аккуратно заправлено, за дверью ванной — тишина. Тому, что Тэль куда-то отошла, Виктор был даже рад. Встал, прежде чем одеться, выглянул в окно.

— Кто же так точит мечи? Кто, я тебя спрашиваю?

Во внутреннем дворике гостиницы, где был разбит небольшой палисадник, юная хозяйка ресторана распекала пожилого мужчину, годившегося ей если не в деды, то в отцы. Тот и не думал оправдываться — словно признавал свою вину.

— Это — меч? Это — столовый ножик! — Рада легко вскинула над головой и ткнула под самый нос мужчине солидных размеров клинок. — Смотри...

Без всякого усилия девушка крутанула мечом и отсекла ветку с ни в чем не повинного дерева. А ветка была толщиной в руку...

— Ну? — Воткнув клинок в землю, Рада подняла сук, проде-
монстрировала мужчине сруб. — И это — эльфийская заточка?

— Нет... — неожиданно признал мужчина, нервно вытирая
руки о кожаные штаны. — Ваша милость...

— Я тебе не ваша милость!

— Хозяйка, бес попутал... Исправлю...

— Как исправишь? Совсем клинок погубить хочешь? Память пропил, эльфийскую заточку с косым отвесом перепу-
тать! Да чтоб ты под паровоз попал!

Виктор вздрогнул. И тут, словно подтверждая слова Рады,
в воздухе разнесся долгий, тягучий гудок.

Совершенно остолбенев, Виктор поднял глаза. И увидел,
что вдали, за забором, огораживающим палисадник, за доми-
ками, за низким длинным строением, напоминающим... вокзал, блестят на солнце стальные нити рельсов.

— Господи... — выдохнул Виктор, вложив в слово, за отсутствием веры, весь отпущенный на сегодняшний день запас
удивления.

По рельсам мчался поезд. Впереди — огромный, чудовищ-
но несуразный паровоз с исполинским котлом из начищен-
ной меди, в котором отражалось встающее солнце, с клубами
черного дыма из четырех труб, водруженных за котлом, с тремя открытыми платформами, на которых были навалены черные холмики угля, с пятью или шестью вагонами — длинными, деревянными, раскрашенными каждый в свой цвет.

Поезд дал еще гудок и начал медленно сбавлять ход. Дым
из труб повалил при этом еще гуще.

— Путь, — сказал Виктор. — Путь? Тэль!

Он обернулся, но Тэль в комнате, конечно, не было.

— Доброе утро! — окликнула его снизу Рада.

Виктор до пояса высунулся в окно:

— Доброе утро! Рада, что это?

Оставленный в покое мужчина вытащил из земли злополучный меч и с убитым видом уставился на лезвие.

— Это?

— Ну... — Он замялся. — Поезд...

— Поезд. Это поезд. — Рада засмеялась. — Спускайтесь, я
обещала угостить вас «Кипучим днем».

— Спасибо.

Виктор счел за благо скрыться из окна, прежде чем девушка окончательно не приняла его за идиота. Или уже поздно?

— Нет, Тэль, хватит, — бормотал он, одеваясь. Зашел в ванную — вполне приличную, там был и нормальный... хм, унитаз, и ванна, и даже горячая вода. Правда, шла она с легкой ржой, но такое случалось и у него дома. В мире Изнанки.

Решительным шагом Виктор двинулся к двери. Побаловались — и хватит. Хорошо, он во все верит, он все принимает как должное, он даже не сердится. Но теперь пришло время уходить. Место здесь вполне тихое и мирное, девочка не пропадет... ха, такая нигде не пропадет. Ни на ночной московской улице, ни за Серым Пределом.

Он запер дверь, сбежал вниз по лестнице. Рыжего парня за столом не было, теперь там сидел лишь эльф.

— Милейший! — переходя на невыносимо фальшивый, «средневековый», тон, но не в силах ничего с этим поделать, воскликнул Виктор. — Не покажете ли, куда пошла моя юная спутница? Или, возможно, позовете ее сюда?

Эльф смерил его взглядом прозрачных медово-желтых глаз. Мелодично ответил:

— Разумеется, нет... милейший.

— А почему, собственно?

— Подойдите ко мне.

Не отрывая взгляда от лежащего на столе лука, Виктор подошел к охраннику. И замер, чувствуя, как заливает лицо краска стыда.

У сидящего за столом эльфа не было ног. Брюки из зеленого шелка кончались чуть ниже колен.

— Мне было бы затруднительно позвать вашу юную спутницу, — продолжал эльф. — Она вышла из гостиницы минут двадцать назад.

— Простите... — прошептал Виктор.

— Перед уходом девушка отдала ключи, — не обращая внимания на извинения, продолжал эльф. — Она сказала, что собирается уехать на утреннем поезде. Полагаю, что я догнать ее никак не успею.

Тишину разорвал двойной гудок. Эльф поморщился, словно даже смягченный стенами звук был ему невыразимо противен:

— А теперь, полагаю, догнать ее не сумеете и вы.

Прошло несколько секунд, прежде чем Виктор осмыслил случившееся.

— Тэль уехала?

— Если вашу спутницу зовут Тэль — да. Конечно, она могла передумать... — Эльф подпер подбородок точеными пальцами. — Но у меня сложилось впечатление, что у нее слова не расходятся с делом.

Виктор, словно оглушенный, шагнул к двери.

— На вашем месте я бы позавтракал, — окликнул его эльф. — Посидел минут десять с кружкой эля. И только потом начинал суетиться. Кстати, если воспользуетесь моим советом, то попросите Раду подать завтрак и мне.

— Я... я попрошу. — Виктор посмотрел в лицо эльфа. Не презрительное, не насмешливое — просто чужое. — Как вас зовут? Дерси?

— Для людей — да.

— Дерси, ночью мне показалось, что ваш товарищ узнал девочку...

— Спросите его сами.

— Разве он не поделился с вами догадками? — осторожно спросил Виктор.

Лицо эльфа чуть-чуть изменилось, и он понял, что угадал.

— Спросите его. Рыжик придет к обеду. Я не хочу вмешиваться в человеческие дела.

— Спасибо, — помолчав, сказал Виктор. — Я воспользуюсь вашим советом.

ГЛАВА 6

При свете дня ресторанчик утратил в интимности, зато открылись новые детали интерьера. Древние мечи и копья, закрепленные на стене между окнами, несколько пробитых щитов, подвешенные на потолке. Стали, правда, видны и пятна копоти у канделябров, и испещренный отметинами простенок между дверью и баром — словно кто-то долго забавлялся, кидая в стену ножи.

Народу в ресторанчике не прибавилось. Тот крепыш, что вчера дрых за стойкой, занимал столик в углу, шумно поглощая завтрак. Рада сидела у двери, разглядывая злополучный меч.

— И в самом деле испорчен? — спросил Виктор, садясь рядом с ней. — Да, там Дерси просил принести ему завтрак.

Рада вздохнула, поднялась, на минуту скрылась за стойкой. Виктор ждал, осторожно трогая пальцами блестящий клинок. На его взгляд, меч был остер как бритва.

Кстати, а чем тут бреются? Станка у него нет. Может быть, здесь электробритвы существуют? Виктор глупо хихикнул, убрал руки от меча.

Вернулась Рада. С двумя бокалами, заполненными густой жидкостью черного цвета. Жидкость пенилась и бурлила.

— «Кипучий день»! — сказала девушка.

Виктор подозрительно посмотрел на бокал, поднес к лицу. Пахло свежестью. Чуть ли не озоном.

— Рада, это действительно можно пить?

Девушка молча пригубила из своего бокала.

Виктор вздохнул и сделал глоток.

Вкусно. Алкоголь практически не чувствовался. Легкая кислинка, и холодок на нёбе — не мятный, а, скорее, ледяной, хотя жидкость казалась теплой.

— Меч не испорчен, — призналась вдруг Рада. — Косой отвес — нормальная, честная заточка. Но я-то просила сделать эльфийскую!

— А есть разница?

— Еще какая! Эльфийская заточка более жестока. Лезвие идет легко, но немножко гуляет по телу, оставляя рваные раны.

Виктора передернуло. Воображение врача нарисовало ему не самую приятную картину.

— Меч-то эльфийский, — продолжала Рада. — Хотелось и заточить его как следует.

— А я думал, ты увлекаешься лишь кулинарией.

— За папиной коллекцией надо следить. Оружие не должно умирать на стенах. — Девушка задумчиво коснулась рукояти. — Папа все сына хотел. И этот меч приобрел для меня... ну, заранее. — Она посмотрела на Виктора и без всякого перехода сказала: — Странный ты какой-то.

Виктор кивнул:

— Сам знаю.

— Будешь завтракать?

— Да. Только один вопрос... Рада, ты в курсе, что Тэль... девочка, с которой я приехал, утром ушла?

— В курсе. — Рада помолчала и участливо спросила: — Поссорились ночью? Обидел ее чем-то?

Виктор поперхнулся коктейлем. Ответил вопросом:

— Полагаешь, ее можно обидеть?

Рада прищурилась:

— Нет... вряд ли. От нее Силой так и тянет. Не тебе чета.

Как ни обидно это было слышать, но Виктор не стал возражать.

— Я хочу ее догнать.

— Зачем?

А действительно — зачем? Неужели он сам не найдет дороги обратно? Впрочем... мало найти дорогу, надо еще пройти той странной тропой, что вернет его в мир Изнанки.

— Мне надо кое-что узнать.

Рада побарабанила пальцами по столу. Вздохнула:

— Нет, так дело не пойдет. Рассказывай начистоту. И не бойся, мне любую тайну можно доверить.

Виктор с сомнением покачал головой.

— Ты не смотри, что я болтушка. Я про себя люблю поговорить. Про папу. Про ресторан, про мечи. Чужие тайны не выдаю.

— Я... не из этого мира. Я — с Изнанки.

— Ну, это я и так поняла.

— Что?

— Озирался ты так, своеобразно. Все, кто с Изнанки приходят, поначалу такие.

— И много их приходит?

— Не очень много. Но и немало. Раз-два в месяц точно заглядывает кто-нибудь новенький. Некоторые уезжают потом, некоторые остаются у нас.

— Рада! Мне надо поговорить с кем-нибудь из них!

— Нет. Я же говорю — чужие тайны ты от меня не услышишь. Зачем людям душу бередить?

— Но я...

— Ничего не понимаешь? Не беда, обвыкнешься. Да и вообще, насколько я знаю, у вас все почти так же, как у нас.

— Так же? Ничего себе! У нас мертвецы не ходят!

— Уверен? Впрочем, и у нас не ходят, их Серый Предел держит.

— А эльфы?

— Что эльфы? Нет эльфов и гномов? Зато, говорили, у вас черные люди живут, и желтые.

Оставив Виктора проводить странные аналогии между эльфами и неграми, Рада на миг отошла, что-то сказала в открытую кухонную дверь. Вернулась:

— Сейчас тебе завтрак дадут.

— Рада... но это не мой мир! Там я был врачом...

— Врачом? Так это замечательно! Тебя в любом городе примут с распростертыми объятиями. Можешь и у нас остаться. Вил уже старый стал, лекарства путает, кишечный заворот резать боится, а ученик у него шалопай оказался, спутался с молодыми эльфами, из лекарского цеха вышел...

Виктор замахал руками:

— Стоп! Стоп. Рада, я вовсе не собираюсь делать здесь карьеру лекаря...

— А какую тогда?

Мужчина за дальним столиком громко рыгнул, встал, двинулся к выходу. Был он невысок, широкоплеч, с грубым морщинистым лицом, жесткими прядями черных волос, торчащих врастопырку. Поступь его была твердая, тяжелая, он словно вколачивал каждый шаг в доски пола.

— Спасибо, прелестная Рада. — Он свойски потрепал девушку за плечо, на миг уставился на Виктора темными навыкате глазами и вышел.

— Это был... — начала Рада.

— Гном, — докончил Виктор.

— Уже встречал их?

— Нет.

Виктор не стал объяснять, что почувствовал в гноме чуждость, подобную той, что была в эльфе. Опять же если продолжить сравнения, то люди были созданы из глины, эльфы из воды, а гномы — из камня.

— Забавный народец, — сказала Рада. Поколебавшись, добавила: — И опасный. С электричеством знаются, пар постигли...

— А ты не пользуешься электричеством?

— Пользуюсь. Но это же не значит, что я его понимаю!

— Ну, это всего лишь... — Виктор запнулся, выуживая из памяти обрывки школьных знаний. Электроны бегут по проводам? Или не бегут? Еще есть какие-то позитроны... нет, они тут ни при чем.

А чем для него была наука? Не магией ли своего рода? Если бы кардиограмму снимали не прибором, а духом Наполеона на спиритическом сеансе, если бы анализ крови проводила не лаборантка в белом халате, а вампирша в черных лохмотьях, если бы вместо таблеток в аптеках продавали хорошо зарекомендовавшие себя сушеные крылья нетопыря и заговоренную паутину? Что изменилось бы для Виктора? Для человека, анализирующего кучку бумаг, осматривающего и ощупывающего пациента, а потом полагающегося лишь на собственные руки и скальпель?

— Блин, — с чувством произнес он. — Блин.

— Вот! — торжествующе сказала Рада. — Ты начал понимать! Так со всеми бывает!

Из кухни вышла старуха в чистеньком переднике, молча поставила перед Виктором поднос.

— Я сама... — Рада прогнала старушку и принялась расставлять перед Виктором блюда. — Попробуешь свежей форели, ее поутру выловили. И скажешь, ел ли такое у себя!

— Ну, за кусок золота весом в десять грамм — мог бы.

— Да что ты, здесь... на пару серебряных, не более того, — успокоила его девушка. — Деньги-то тебе девочка оставила?

Виктор машинально пощупал карман.

— Да.

— Значит, все в порядке. На тот кошель, из которого вчера расплачивался, можешь полгода прожить. Конечно, не у меня питаясь... — Рада гордо улыбнулась.

— У меня еще мешочек камней, почти такой же...

Рада шлепнула его по губам.

— Ты что, лекарь? — Глаза ее мигом стали серьезными и жесткими. — О чем болтаешь? Лютой смерти ищешь? У нас поселок мирный, не то что лесные хутора. Но лихих людей везде хватает!

Пристыженный, Виктор замолчал.

— Ладно. Обвыкайся, — остывая, сказала Рада. — Поживи здесь. Дерси даром что безногий, порядок в гостинице держит. Ручаюсь, понравится у нас. Раз уж пришел... значит, тянуло тебя с Изнанки в Срединный Мир!

— Рада, как мне догнать Тэль?

— Опять! Ну зачем тебе эта соплячка?

В словах ее была не ревность — вряд ли Рада испытывала к Виктору что-то кроме легкой симпатии, а просто обычное женское желание нравиться.

— Знаешь, какие у нас девчонки? Вечерком спустись сюда, увидишь. Если на молоденьких тянет, так и они найдутся. А иногда эльфийки, что повольнее, из табора заходят. Чем Хозяин не шутит, вдруг ты им глянешься?

Мораль у Рады явно была простой и незатейливой... В полной уверенности, что заставила Виктора крепко призадуматься, девушка встала, покровительственно опустила ладонь на плечо:

— И вот что... бери этот меч. Мне теперь его видеть — одно расстройство. А для новичка в самый раз будет, легкий, в руках будто сам живет. Денег возьму одну серебряную, без этого просто нельзя отдавать.

— Что я с ним делать буду?

— Найдешь учителя, только хорошего, с грамотой от цеха, а то этим же мечом тебя и прирежут. Пару недель — и от случайного бандита отбиться сможешь. А большего тебе все равно не дано, возраст не тот... Бери меч, лекарь, передумаю ведь!

— Спасибо. — Виктор выложил на стол три серебряные монеты. Поколебавшись — добавил еще две золотые. — Как мне догнать Тэль?

— Тьфу! — Рада всплеснула руками. — Сказала бы, что ты ее любишь, так ведь нет! Вижу, что нет. Забери золото! Хочешь догнать девочку — садись пополудни на «Стрелу Грома», она останавливается на вокзале воды залить. Поезд дорогой, да зато быстрый. Не то в Луге, не то в Рянске он «Четыре Дыма» догоняет. Если Тэль твоя не сойдет по дороге, то найдешь девчонку. А если сойдет... мир большой. Не судьба, значит.

— Сколько сейчас времени?

Рада вскинула руку — из-под рукава платья показались крошечные золотые часики.

— Десять с четвертью. У тебя два часа, лекарь.

— Спасибо! — сказал Виктор ей вслед. На его часах было то же самое время. Мрачно посмотрел в тарелку, где стыла форель.

А хочет он на самом деле догнать Тэль? Не ради того, чтобы вернуться назад... вряд ли она одна способна в этом помочь. Может быть, единственное, что не дает ему покоя, — это вопрос, что же такое он из себя представляет? Что в нем есть важного, что заставило Тэль отправиться за ним в Изнанку? Кто пытался помешать им на переходе?

В ресторан ввалилась какая-то компания, постояла у двери, тихо расселась за соседним столиком. Виктор копался вилкой в рыбе, пытаясь то ли пробудить аппетит, то ли придать блюду употребленный вид, — неудобно оставлять на столе нетронутым столь разрекламированное кушанье. Потом покосился через плечо на соседей.

Было их пятеро.

Четверо — молодые парни, самый младший — еще мальчик лет тринадцати, самому старшему лет двадцать пять. Все одеты по-дорожному, с оружием на поясах — мечи и кинжалы, даже у мальчишки. Лица похожи, явно братья.

А пятый — несомненно, их папаша. В короткой кольчужной куртке, вместо меча за поясом — разбойничий кистень.

Да он и был разбойником, этот мужичок, которого Виктор так опрометчиво пощадил ночью в лесу.

Когда совет окончился, Ритор, невесть уж от чего, почувствовал себя совершенно обессиленным. И вроде не из-за чего было так уж сильно уставать — с его доводами согласились хоть и не сразу, но достаточно быстро. У опытных, бывалых магов и воинов разум быстро взял верх над чувствами.

Кровавой распри не будет. Клан Воздуха не поддастся на столь несложную провокацию. Счеты будут сведены позже, много позже — когда цветок мести взрастет и распустится. А пока... Пока что они должны сделать главное: отыскать Убийцу Дракона.

В то, что Торн дерзнул здесь солгать, не поверил никто. Предводителю клана Воды не имело никакого смысла затевать всю эту историю, не вызови он в самом деле Убийцу — это ведь куда проще, чем дождаться прихода Дракона. Драконы приходят, когда наступает их время; а Убийцу и впрямь можно создать.

«Торн все рассчитал правильно, — думал Ритор. — Предотвратить приход Дракона можно одним-единственным способом — противопоставить Крылатому Властителю его Убийцу. Очень возможно, что тот уже прошел Тропой. Очень возможно, он уже здесь, в Срединном Мире».

Понятно и то, почему Торн не боялся сообщить это Ритору. Убить Убийцу почти так же трудно, как и Дракона. Конечно, это легче, но... только до той поры, пока Убийца не завершил инициаций. До этого он не более чем простой смертный. Сила его может прорываться наружу лишь спорадически. И Торн, конечно же, понимал, что Ритор не станет сидеть сложа руки. Клану Воздуха придется начать охоту. Очень возможно, Торн рассчитывает подловить нас на этой охоте, используя Убийцу как приманку, хочет захватить нас врасплох. Один раз ему это уже удалось... у нас четверо убитых — и притом каких!.. А у клана Воды — в лучшем случае один легко раненный. Размен не в нашу пользу.

Ритор даже ударил кулаком по подлокотнику. Он сидел в своем кабинете, возле открытого окна; обострившийся, как всегда в минуту напряженных размышлений, слух ловил встревоженный шепот учеников в широком школьном коридоре этажом ниже; неразборчивое бормотание собравшихся на площади людей — они так и не разошлись, даже после того, как объявили решение совета; ветер, надежный помощник Ритора, послушно подхватывал обрывки слов, исправно доставляя их мэтру.

Если бы он так же легко подхватывал и мысли Торна... или Убийцы...

Мало-помалу лицо Ритора мрачнело. Впервые за долгие годы он не видел разумного выхода. Тот же, что оставался: прибегнуть к настоящим чарам — чародей всегда оставлял на самый крайний случай. Нет ничего проще, чем вычислить мага по творимым заклятиям. О, если бы он, Ритор, был настороже, когда Торн и маги Воды вызывали Убийцу! Тогда все бы остались живы, и не пришлось бы теперь ломать голову, кого посылать на разведку вместо погибших братьев Клатт...

Но теперь уже ничего не исправишь. А это значит — надо привести в действие весь слегка подзаржавевший механизм доглядчиков, прознатчиков и просто осведомителей, щедро рассеянных по всей обширной, протянувшейся на сотни и сотни миль равнине, по ленным владениям и областям полюдья других кланов, по своим собственным... Человек с Изнанки мог появиться где угодно. Он мог, кстати, уже и погибнуть — очутившись, скажем, в Серых Пределах. Его могли зарезать разбойники, польстившись на прочные ботинки или добротную куртку. Его мог прикончить на дуэли какой-нибудь странствующий эльф или гордец из клана Пантер — эти, как известно, затевают ссоры по любому поводу. Он мог утонуть в одном из жутких бездонных бучил вблизи Предела — даже он, Ритор, так и не разобрался толком, что же за силы свили себе гнездо в тех краях. С ним могло случиться все что угодно... он мог потерять проводника.

Нет, на такую удачу рассчитывать не приходится. Торн наверняка отправил навстречу Убийце своих самых лучших. Будем исходить из того, что первые инициации Убийца уже прошел. Это не поможет в его поисках (разве что он по глупости пустит в ход обретенную Силу), но лучше переоценить возможности врага.

Итак, что делать? Послать вести разведчикам, отрядить в разные концы страны поисковые отряды — или прибегнуть к магии? Первый путь нравился Ритору куда больше второго... правда, на первый времени могло и не хватить. Когда Убийца достигнет полной готовности, уничтожение его обойдется Воздуху такой кровью, что страшно даже подумать. Все сегодняшние потери покажутся ничего не значащими.

Ждать нельзя. Дракон может прийти в любой момент... не зря ночами так болит сердце, и смутные огненные образы проносятся перед глазами... и вновь оживает прошлое. Ритор, Убийца последнего Дракона, всем существом своим знал — Дракону пришло время возродиться. Ему можно было б помочь — не зря же Ритор искал встречи с кланом Огня — и тогда, надеялся маг Воздуха, может, удастся смягчить кровавый нрав Властителя; судьба распорядилась иначе. Что ж, примем и это.

Как говорил брат? «Уверен ли ты, что понял замыслы врага, Ритор?» О да, я более чем уверен. Убийца не пройдет. Как ни печально — его придется уничтожить. Жаль ни в чем не повинного человека из совсем иного мира, но что поделаешь. Жил да был самый обычный человек, человечишка. Может, здесь, может, в Изнанке, а может быть, даже у Прирожденных, если, конечно, у них вообще люди живут. Но случилось что-то, щелкнул тайный механизм души, дрогнули нити Силы, пронизывающей миры. Где-то рождается Дракон — а где-то появляется его Убийца. И начинает свой путь...

Опять все та же арифметика. Жизнь одного или жизни бесчисленного множества, включая и жизнь той самой первой жертвы. Гнусно, но ничего не поделаешь. Совесть уже привыкла к подобным сделкам. Потому что иначе пришедшим на Теплый Берег кланам не выжить. Даже здесь, в Срединном Мире.

Ритор решительно поднялся. Как бы то ни было, теперь он знает, что делать. Договора порваны, мечи и сабли заточены, по селениям пошли вербовщики — пока еще щедрые и честные, пока еще не подпаивая и уговаривая, а прельщая юнцов звоном монет и сиянием мундиров... Дороги назад нет.

Ритор вышел из кабинета. Коридор был пуст, ни один не дерзнул подобраться так близко в момент его, Ритора, напряженного раздумья... впрочем, нет, кто-то все-таки решился. Мэтр уловил слабые колебания волшебного Ветра возле самых висков и невольно улыбнулся. Вот паршивец! Пожалуй, из мальчишки выйдет толк — со временем...

Паренек с прежним старанием драил блестящий, точно зеркало, пол. Когда Ритор приблизился, на него взглянула пара деланно невинных глаз. Мол, вот он я, мэтр, в поте лица выполняю ваше распоряжение...

— Ты и в самом деле намерен посвятить этому занятию все оставшееся до испытаний время? — сурово спросил Ритор.

— По слову вашему, мэтр. — Мальчишка поклонился, только глубоко-глубоко в глазах тлела озорная искорка. Тлела, несмотря ни на что. А ведь за подслушивание парня могло ждать наказание посуровее, чем простое мытье полов.

— По моему слову... — повторил Ритор. — Встань-ка... Асмунд, правильно? Асмунд, сын...

— Клода-башмачника, мэтр, — почтительно ответил мальчишка, наспех и безуспешно попытавшись придать непокорным кудрям соответствующий моменту вид.

— Да, верно, — кивнул Ритор. — Ну а теперь, Асмунд, сын Клода и Брунхильд, отвечай мне, и отвечай правдиво. Что ты слышал?

Защита Ритора была абсолютной. Интересно, сколько ее слоев успел взломать мальчишка?

Асмунд густо, до самых ушей, покраснел. Белокожий, он пошел в мать-северянку. Густая норвежская кровь растворила в себе южную, французскую.

— П-простите, мэтр... — И глаза его сделались виноватыми уже по-настоящему. — Я... я слышал... что вы хотите... отыскать волшебством Убийцу Дракона.

Ритор почувствовал, как пол уходит у него из-под ног.

— Я... я так благодарен вам, мэтр... — продолжал меж тем паренек, с обожанием глядя на волшебника. — Я понимаю, это было испытание... я должен был показать, что умею одолевать защиту. Я подумал — вы, наверное, решили взять меня с собой... должен быть в походе мальчишка, а я ничуть не хуже Таниэля... и вот вы меня проверяли... я очень старался, мэтр. Скажите мне, я ведь выдержал, правда? — И обратил сияющий взгляд на любимого учителя.

«Ну конечно, — подумал Ритор. — Мальчишка даже и помыслить не мог, что ему по силам пробиться через мою защиту. Он не сомневался — его испытывают. Этот дьяволенок и в самом деле одарен. Кто бы мог подумать...» Ритор покачал головой, злясь на самого себя. Проморгал, проглядел такой талантище. Из Асмунда выйдет со временем великий волшебник. А ему, Ритору, стоит подумать над своей защитой...

Он быстро, одним касанием, прощупал паренька. Нет, сейчас тот не творил никакой волшбы.

— Пойдем-ка. — Ритор поманил Асмунда за собой. — Ты прав, это испытание ты выдержал вполне удовлетворительно... почти хорошо.

Мальчишка от досады закусил губу.

— Чтобы ты смог в этом убедиться, — неумолимо продолжал Ритор, — сейчас пойдем ко мне в кабинет. Покажешь, шаг за шагом, как ты взламывал мою защиту. А я объясню, где можно было пройти проще и быстрее.

Ритор искренне надеялся, что у него и впрямь найдутся советы и объяснения. Талант талантом, но опыт тоже кое-чего стоит...

А остальные дела — подождут. Если преуспел этот чертенок, где гарантия, что такой же точно не сыщется у Торна? Да и силы паренька надо проверить до конца, до самых глубин — потому что его наивное предположение, быть может, обернется правдой.

Должен быть кто-то юный в отряде, с незамутненным скепсисом взглядом.

И не только во взгляде дело — но мальчику пока лучше о том не подозревать...

— Это безумие, Ритор, — твердо сказал старый Рой.

— По меньшей мере безрассудно, Ритор, — покачал головой младший брат Роя — Гай.

— Не ожидал такого от нашего осторожного и осмотрительного мэтра, — развел руками Солли.

— А мне, тысяча чертей и одна портовая шлюха, нравится! — Сандра стукнула кулаком по столу и, сведя брови, оглядела собравшихся. По слухам — а правды не знал даже Ритор — в бытность свою в Изнанке Сандра была первым помощником капитана на пиратском бриге. Была она дородной, громогласной и очень сильной. Фехтовать умела, как не многие мужчины. На шее у нее был уродливый шрам — явно сабельный, которым она, судя по всему, очень гордилась. В ушах Сандра носила пару золотых серег в виде черепов с бриллиантовыми глазами по пять карат каждый. — Ненавижу сидеть без дела! Найти этого ублюдка и придушить! Своими руками. Давай, Ритор, нечего сушить весла! Бери рифы, и залп всем бортом! На меня ты можешь рассчитывать, даже если эти сухопутные крысы от страха обмочат портки.

К ее манере выражаться все в клане привыкли уже давным-давно. Последние пару сотен лет и обижаться перестали. Ритора порой посещала мысль, что все это обилие морских терминов и затейливых ругательств — не более чем маска, надетая когда-то перепуганной женщиной, оказавшейся в чужом мире. Еще больше его укреплял в этом подозрении тот маленький факт, что морская волчица Сандра никогда не изъявляла желания подняться на палубу. Да и правильно делала — женщин на кораблях не жаловали... разве что в одной-единственной роли.

Но магом она была хорошим. Для женщины — даже великолепным.

— Сандра! Останови свою абордажную команду и ложись на время в дрейф, пожалуйста, — поднялся четвертый маг, смуглый, горбоносый, со странным именем Болетус Эдулюс. Как и Сандра, он был с Изнанки. — Мы согласились с доводами Ритора, когда он предложил не начинать войны с Торном. Теперь же согласиться нельзя. Заклятие требует слишком большой энергии. Мало того, что можно не уложиться в час нашей полной силы, нам придется снять изрядную часть защитных и дозорных чар, да и самим надолго выйти из строя. За себя — не боюсь, но ты посмотри на Роя и Гая! Силы клана не безграничны, Ритор. Великий Ветер! Ты знаешь об этом не хуже меня. Клан останется почти беззащитным. Торн придавит нас играючи...

— Ну, это едва ли! — рявкнула Сандра, выхватывая из-за широкого цветастого кушака устрашающего вида абордажный тесак. С оружием она не расставалась даже в постели — где, по некоторым сведениям, ее отличал совершенно необузданный темперамент. Несмотря на почтенный возраст, сама Сандра выглядела лет на тридцать пять, не больше. — Прежде чем этот ублюдок гальюнщика и сифилитичной русалки сумеет...

— Сандра, дорогая, — терпеливо сказал Ритор. — Пожалуйста, дай почтенному Эдулюсу закончить...

— Кончать он на девке будет, — рявкнула волшебница. — Знаю я и так, что он скажет! Мол, не станет Торн наши мечи испытывать, ударит магией, а мы тут стоим, как девчонка из пансиона благородных девиц с закрытыми глазами и задранной юбчонкой в ожидании, пока ее трахнет садовник!..

Почтенные маги заерзали, кто-то хихикнул.

— Браво, браво, Сандра. — Ничуть не обидевшись, Болетус похлопал в ладоши. — Мне всегда нравилось, как ты выражаешь свои мысли. В общем, ты права. Именно это я и хотел сказать. Торн, конечно же, не упустит случая напасть. Полагаю, он уже сейчас не спускает глаз с клана. Как только мы откроемся, он атакует. И, полагаю, атакует немедленно. Ему важно не допустить нас до Убийцы именно сейчас, пока тот еще слаб. Пусть никто не считает меня трусом, но принять план нашего почтенного Ритора равносильно самоубийству. Куда надежнее задействовать осведомителей. Дольше? Конечно. Ненадежнее? Конечно. Зато куда безопаснее для клана.

Ритор поднял было руку, однако горбоносый волшебник и не думал умолкать.

— Не считай меня глухим, Ритор. Я отлично слышал, что ты сказал. Мы можем не успеть. Верно. Но ведь и Убийца не окажется возле Дракона в тот самый миг, когда Властитель вступит в Срединный Мир. Убийце тоже понадобится время — и немалое.

— Черта с два ты тогда с ним справишься, Болетус, — фыркнула Сандра. — Он завяжет тебя одной левой в двойной морской и скормит крабам.

Эдулюс хитренько улыбнулся:

— На первый взгляд, моя несравненная, только на первый взгляд. Убийца так же уязвим для мечей, стрел и пуль, как и обычный смертный. Одна хорошая засада... Ритор! Ну что ты молчишь? Вспомни, как это было с тобой?

Болетус был совершенно прав. Однако...

— Чтобы устроить такую ловушку Убийце, — ровным голосом сказал Ритор, — нам придется сперва выследить его. Он сделает все, чтобы сбить нас со следа. Не сомневаюсь, Торн сейчас рассуждает точно так же, как и мы. И потому устроить засаду будет почти невозможно. Разве что на Острове Драконов, но тогда лучше уж нам всем утопиться самим...

— Можно точно так же охранять Дракона, когда он придет, — заметил Солли.

Ритор горько усмехнулся.

— Едва ли это поможет, друг мой. Убийца чует Дракона лучше, чем мыши — сыр. Он выйдет на Повелителя первым, как бы мы ни старались. Нет, иного выхода просто нет. Мне очень неспокойно, а своему беспокойству я уже привык доверять. Что же до снятой защиты... понимаю тревогу, но нам будет помогать один очень шустрый мальчуган.

— Асмунд, — вдруг усмехнулась Сандра.

— Откуда ты знаешь? — нахмурился Ритор.

Волшебница скрестила руки на полной груди и отчего-то потупилась. Потом смущенно откашлялась.

— Был тут один случай... проверить, — туманно объяснила она. — Ох и ловок же, чертенок!

Собравшиеся заговорили все разом:

— Открыли нового мага?.. Сильный? В каком стиле работает?..

Помрачнел лишь Болетус, и не зря. Асмунд входил в число его подопечных, и, значит, он ухитрился прошляпить столь нужный клану талант.

— Об Асмунде — потом, — решительно сказал Ритор. — Давайте решать, коллеги.

— Я — против, — упрямо сказал Рой.

— Я — тоже, — поддержал брата Гай.

— Я — за! — рявкнула Сандра. — Вонючие вы вонючки, чтобы вас всех поразило бессилие!

— Меня оно и так поразило, — спокойно сказал Рой. — Давай не будем об этом, Сандра.

— Извини. — Волшебница хмуро отвернулась. — Но я все равно — за.

— Я тоже, — вдруг сказал Солли. — Ты меня убедил, Ритор.

— Так, двое против и двое за, — сказал волшебник. — А ты, Болетус?

— Воздерживаюсь, — не без злорадства ответил тот. — Не могу сказать, Ритор, будто твой последний аргумент заставил меня полностью изменить мнение... но и что оставил полностью равнодушным, тоже сказать не могу.

— Трое за, два против при одном воздержавшемся. Решение принято. Рой и Гай! Вы поможете?

Недовольные старики остановились уже у самого порога. Гай посмотрел на Ритора с откровенным недоумением.

— Мне без вас не обойтись, — твердо сказал волшебник. — Кто еще умеет так распределять силы, как ты, Рой? А кто тянется лучше тебя, Гай?

— Ну то-то же, — проворчал Рой. Видно было, что он доволен. Нечасто могучий Ритор признавал, что ему без кого-то не обойтись... — Понял наконец, что старые кони борозды не испортят...

— Понял, — без улыбки сказал Ритор. — Отдохните до вечера, друзья, а как стемнеет — прошу всех ко мне. Обсудим план. Начнем завтра с утра, к часу Силы все должно быть готово.

— Подойди ко мне, Асмунд. И не дрожи так, прошу тебя. Когда ты взламывал мою защиту, так небось не боялся. Извини нас, твое посвящение получается совсем не торжественным, знаю, ты мечтал совсем о другом — общий сбор, весь клан на площади, ты читаешь клятву... А тут — затененный зал да шестеро магов. Но это ничего. Просто пришло время взрослеть, Асмунд. Иногда приходится делать это очень быстро — иначе тебе не суждено будет повзрослеть вовсе. Приходит время войны, мой Асмунд. Время отцам хоронить своих сыновей. Мы выступим в поход на рассвете, как только окончим обряд. Тебе предстоит помогать нам. Ты доказал, что способен на это. У меня нет времени искать других, что достойно смогли бы заменить Клаттов, Шатти, Таниэля. Мальчишкам придется доучиваться в бою, Асмунд. Тебе тоже, несмотря на весь твой талант. Ты понял меня?.. Терпи, терпи, я знаю, это больно. Печать Мага не достается так просто, дорогой мой. Что, пот? Ест глаза? Смотри, не жмурься. Тебе нельзя жмуриться. Да, да, Сандра, я умолкаю, ты права, парню нельзя подсказывать...

...Ну, вот и все. Одевайся, Асмунд. Давай, я помогу тебе вытереть кровь. Обопрись на мою руку. Идем, у нас нет времени. Солнце уже высоко. Идем, идем. Еще надо подняться на Клык Ветров. Не отставай, Гай. Сандра, помоги Рою. Торопитесь, друзья, торопитесь. Ветер набирает силу. Пора браться за дело...

Семеро стояли на самой вершине Клыка. Кольцо взявшихся за руки. Было еще далеко до часа их полной Силы, предстояла тонкая работа — плести кружева Ветра; только здесь, на Клыке, и можно было проделать такое.

Ритор крепко держал Асмунда за руку. На всякий случай, если парень все-таки потеряет контроль над собой. Настала пора пустить в ход давно накопленную силу клана, вспомнить старую боевую магию.

Ладонь паренька едва заметно дрожала, и Ритор невольно, несмотря на собственные слова, сочувствовал ему. И еще — он чувствовал стыд. Да, талант — это талант. И незамутненный взгляд юности — не пустые слова.

Но истина еще и в том, что при работе в группе самый сильный удар приходится на младшего. Как вода стекает в низины, так и сила уходит сквозь неопытного и полного энергии. Это справедливо — ибо то, что убило бы Роя или свалило в постель самого Ритора, обернется для мальчишки лишь тяжелым сном и усталостью. Он восстановится быстрее и легче их всех...

Вот только лучше Асмунду до времени этого не знать. До тех пор, пока не войдет в их круг еще более юный маг. Тяжело, ох как тяжело понимать, что несколько лет твои обожаемые учителя и уже словно бы боевые товарищи ценили тебя в первую очередь как живой щит.

Ритор знал это по себе...

Наверное, рыба была вкусной. Даже наверняка — если уж Виктор, отделяющий крошечные кусочки и медленно-медленно уничтожающий пищу, просто чтобы оттянуть неизбежное, это почувствовал. Но завтрак теперь стал лишь короткой отсрочкой перед схваткой. Точнее — перед гибелью. Семейка разбойников явно решила позволить ему поесть, но отбиться от пятерых у Виктора шансов не было.

Как же он купился!

«Помилуй, Владыка...» — так, кажется, бормотал этот разбойник? И он поддался — на жалобный голос, на внешность люмпена, на свое собственное нежелание убивать... Отпустил. А надо было — полоснуть ножом по горлу. Как учила баба Вера...

Виктор скрипнул зубами. На столе перед ним лежал свежезаточенный меч, и можно успеть его схватить. Но чем он поможет в схватке? Был бы автомат... вспомнилось бы что-нибудь с коротких офицерских сборов в институте.

— О, стражи Серого Предела! — Рада прошествовала к семейке. Тон у нее был насмешливо-снисходительный. — Редкие гости! Добро пожаловать!

— Пива, хозяйка, — хрипло сказал разбойник, и Виктор вздрогнул, услышав его голос. Сдавленный, сдерживающий эмоции.

— Какого пива? — Рада была само радушие, но и в ее тоне что-то изменилось. Она почувствовала неладное... может быть, позовет Дерси?

Виктор обругал себя последними словами за то, что чуть было не понадеялся на безногого калеку. Нет, эльф ему не помощник.

— Любого... самого дешевого... нет!

Разбойник стремительно изменил решение:

— Лучшего, что у тебя есть! Верского пива, золотого верского!

Рада хмыкнула и ушла.

А Виктор вдруг понял, почему разбойник решил угостить сыновей дорогим и редким напитком. Чтобы запомнили этот момент. Вряд ли на парней произведет впечатление убийство. А вот вкус пива они будут вспоминать, хвастаться перед друзьями.

И отложат в памяти, что их отец не прощает обид и всегда отыскивает врагов!

Ярость нахлынула волной, тяжелой кипящей волной. Как после перехода, когда в ледяной купели озерца его настигло краткое безумие.

Из него хотят сделать спектакль?

Показательный урок для подрастающих бандитов?

Он и сам не почувствовал, как меч скользнул в руку, пальцы сжали рукоять — легко, привычно, будто это было знакомым делом. Стол зашатался от толчка его тела, Виктор развернулся, отшвыривая назад стул. С тоскливым звоном разлетелся на полу недопитый бокал «Кипучего дня».

— Ты! — закричал Виктор, протягивая клинок к разбойнику. Это не было ни угрозой, ни обращением — лишь утверждение, обещающее многое... куда больше, чем то, на что он был способен.

— Владыка... — Разбойник вынырнул из-за стола, распростерся ниц. — Владыка, я пришел... я привел сыновей...

Еще в запале неистраченной ярости Виктор смотрел, как парни падают на пол рядом с отцом, вытягиваются — готовые принять удар меча. Лишь самый младший осмелился чуть повернуть голову и наблюдать за ним, и то не с ненавистью или страхом — с жадным восхищенным любопытством.

Так мог смотреть Моисей на горящий куст или апостолы — на разгневанного Христа.

— Владыка, да будет воля твоя...

Он молчал, не зная, что делать с этими людьми и что вообще происходит. Неужели в Срединном Мире подаренная жизнь требовала такой собачьей преданности?

— Вам еще требуется пиво? — спросила из-за стойки Рада. Виктор успел заметить, что девушка что-то быстро прячет под стойку.

Может быть, Конаму и не повезло с сыновьями, но и дочь
была способна за себя постоять.

— Дай им пива, Рада...

Виктор шагнул к разбойнику:

— Как тебя зовут?

Мужчина приподнял голову, посмотрел на него, словно не
веря, что Виктор снизошел до разговора.

— Прости, что прервали твой отдых...

— Как тебя звать?

— Предельник, Владыка...

Может, у разбойника имелось и нормальное имя, кроме
клички, но Виктору было не до того.

— Так вот, Предельник... зачем вы пришли?

— Служить тебе, Владыка.

— Мне не требуется ничье служение!

— Да, Владыка... тогда убей нас, Владыка...

Час от часу не легче!

— Вставай. Подними своих детей. Берите пиво. Выходите
в холл. Ждите меня там, — четко, разбивая действие на от-
дельные этапы, приказал Виктор. Эта последовательность оказалась удачным ходом — Предельник вскочил, простейшим
средством — пинками, поднял с пола парней, через несколько
секунд они уже расхватали кружки с пивом и выскочили из
ресторанчика.

— А кто платить будет? — спросила Рада. Но лишь когда
семейка удалилась — видимо, нарываться она не собиралась.

— Я. — Виктор молча достал золотой, так же молча принял сдачу — пару медяков. — Рада, кто они?

— Ну и вопрос! Это тебе лучше знать, лекарь!

— Рада, поверь, я сам ничего не понимаю.

— Да уж... поверить трудно. — Девушка поглядывала на
него куда с большим интересом, чем раньше. — Я не многое
знаю. Вдоль Серого Предела есть хутора в два-три дома. Говорят, что живущие там — потомки солдат древних армий, чьи
мертвые никак не упокоятся за Пределом. Есть и человеческие хутора, и эльфийские, и гномьи. Они ни с кем не обща-
ются, кроме как со своими. Изредка лишь заходят в поселки.
Ходят слухи... — Рада на миг замолчала, оценивающе огляды-

вая Виктора, — что порой хуторяне разбойничают на тропах вокруг Предела. У них свои обычаи, своя вера, свои законы. Зовут себя стражами Предела. Странный народ.

— И?

— Что «и»? Больше я ничего не знаю.

— Здесь есть второй выход. Рада?

— Из ресторана? Хочешь смыться от них?

— Да.

Рада покачала головой:

— Выход-то есть. Только не поможет. Видел их глаза?

Виктор неохотно кивнул.

— Фанатики. Ты их или убей... они сами под нож пойдут. Или смирись. Такие на краю света разыщут... как ты свою Тэль, — не удержалась она от маленькой шпильки.

— Налей и мне пива, Рада, — со вздохом попросил он.

С бокалом в одной руке и мечом в другой Виктор вышел в холл. Предельник с сыновьями сгрудились у двери, подтянувшись при виде его, как вышколенные новобранцы при появлении строгого сержанта... да нет, скорее — любимого комбата.

Эльф посмотрел на него задумчиво и отрешенно.

— Дерси... — Виктор замялся, не зная, как повести разговор. — Твой напарник... Рыжик?.. где я могу его найти?

— Вскоре он придет сам. — Эльф подцепил с тарелки листок салата, положил в рот с грацией аристократа на приеме у королевы или породистой лошади, которую угостили сахаром. — Полагаю, Рыжик отправился удовлетворять свою тягу к женскому полу. Но где он может быть конкретно...

— У меня мало времени, Дерси. Я должен успеть на «Стрелу Грома».

Эльф покачал головой:

— Тогда вы вряд ли его увидите.

И тут незадача... Кивнув, Виктор положил на стол ключи.

— Жаль. Вот, я уезжаю.

— Удачи, — равнодушно сказал эльф.

Пытаясь хоть как-то пробить броню его отстраненности, Виктор резко спросил:

— Дерси, личный вопрос... вот этот лук...

Эльф скосил глаза на свое оружие.

— Он довольно-таки тонкий. Вряд ли может быть хорошим оружием...

— Стрелы отравлены, — спокойно ответил эльф. — У нас всегда были отличные яды. Свои — на птицу, свои — на зверя, свои — на людей.

Поперхнувшись, Виктор повернулся и вышел из гостиницы. Вот как эльфы достигли славы великих лучников!

Следом, топоча, вывалились хуторяне. Виктор остановился, обернулся — и они тоже замерли.

— Предельник!

Разбойник с унылым лицом люмпена резво подбежал к нему. Физиономия на глазах расцветала, выражая желание служить и повиноваться.

— Вы сами были виноваты, что напали... — начал Виктор.

В глазах Предельника вспыхнул ужас:

— Владыка!

— Стой! Я не сержусь. Я отпустил тебя...

— Да, Владыка...

— Но ты мне ничем не обязан. Понимаешь? Живи. Больше не разбойничай, честно трудись... — Виктор даже сам поразился своей выспренней фразе. Тоже мне кардинал, отпускающий грехи! — Мне не нужно твое служение!

Разбойник тупо молчал. Виктор развернулся, двинулся по пустынной улице — и услышал сзади шаги.

— Да что вы ко мне привязались? — Виктор взмахнул рукой, забыв, что сжимает меч. Предельник моргнул. Умирать он явно не желал, но был готов принять удар.

Сплюнув на мостовую, Виктор зашагал по улице, стараясь не обращать внимания на молчаливый эскорт. Отвяжутся. Никуда не денутся. Вот сядет он в поезд... не сорвутся же они с насиженного места, не бросятся очертя голову невесть куда!

Пару раз по дороге ему попадались люди — ничего особенного в их виде не было, на Виктора они внимания не обращали. Одежда разве что выглядела непривычной — да и то не по причине грубости ткани или чуждого покроя. Просто не было стандартных раскрасок и фасонов. Словно каждый шил на заказ у неплохого портного...

А может, здесь и впрямь нет машинного производства? Только почему? Железная дорога — есть, значит, как минимум существуют паровые машины. Этого вполне хватит, чтобы создать текстильные мануфактуры...

Поймав себя на какой-то деловой заинтересованности, Виктор засмеялся. Да уж. Янки при дворе короля Артура! Не он первый, кто попал сюда из мира Изнанки. Если при наличии всех условий здесь нет машинного производства — значит, на то имеются серьезные причины. Глупо попасть в лапы местной инквизиции или перейти дорогу какому-нибудь цеху портных... заколют в переулке отравленными швейными иглами.

И впервые за все время его коснулось дыхание Приключения.

Приключения с большой буквы.

Если вчера он был лишь ходячим грузом, тюфяком с ногами, который плелся за Тэль, ничего не понимая и не принимая, то сегодня что-то изменилось. Может, виной был странный сон, или бокал бодрящего напитка, или этот ненужный, но все-таки приятный эскорт сзади, но Виктор ощущал себя исследователем, восторженным посетителем в музее.

В конце концов — он сыт, здоров, обут и одет. В карманах — немалая сумма денег и драгоценности, видимо, стоящие еще больше. Впереди — странный пасторальный мир, где есть и блага цивилизации, причем лишь самые правильные, и море неведомого. Эльфы, гномы, мертвецы — запертые Серым Пределом, — что еще?

Эгей! Он готов ко всему!

Улица кончилась, перешла в маленькую площадь перед вокзалом. В этом поселке, наверное, все улицы вели к вокзалу, так уж, видно, во всех мирах повелось. В центре площади была чаша фонтана — сейчас пересохшего, заваленного мусором, но каким-то симпатичным: ветками, листьями, пучками сухой травы. Фонтан походил скорее на капище лесного духа, чем на импровизированную мусорку. Перед вокзалом — и это тоже, наверное, было общим для всех на свете миров — тянулись дощатые лотки, за которыми замерли в ожидании покупателей бабки.

С азартным любопытством Виктор двинулся вдоль лотков, разглядывая товары. Отсутствие «Сникерсов», памперсов и предметов женской гигиены бальзамом лилось на душу.

Бабки при его появлении не засуетились и не стали издавать зазывных воплей. Серьезные были старушки, цену себе знали и собрались здесь словно бы не для торговли, а скоротать денек.

Вначале попадались только продукты. Молоко, сметана, сливки в мокрых глиняных кувшинах, творог в тряпицах и корзинках, керамические кувшинчики с медом — причем цвет меда шел от молочно-белого, будто пчелы здесь научились доить коров, до иссиня-черного. А запах от меда шел такой, что Виктор, хоть и был сыт, сглотнул слюну. Торговал медом, для разнообразия, старичок. Колоритный, с огромной бородой и лысой макушкой, с хитрыми маленькими глазками. Реакцию Виктора он явно углядел и довольно усмехнулся. Виктор не торгуясь купил за два медяка здоровый кусок сотов, двинулся дальше, посасывая прозрачный свежий мед и разжевывая упругий воск.

Его молчаливый эскорт тоже остановился у пасечника, и Предельник купил сыновьям по куску сотов. Виктор едва удержался от смеха. Впрочем, дело хорошее — парни вгрызлись в соты с явной радостью, особенно те, что помладше.

Дальше две бабульки, похожие словно сестры, торговали всякой одеждой. Виктор прошел было мимо, потом вернулся. Если уж двигаться неведомо куда, то надо экипироваться. Он купил смену белья, поразившись тому, что явно шитые вручную трусы имеют нормальный, а не «семейный» фасон.

— Как на тебя шила, милок, — солидно сказала бабка, одобрительно оглядывая Виктора.

Простые нравы...

Сейчас Виктор был одет как раз по погоде. Но не мешало подумать и о будущем. Например, о дожде. С востока медленно наползали облака...

На лотке лежали две черные кожаные куртки, но обе оказались Виктору маловаты. Да и обилие медных пуговиц, шнуровок и железяк делало их похожими на прикид металлистов, а не на одежду для взрослого мужчины.

— На эльфов шила, — огорченно сообщила бабка. — На эльфов, они такие любят... Вот и девчоночка — мерила-мерила, так и не взяла...

Виктор даже не стал уточнять, как выглядела «девчоночка». Он и так чувствовал, что речь шла о Тэль.

— Плащик купи! — посоветовала вторая бабка. Видимо, Виктор начал обретать в их глазах статус реального покупателя. — Хороший, из бобровых шкурок.

Но Виктор еще не сошел с ума, чтобы одеваться в дорогу в роскошный плащ из тонко выделанного блестящего меха. Уж больно вызывающе он бы в нем выглядел.

— Так хоть ножны, что ж ты с мечом по городу ходишь, народ пугаешь! — не унималась бабка.

А вот это и впрямь было хорошим советом. Из полотняного мешка, лежащего под лотком, бабка сноровисто извлекла несколько ножен. Виктор с любопытством оглядел их — дерево, обшитое грубой шершавой кожей. Примерил меч — и он вошел в первые же ножны, легко и крепко, словно те были сделаны на заказ. Странно. Даже бабка растерялась и покачала головой:

— Гляди ж ты... нашел себе одежку.

Цена, заломленная за ножны, показалась Виктору преувеличенной раза в два. Но он молча расплатился и двинулся дальше. Пристегнутые к поясу ножны стали путаться в ногах, он молча, не думая, сдвинул их по поясу, и оружие словно вспомнило свое место.

Разбойники тоже приостановились у торговок одеждой, и Виктор с любопытством покосился на них — неужели купят себе по паре трусов? Но так далеко их слепое поклонение не заходило. Предельник просто пощупал кожу курток, скривился, подозвал младшего сына, что-то ему сказал и легонько толкнул. Мальчишка бросился с площади со всех ног.

Виктор продолжил знакомство с местным товарным ассортиментом.

Женщина лет сорока, в цветастом сарафане с ярко накрашенным лицом торговала выпивкой. В основном — кувшинчики с плотно пригнанными крышками, но стояло и с десяток бутылок. Стекло грубое, неровное, словно вручную дули... а ведь так и есть, наверное. Вместо этикеток к стеклу приклеены кусочки светлой замши, на которых старательно выведены названия: «Эльфийская крепкая», «Медвежья», «Горный бальзам».

Экспериментировать Виктору не хотелось, и он побыстрее отошел от лотка. На обратном пути... если приведется. Вот уж можно будет удивить друзей!

А самым последним Виктор увидел то, что и не чаял найти. Перед коренастой, приземистой старухой, стоящей чуть особняком, лежала тоненькая кипа газет.

Самых настоящих! Отпечатанных! Виктор протянул руку — и бабка ловко, с неожиданной силой, хлопнула его по пальцам:

— Заплати сначала... много вас, грамотных, развелось...

Голос бабки был грубый, гортанный. Сзади издал легкий рык Предельник и двинулся ближе. Виктор обернулся — одним взглядом заставив его убраться на место, посмотрел на бабку.

Твердое, морщинистое лицо. Немалые усики. Приплюснутый нос и жесткая пакля волос.

Гном! Гномиха, точнее!

— Сколько?

— Золотой, — тоном, долженствующим означать одно: «проваливай!», ответила гномиха.

Виктор трижды проклял свои интеллигентские заморочки, всеобщее начальное образование и не отбитую за тридцать лет тягу к печатному слову. Но ведь из газеты он сможет почерпнуть массу важного о Срединном Мире. Верно? А что цена велика... так и бумага здесь редкость...

Он положил рядом с газетами золотую монету, подчеркнуто выбрав ту, что поменьше. Гномиха, ничуть не смутившись, попробовала монету на зуб и протянула ему газету. Виктор жадно впился глазами в текст.

«Путеец».

К названию газеты так и напрашивалось добавить «Красный», но Виктор сейчас был готов читать все, от «Вестника эльфоводства» до «Вечернего упыря». Его взгляд скользнул ниже.

Все статьи, хоть и набраны были русскими буквами, во вразумительный текст не складывались. «Каратаро почесун» — это было еще самое безобидное. А вот «ххрртых гоочек» и «гуу тру», и «сеф» и «лл!!!» — с тремя восклицательными знаками!

Гномий язык?

Из всего текста знакомыми были лишь предлоги... хотя кто знает, что означает для гнома «и», «у», «на»?

Впрочем, нет. Каждая статья была снабжена крошечным примечанием по-русски, заключенным в черную рамочку. «История 1054 километра пути». «Сравнительный анализ прибыльности грузовых и пассажирских перевозок». «Семьдесят лет в хирде — мемуары. Продолжение». «Новости кланов (неподтвержденные)».

Виктор быстро пролистал газету — все шесть страниц. Никаких рисунков и фотографий, ясное дело, не было. Судя по шрифту, печаталась газета на чем-то ужасно примитивном... И никаких статей по-русски, за исключением этих издевательских резюме.

Он посмотрел на гномиху — та, в полном восторге, ждала его реакции.

— Спасибо большое, — сказал Виктор. — Я найду этой... бумаге... применение.

Сложил газету в осьмушку и запихал в карман джинсов.

Гномиха побагровела, раскрыла рот, но так ничего и не ответила. Ближайшие бабки, наблюдавшие за происходящим, захихикали. Гордый своей маленькой победой, Виктор пошел к вокзалу.

— Владыка...

Он обернулся. Мальчик, которого Предельник куда-то отсылал, стоял рядом, протягивая Виктору тугой сверток.

— Возьмите, Владыка...

— Мне не надо ваших подарков, — устало ответил Виктор. — Отнеси отцу. Понимаешь?

— Владыка, возьмите, или он меня убьет.

Пожалуй, это не было фигурой речи. В глазах мальчика был страх.

— Что это? — сдался Виктор.

— Куртка, Владыка. Вы искали себе куртку.

Виктор молча развернул сверток, и в руках его развернулась черная ткань.

А ткань ли?

Больше всего материал, из которого была сшита куртка, походил на рыбью кожу. Черную рыбью кожу, где каждая чешуйка была размером с детскую ладошку. Изнутри — подкладка из короткого меха, тоже черного. И как бы Виктор ни относился к нежданной и пылкой любви хуторян, но куртка была великолепной. Она словно обещала уют, защиту и от ветра, и от дождя, и даже от предательского удара.

— Спасибо, — сказал он наконец, борясь с искушением немедленно надеть куртку. — Сколько я должен?

Мальчик испуганно замотал головой.

— Ладно. Спасибо еще раз. А теперь уходите, хорошо? Скажи отцу, что мы в расчете, я ему глубоко признателен, и все такое прочее...

Не дожидаясь ответа, Виктор почти вбежал в вокзал. И оказался в маленьком «кассовом зале». Во всяком случае, тут было два окошечка, за которыми скучали женщины невнятного возраста, на деревянных скамьях спали помятые личности — не то люди, похожие на гномов, не то гномы, похожие на людей, а под потолком чуть покачивалась пыльная люстра.

Решительным шагом подойдя к одному из окошечек, Виктор сказал:

— Мне нужен билет на «Стрелу Грома».

— Куда?

А куда, действительно?

— До... Что дальше — Луга или Рянск?

— Рянск, — фыркнула женщина.

— До Рянска.

— Класс?

— А какой есть?

— Пассажирский, спальный, с отдельным местом и с отдельным купе.

Градация настораживала предельно.

Если уж пассажирский не подразумевает возможности спать, а спальный — не гарантирует отдельного места...

— С отдельным купе.

Женщина порылась в стопке бумаг на столе. Кивнула:

— Есть. Двенадцать золотых.

Виктор сглотнул и открыл кошелек.

Золотых монет нашлось ровно одиннадцать. Проклятая гномиха!

— А серебром... можно?

— Три к одной.

У Виктора возникли смутные подозрения, что курс золота к серебру в этом мире иной. Но... опять же, как спорить, ничего не зная?

Он расплатился. У него осталось немного серебра и совсем чуть-чуть медяков, которые полуэльф, видимо, и за деньги не считал.

— Билет.

Виктор принял из рук женщины кусочек картона, на котором стояло несколько цифр и невнятные гномьи письмена.

— И... что с ним делать?

— Здесь же все написано! — Билетерша возмутилась так, будто за Виктором скопилась изрядная очередь. — Второй вагон. До Рянска. Отдельное купе. Что еще?

Виктор спрятал билет в карман.

— И не отходите далеко, до поезда полчаса! — посоветовала кассирша.

Проследовав в дальний угол зала, где скамьи были пусты, Виктор уселся, вытянул ноги. Попытался расслабиться, разглядывая тусклое мозаичное панно на стене. Панно изображало что-то вроде батальной сцены — люди, гномы и эльфы, все увешанные оружием и со свирепыми лицами, восседали на открытой платформе сразу за паровозом. Из трубы валил дым, сверкали заботливо выложенные из кусочков зеркал обнаженные мечи, палаши и сабли.

— Лекарь...

Он обернулся. Рада стояла за спиной. Очень серьезная, собранная.

— Надо поговорить. У тебя неприятности, лекарь. Большие неприятности!

ГЛАВА 7

Первым делом Виктор поискал взглядом разбойников. Мысль о неприятностях как-то прочно ассоциировалась с ними. Но разбойники мирно стояли у кассы — Предельник покупал билеты... конечно же... его сыновья толкались и дурачились.

— Кому ты перешел дорогу, лекарь?

— Рада, я не понимаю...

Девушка вздохнула, присела рядом:

— В гостиницу сейчас приперлись люди... целая толпа. Восемь человек.

Она ждала, но Виктор еще ничего не понимал.

— Спрашивали про тебя. Про парня по имени Виктор...

Виктор вздрогнул. Кажется, никому в гостинице он своего имени не называл. Рада заметила реакцию и удовлетворенно кивнула:

— Парня, путешествующего с девочкой-подростком. Они спрашивали у Дерси, тот, конечно, ничего не сказал, эльфам все нипочем... Но вот-вот может прийти Рыжик, и он все выложит.

— Почему?

— Зачем ему неприятности? Это Вода!

— Что?

— Клан Воды! Один из них — маг третьей ступени, я заметила знак, остальные — маги-бойцы. Кому нужны такие враги? Они весь город разгромят к чертям, если пожелают!

— Рада, я не знаю, что такое клан Воды...

Девушка шумно вздохнула, но тут же успокоилась.

— Да, конечно. Ты ведь только что с Изнанки... Виктор, в нашем мире существует магия.

— Я уже понял.

— Почти все маги обитают на Теплом Берегу. Они делятся на кланы, каждый из которых преуспел в той или иной магии. Клан Воды — один из четырех Стихийных. Ему подвластна магия воды.

— Ну и что, дождя нагонят... — начал было Виктор, пытаясь заглушить тревогу. Но замолчал — от яростного взгляда Рады и от острого, как кинжальный удар, воспоминания — лицо Тэль в кровавой сыпи... от дождевых капель.

Переход!

Восьмерка, пытавшаяся им помешать!

— А, опомнился! — обрадовалась девушка. — Виктор, они ищут тебя! Сейчас выяснят, что ты был в гостинице — от Рыжика или прислугу припугнут. А дальше много ума не надо — отправятся прямо к вокзалу.

— Может быть, я успею...

— На твоем месте я бы не стала на это надеяться!

— Рада... что мне делать?

— Не знаю... — как-то вмиг остывая, ответила девушка. — Бежать. Только как... Жди поезд, это твой единственный шанс. Когда ты попадешь в вагон, то перейдешь под покровительство гномов. Может быть, Водные не станут ссориться с хозяевами Пути?

— А если поговорить...

Рада невесело засмеялась.

— У них в глазах — смерть. Это убийцы, лекарь. Может быть, даже отряд Наказующих.

— Наказующих?

— Так называют магов-убийц, воспитанных кланом для одной цели — наказывать человеческих, эльфийских, гномьих властителей, не признающих верховной власти клана. Они проникают за любые стены. Находят на краю света. И убивают. Наш поселок платит дань графу Сотникову, а тот — клану Земли. Так что формально Вода не вправе тут находиться... но это все мелочи. Тем более Вода и Земля — союзники.

От обилия информации вспухла голова. А Рада не унималась:

— Ты и от одного мага не ушел бы! А их — восемь!

— У меня пять телохранителей, — поглядев на разбойников, сказал Виктор.

— Что? Эти? Да они разбегутся, когда ты скажешь про Воду!

Виктор встал, махнул рукой Предельнику, тревожно наблюдавшему за беседой издалека.

Разбойник примчался рысцой бездомной собаки, уже получавшей по носу, и все же не утратившей веры в людей.

— За мной погоня, — без предисловий начал Виктор. — Враги, которые хотят меня убить.

Глаза Предельника вспыхнули, а рука вцепилась в рукоять кистеня.

— Это маги Воды! — раздраженно вставила Рада.

Предельник издал слабый рык:

— Владыка! Позволь нам убить их!

— Маги Воды! — с напором повторила Рада. В ее голосе появилась неуверенность. Предельник презрительно посмотрел на девушку и снова перевел взгляд, полный немого обожания, на Виктора.

— Ты не боишься? — уточнил тот.

— Я ненавижу Водных!

— Хватит... — Рада вскочила. — Ты мне симпатичен, лекарь. Я должна была тебя предупредить... да и пряностей надо было на рынке подкупить... Но теперь — хватит. Не намерена оставаться и смотреть на то, что здесь будет.

— А я полагал, ты поможешь. — Виктор окинул взглядом ладную фигурку девушки, пристегнутый к поясу меч.

— Не смеши меня, лекарь! — Рада тряхнула головой. — Не собираюсь! Папаша всю юность провел воюя с магами, то за одного дурака, то за другого. А я — девушка! Не сумасшедшая валькирия! У меня ресторан, лучший на всем Пути! А головы я рубить стану, когда меня грабить придут!

— Ты права. — Виктор осторожно взял ее за руку. — Ты умница, Рада. Спасибо, что предупредила.

Он наклонился и осторожно поцеловал ее в губы. Рада отпрянула. Подозрительно посмотрела на него:

— Ты издеваешься... Виктор?

— Нет. Правда — спасибо. И правда — уходи. Не твое это дело. Лучше держи ресторан в порядке, я еще зайду... на обратном пути.

— У тебя теперь только один путь... — печально сказала девушка. Пожала плечами, повернулась и размашисто, по-мужски, двинулась к выходу.

— Очень хороший боец, — прошептал ей вслед Предельник. — Владыка, если вы ее попросите — она может остаться.

— Нет, — отрезал Виктор.

— Как будет ваша воля, Владыка.

— Предельник, в гостинице восемь бойцов-магов. Они вот-вот направятся сюда.

Разбойник не выглядел особенно испуганным:

— Мы встретим их.

— Ты не боишься магии Воды?

— Мы не боимся Стихийных. — Предельник запустил руку под куртку, вытащил маленький камешек на цепочке. — Оберег... Владыка, возьмите его!

— Зачем?

Предельник неожиданно засмеялся:

— Владыка... простите мою глупость. Конечно! Владыка, позвольте, я скажу все сыновьям...

— Иди.

Наблюдая, как разбойник устраивает с сыновьями «военный совет», что-то строго втолковывая старшим, а младших скорее подбадривая, чем наставляя, Виктор вслушивался в собственные ощущения.

Кажется, ему положено испугаться?

Может быть, в нем все еще живет ощущение сегодняшнего сна? Вера в несокрушимость собственной плоти и слабость тех, кто посмеет встать на пути?

Опасное заблуждение. Только в снах мы несокрушимы.

Виктор натянул подаренную куртку — словно расписываясь в том, что готов принимать помощь. Прошел к кассе. Женщина посмотрела на него с таким видом, словно уже выполнила все возможные нормы работы, а теперь занимается чем-то сверхурочным.

— Что еще?

— У вас есть служба безопасности?

— Чего?

Да, не следовало переоценивать сходство миров...

— Кто охраняет вокзал?

— А кто решится ссориться с хозяевами Пути?

— Например, Наказующие клана Воды.

В глазах женщины мелькнул испуг.

— Да что им у нас надо... — неуверенно начала она.

— Например, я.

— Это очень нехорошо с вашей стороны! — Лицо женщины пошло красными пятнами. — Брать билет, когда за вами такая погоня!

— Я не знал, что за мной погоня!

Женщина поразмыслила:

— А вы не хотите сдать билет? Я приму по льготному тарифу... почти без удержания...

— Не дождетесь.

После короткого раздумья женщина достала откуда-то табличку с надписью «Перерыв» и поставила в окошко.

— И вы ничего не собираетесь делать? — спросил Виктор через хлипкую преграду.

— Собираюсь. Стоянка поезда будет сокращена до пяти минут.

— И на том спасибо, — буркнул Виктор, отходя. Судя по часам, до прихода поезда оставалось минут десять.

Предельник тем временем расставил сыновей по залу. Двое старших убежали к дверям, ведущим на перрон. Младший занял позицию у одного из окон. Сам Предельник с парнем лет восемнадцати подошел к Виктору.

Тем временем куда-то расползлись бродяги, дрыхнувшие на лавках. Казалось невероятным, что они могли что-то услышать и сообразить. Ан нет! И услышали, и сообразили, и растолкали спавших друзей. Выходя, бомжи бросали настороженные взгляды на остающихся.

Где-то в глубине вокзала захлопали двери — разбегался персонал. Мигнул и погас свет.

— Разумно, — изрек Предельник. — Электрическое колдовство против Воды — одно расстройство. Погорит все...

— Почему ты служишь мне? — спросил Виктор. Внутри него закручивалась тугая пружина, словно во взводимом арбалете. Что-то близилось... и надо было не только знать врага, но и верить в друзей.

— Я всегда служил тебе, Владыка! — Предельник растерянно и даже обиженно посмотрел ему в глаза. — Верь мне, Владыка!

Виктор сделал выбор.

— Хорошо. Значит, так, нам главное — уйти. Если подходит поезд, то сразу бежим в вагон...

— Конечно.

Убедиться в наличии у разбойника здравого смысла было приятно. И тут застывшую в помещении тишину разорвал звонкий мальчишеский крик:

— Идут! Они идут!

Виктор и разбойники бросились к окнам, полуоткрытым по случаю жары.

На опустевшей привокзальной площади — где ветер трепал над лотками неснятые одежки, где сиротливо стояли забытые бутылки и крынки, еще никого не было. Но мальчик не ошибся — что-то приближалось. Шло, шествовало впереди убийц. Бесплотное, тупое, стихийное. Что-то.

Дернулась гора лесного мусора в пустой чаше фонтана. Зашевелилась, вываливаясь на брусчатку. Из чаши ударила в небо тугая, торжествующая струя воды. Рассыпалась зонтом брызг, зазвенела — тревожно и пронзительно, как бьющееся стекло.

— Ах, гнилое семя! — выругался Предельник. — Не их ведь час, а как идут! Владыка, посмотри, как сил не жалеют!

Из переулков, невзирая на чистое небо и солнечный свет, поползли мутные струи тумана. Густые, серые, мгновенно заполнившие площадь и затопившие вокзал. В беззвучном напоре тумана приближающееся что-то будто оформилось, обрело облик — еще невнятный, но уже угрожающе близкий.

— Распустились, распустились... — Предельник вытащил свой кистень, легко крутанул шипастый шар на короткой цепи. Вроде бы и без замаха, мимоходом, всадил его в стену — взметнулось облако кирпичной пыли из дыры, в которую можно было голову просунуть.

Не меч был его любимым оружием — а то, может, и не смог бы Виктор так легко оглушить разбойника в лесу.

— Сами идут! — вновь крикнул мальчишка. Уже потише, но куда с большей тревогой.

И Виктор увидел крадущиеся сквозь туман тени.

Пять? Восемь? Двадцать?

Да как сосчитать, как понять в этом кисейном пологе, в жирном туманном молоке! Видно — скользят, близятся, неспешно и почти не таясь — а что таиться в такой мгле...

— Глаза отводят... — прошептал Предельник. Не зная того, он стал для Виктора гидом, комментатором, чьи небрежные замечания помогали понять происходящее.

Тени вдруг замерли.

— Эй! — донеслось из молочной каши. — Виктор!

Он вздрогнул, но не ответил.

— Ты здесь, я чувствую твой взгляд! — вступил другой голос. Присвистывающий, шипящий, тонкий. — Виктор, выходи! Тебе не скрыться! Ты один, а нас много!

Предельник смотрел на Виктора, словно ожидал, что тот ответит. Значит — надо. Не обманывай солдат перед боем, генерал...

Раскрыв пошире створку, Виктор крикнул в туман:

— Кто ты?

Тени задергались, зашевелились, явно обрадованные звуком его голоса.

— Тот, кто пришел за тобой, Виктор!

И — снова — накатило, нахлынуло, как во снах, как во вспышках ярости, стоивших жизни полуэльфу и едва не погубивших Предельника...

— Кто ты, дерзкая тварь, говорящая со мной не на коленях? — Виктор и не понял, что случилось с его голосом, откуда в нем взялся звенящий гибкий металл. — Назови свое имя, тварь!

Предельник задрожал, глядя на него в немом восхищении. Юноша, стоящий рядом, схватился за руку отца, как ребенок. И даже те, что крались в тумане, отпрянули.

— Готор, маг Готор... — едва слышно донеслось в ответ. Голос сбился и через миг снова окреп, налился язвительной яростью: — Ты не властен надо мной! Ты никто! Ты все еще — никто! Приготовься умереть!

Виктор тряхнул Предельника, впавшего в легкий ступор.

— Он — мой! Я покараю его сам!

— Да, Владыка...

Тени метнулись сквозь туман, и Предельник осклабился, провожая их глазами. Толкнул сына к двери, сам бросился туда же. Виктор последний раз окинул взглядом дислокацию — двое парней у дверей на перрон... молодцы, пусть стоят, враг не настолько туп, чтобы атаковать с одной стороны, младший мальчик, пригнувшись, смотрит в окно, вертит в руке короткий кинжал, Предельник с еще одним сыном у двери.

Прекрасно.

Виктор выхватил клинок — подсознательно уже надеясь, что меч окажется послушным и легким, как в ресторане...

Что-то не сложилось.

Он стоял, неуклюже, с куском острой стали в руке, сразу же напрягшись, стараясь держать меч подальше от себя. Ярость и уверенность — нет, они не прошли, в душе по-прежнему кипело презрение к осмелившимся, жажда карать и наказывать. Вот только никакого отношения к мечу эти чувства не имели...

Тишину — те последние секунды, что отпущены перед схваткой, пронзил далекий, могучий гудок. Поезд приближался!

Но его еще надо было дождаться...

Дверь распахнулась.

Предельник, взмахнув кистенем, обрушил удар на появившуюся в проходе фигуру. Ах, хорош был удар! Умело нанесен и от души — не спасли бы врага ни доспехи, ни ловкость, ни умелая защита!

Вот только некому было защищаться от удара — ворвавшаяся тень рассыпалась мириадами водяных брызг, словно сложена была из воды. Впрочем, почему «словно»? Она и была куклой, муляжом, грязной водой, обретшей форму и движения...

Поскальзываясь на разлившейся луже, Предельник отскочил. А вот сын его, крепкий и ловкий парень, не сумел. Упал, растянулся на полу...

И ворвавшиеся вслед за куклой трое, затянутые в синие обтягивающие камзолы, свой шанс не упустили.

Два меча вспороли воздух, жалобно и недовольно взвизгнувший под сталью. Крик юноши был куда тише.

Виктор бросился на помощь.

Как неудачно! Как плохо! Они и так были в меньшинстве...

Мальчик, сидящий на корточках у окна, вдруг выпрямился. Взмахнул рукой — и блестящая молния ножа метнулась через зал. Враги стали поворачиваться — словно почувствовав опасность. Но поздно.

Кинжал по рукоять вошел в грудь одного из убийц. Мальчик с молниеносной быстротой метнул еще два ножа. Странно — все в того же противника. Видно, был уверен, что не пострадавшие все равно увернутся?

Убийца, в чьей груди торчали три кинжала, еще миг постоял, покачиваясь. Выронил меч, поднял руку, вцепился в рукоять кинжала, потянул. Виктора обдало ужасом — он вдруг представил, что враг просто вырвет все ножи и засмеется, грозный и неуязвимый...

Но сквозь синюю ткань уже проступало багровое пятно. Останавливающимся взглядом враг посмотрел на Виктора — и рухнул.

Двое оставшихся действовали так синхронно, словно были отражениями друг друга. Вскинули левые руки — пустые, без мечей, взмахнули... Из ладоней скользнули в воздух голубые струящиеся нити. Всего лишь струйки воды, чудом получившие гибкость и прочность. С губительной быстротой водяные плети метнулись к мальчишке, по пути разрубив тяжелую деревянную скамью. Виктор с содроганием понял, что сейчас произойдет...

Голубые плети рассыпались. Раздробились, окатив пацана сверкающей росой. Мальчишка засмеялся, сжимая в ладони камешек на цепочке.

Тоже оберег?

И впрямь — действует?

Миг растерянности убийц был краток, но Предельнику его хватило. Кистень обрушился на голову ближайшего Водного, хрустнули кости. Зрелище было страшное, словно человек попал под асфальтовый каток.

Последний из троицы отскочил, закружился в каскаде стоек, с удивительной плавностью — будто перетекая из позы в позу. Применить магию он больше не пытался — то ли ему не хватало времени, то ли он разуверился в ее действенности. Длинный меч чертил в воздухе узоры, не подпуская разбойника на расстояние удара.

И тогда Виктор, отжав плечом Предельника, пошел навстречу Водному.

Ничего необычного в том не было. Крепкий, стройный мужчина, в обтягивающем, будто спортивный, костюме. Лицо собранное, жесткое, но без какой-либо кровожадности или жестокости.

Просто человек, делающий свое дело. Трудное, но любимое.

— Как смели вы пойти против меня?

Виктор не знал, откуда в нем этот тон, эти слова — которые и впрямь могли принадлежать Владыке — а не случайному гостю Срединного Мира.

Лицо Водного стало еще собраннее. Он закружился, потек в смертельном танце, закружил вокруг Виктора. Держа меч перед собой, не отрывая взгляда, Виктор вновь спросил:

— Как вы посмели убить моего слугу?

Водный распластался в рывке, стремясь дотянуться до Виктора мечом. И вновь что-то случилось — подаренный меч будто ожил, руки заработали сами, отбивая удар, ноги ступили в сторону — Водный пролетел мимо, едва не попал под удар кистеня, снова закрутил свою пляску. Но во взгляде его появилась растерянность. Не страх — он, наверное, был готов умереть. Удивление, что противник сумел уйти.

— Мой гнев на тебе... — прошептало что-то, живущее сейчас в Викторе. Меч пронзил воздух, мимоходом отбросил вражеский клинок и скользнул по горлу Водного.

Наступила тишина. Водный таращил глаза вниз, словно пытался разглядеть тонкий, еще не кровоточащий разрез на горле.

Взревел паровоз. Уже рядом, уже где-то на путях. Водный дернулся — и голова его откинулась назад, открывая рассеченную наполовину шею. Кровь ударила тугим фонтаном. Не в силах человеческих было так стоять — с перебитым позвоночником, с перерезанными артериями. Но он стоял — пока Предельник с негодующим рыком не пнул его в спину.

— Спасибо, Владыка... ты отплатил за жизнь твоего раба... — Предельник опустил ногу в тяжелом ботинке на спину Водного. Хрустнули кости.

Виктор глянул на распахнутую дверь. Появись там сейчас хоть один противник — и сможет ударить в спину. Но за дверью по-прежнему клубился туман.

— Где остальные, Предельник?

Разбойник двинулся к двери, с ясным намерением проверить.

— Стой! Пора уходить!

Они побежали к дверям на перрон, где так и продолжали стоять сыновья разбойника. Дисциплинированные ребята... Мальчик бросился следом, на миг остановившись у тела брата. Виктору показалось, что в глазах его блестят слезы.

Да уж. Надежды не было — не выжить после того, как два меча пронзают тело насквозь...

Вновь рев паровоза — совсем, совсем рядом. Видно, встревоженный шапкой тумана над вокзалом машинист терзал гудок...

Будто ждали сигнала!

Ощущение опасности, чуждой силы, стало ярким до боли. Виктор повернулся — вовремя, чтобы увидеть, как разлетается в щепки дверь, рушится часть стены — и в зал входит, втекает нечто...

Словно амеба распухла до исполинских размеров, будто за дверью была не пустая площадь, а огромный, сейчас лопнувший аквариум — тугой водный вал, скованный поверхностным натяжением, усилившимся до небывалых пределов, мчался по залу. Приподнялся, вскинулся, вопреки всем законам природы. Обрел форму — исполинского, метра под три, человека, сложенного бурлящими струями воды.

Предельник схватил остолбеневшего Виктора, оттолкнул за спину, заорал, уже без всякого пиетета:

— Беги, Владыка! Беги! Кресс, ко мне!

Старший сын разбойника бросился к нему, они застыли рядом — две крошечные фигуры против водного монстра.

Раздался булькающий смех — исполинские ладони потянулись к ним. Предельник с воплем обрушил удар кистеня на лапу чудовища. Шипастый шар прошел сквозь воду без сопротивления — и с грохотом отвалился, упал, источенный ржавчиной, рассыпающийся рыжей трухой.

Виктора вытолкнули из двери. Он даже упал на ровные каменные плиты, едва не наткнувшись на собственный меч. Следом выскочили двое сыновей разбойника — младший и парень лет двадцати.

— Быстрее, Владыка...

В их самоотверженности, в готовности бросить отца и брата ради Виктора было что-то жуткое. Как загипнотизированный, Виктор кинулся бежать. Сквозь молоко тумана, к темному силуэту, скользящему по путям...

Нельзя! Нельзя бросать тех, кто готов идти ради тебя на смерть! Ведь есть в нем что-то, кроются какие-то навыки — не случайно же он убил одного из Водных! Надо встать рядом с Предельником, а не убегать под гипнозом... гипнозом собственного страха.

Вопль — позади. И не разберешь, кто кричит — Предельник или его сын. И не поймешь, предсмертный это крик или торжествующий.

...Пространство таяло, растворялось в белизне. Он не бежал — летел. Мчался сквозь светлую, будто в Питере, белую ночь. Лишь один взгляд назад — и страх сковывает разум. В пене облаков скользит крылатая тень. Исполинская. Грозная. Смертоносная. То ли звезды сияют в белоснежной чешуе, то ли она горит собственным светом. Крылья равномерно колотят разреженный воздух, в огромных мерцающих глазах — ярость. Он посмел бросить вызов чудовищу, посмел — хоть и не в силах еще был справиться. И теперь его догоняет властитель неба и хозяин глубин, повелитель тверди и господин огня.

Тот, чье имя — Дракон...

Не вступай в бой, в котором нет для тебя победы...

— Стойте, Владыка! — Юноша окликнул его в последний момент, Виктор едва не слетел с перрона — прямо на рельсы, под надвигающуюся гору железа. Ужас чуть не вырвался истошным криком — явь и бред смешались, он готов был поверить, что навстречу и впрямь несется крылатое чудовище.

Паровоз прошел совсем рядом — Виктора обдало жаром от крутобокого медного котла, толкнуло струей уже выдыхающегося пара. Поезд останавливался. Потянулись вагоны — нарядные, выкрашенные в охряной цвет. Бронзовые поручни, фонарики, трепещущие вымпелы над вагонами. Проблески света из окошек.

Подбежали сыновья Предельника — тяжело дышащие, пошатывающиеся. Неужели он так быстро улепетывал с поля боя?

Виктор ожидал вопросов, советов, может быть — просьб. Но братьям было не до того. С обнаженными мечами они замерли по бокам от него, вглядываясь в туман, так же как их отец — готовые умереть.

— Ребята, все уже в порядке, — не очень-то веря себе сказал Виктор. — Уходите.

Старший паренек впервые заговорил с ним:

— Отца и Кресса уже не спасти.

Голос у него был хриплый, то ли простуженный, то ли не сломавшийся до конца.

— Дух Воды — это смерть. Мы можем его задержать, но не убить.

— Но мы задержим, Владыка, — тонким голосом добавил мальчик.

Фанатики! Безумные фанатики! Виктор вдруг понял: его не радует то, что этот фанатизм поставлен на служение ему. Что-то тут было от лживых историй о солдатах, прыгающих под танки с криком «За Сталина!», от японских камикадзе, вонзающихся в палубы авианосцев, от сектантов, режущих себе вены по приказу сумасшедших пророков.

Повернувшись к вагону, он ударил кулаком по закрытой двери. Заорал:

— Открывайте! Ну, открывайте же!

И дверь сразу же открылась. Будто требовалось лишь попросить.

— Чего орешь-то?

На лесенке — надраенной, как на корабле, медной — стоял коренастый гном. В мышиного цвета форменной одежде, с коротким посохом в руке.

— Мы... — Виктор запнулся, глядя на гнома снизу вверх.

— Что «мы»? Чего орете?

— Хотим сесть на поезд! — Виктор и впрямь повысил голос.

— Билеты!

Он достал и протянул гному кусочек картона. Тот лишь секунду посмотрел на него, небрежно опустил в карман, процедил сквозь зубы:

— Счастливы приветствовать вас в поезде... подымайтесь...

Никакой радости в его голосе, конечно, не было. То ли работники вокзала связались с поездом, то ли гномы и без того понимали — дело нечисто.

— Ребята, билеты ваши... — Виктор вдруг подумал, что билеты могли остаться у Предельника. Но парни молча отдали ему билеты. Предусмотрителен был разбойник... допускал и собственную гибель.

— Входите, — буркнул гном.

Но парни стояли не шевелясь. Решили до конца исполнить свой долг? Умереть на перроне, прикрывая отход поезда?

— Сколько еще стоим? — спросил у гнома Виктор.

— Минуты три, — отвечал тот неохотно, но все же отвечал. Видно, были какие-то обязательства перед пассажирами, которые гномы почитали должным выполнять. Несмотря ни на что. — Гудок будет перед отправлением... двойной.

Поставив одну ногу на лесенку — гном неодобрительно покосился на слетевшие с подошвы комья грязи, — Виктор ждал. Ждали и дети разбойника.

Видно, не зря.

Послышался шум, мелькнула в тумане тень. Парни подобрались. Проклиная все на свете, Виктор соскочил на перрон и тоже изготовил меч.

Из белой кисеи тумана выбежал Предельник. У него не было больше ни кистеня, ни меча, даже нож с пояса исчез. На

пол-лица растекался огромный синяк — словно разбойника
огрели доской. Из разбитых губ сочилась кровь, а когда он
оскалился в подобии улыбки, оказалось, что и нескольких зубов не хватает.

— Ты убил тварь? — воскликнул Виктор. Его скепсис по
отношению к боевым качествам разбойника стремительно ис-
чезал.

— Нет, Владыка. — Разбойник покачал головой. Он слегка
шепелявил, но старался говорить разборчивее. — Не в моих
силах это, Владыка...

— Отец... — негромко спросил старший паренек.

Предельник глянул на сына:

— Кресс исполнил свой долг.

— Мне... мне очень жаль... — прошептал Виктор.

— Спасибо, Владыка.

Гном с тревожным любопытством взирал на них.

Колыхался туман. Где-то впереди, у паровоза, раздавался
шум — то ли грузили уголь, то ли заливали воду.

Воду...

— Как вас зовут? — резко спросил Виктор у сыновей разбойника.

Ребята переглянулись. Старший ответил первым:

— Андрей.

— Ярослав.

Странным было слышать нормальные русские имена в этом
выморочном мире...

Предельник покачал головой. Посмотрел Виктору в глаза —
твердо, без робости:

— Не запоминай наших имен, Владыка. Не привязывайся
к нам. Мы умрем — все.

— Почему?

Разбойник стер с лица кровь.

— Так было сказано. Сотни лет назад. Ты же знаешь, Владыка.

Виктор опустил глаза.

— Я — не знаю.

— Узнаешь. Вспомнишь. — В голосе Предельника была
непоколебимая вера. — Владыка...

Он вдруг протянул руку, коснулся плеча Виктора. Робко, так крестоносец потянулся бы к Граалю.

— Стража Серого Предела помнит свой долг. Будь время — пришли бы тысячи. Времени нет — но мы сделаем все...

— Отец! — Андрей увидел врагов первым. Все-таки догнали!

Пятеро возникли полукругом, из тумана, прижимая их к поезду. А за спинами Водных маячило, колыхалось во мгле бесформенное, хлюпающее чудище.

Виктор обежал врагов взглядом. И остановился на том, чьи плечи покрывал короткий голубой плащ. Он казался не то чтобы старым — а не имеющим возраста.

— Готор, маг Воды...

Опять пришло — сплетение ярости и силы, и губы чеканили слова сами, и в лицах врагов просыпался страх.

— Ты, вновь преступающий мой путь, Готор. Я измыслил муку, достойную тебя. Я выпью твои силы и брошу умирать в безводной пустыне...

— Убить! — закричал Готор. И сквозь жиденький строй шагнуло, вмиг обретая прежнюю форму, водное чудище. Стремительно — разбойники не успели ничего сделать. Прозрачные ладони ударили по Виктору — явно собираясь вколотить в перрон...

Словно вылили ведро воды. Нет, десяток ведер. Лапы монстра, еще миг назад казавшиеся твердыми, обратились водой. Чудовище взвыло — тоскливо и жалобно, а по прозрачному телу прокатилась волна судороги, обращая его в брызги, струи, в растекающуюся лужу.

Мокрый с головы до ног, куртка не спасла, Виктор опустил меч. Холодный душ выбил из сознания тайную силу, он снова был самим собой, запутанным и перепуганным пришельцем из чужого мира.

Но Водные вряд ли это поняли. Попятились, начали отступать — пока Готор не закричал:

— Вперед! Мечами...

Взвыл гудок паровоза, заглушая слова. После секундного колебания Водные пошли в атаку.

— Поезд отправляется! — крикнул гном, отступая от двери.

Виктор не колебался. Рассчитывать, что вновь придет умение управляться с мечом, не стоило. Он вогнал меч в ножны — хоть это получилось, развернулся, подхватил мальчишку, уже готового вступить в схватку, швырнул в дверь, прямо на руки гному.

Гном от неожиданности присел, выпалил что-то на незнакомом языке, но выкидывать мальчишку не стал. Наоборот, толкнул глубже в тамбур и протянул Виктору руку.

Схватившись за твердую, будто из камня тесанную ладонь, Виктор забрался в вагон. За его спиной Предельник и Андрей отступали, отбиваясь от пятерых противников.

Поезд тронулся, еще медленно, но неукротимо набирая ход.

— Отец, ты важнее! — закричал сын разбойника, отчаянно парируя удары. — Отец, уходи! — Впервые в голосе его послышался страх. И все же он повторил: — Отец...

В глубине души Виктор был уверен... даже надеялся, что Предельник не послушается. Это было бы уж слишком — если ради него человек бросит умирать сына.

Но Предельник, отбив очередной удар, кинулся вслед вагону. Заскочил на ступеньки, Виктор, преодолевая бессмысленную злость, помог ему.

Андрей закричал, бросаясь на Водных. Отвага его безнадежной атаки была так велика, что на миг те отступили. Мечи взметнулись навстречу юноше, приняли его тело на отточенные лезвия. Но Андрей еще рвался вперед — ярость его уже была не человеческой, а звериной, так посаженный на рогатину медведь прет все дальше и дальше, пытаясь добраться до охотника... Последним движением юноша рассек голову одному из Водных — и упал под ноги врагов.

Предельник застонал — тихо, сквозь зубы, вися на поручнях и глядя, как умирает его сын. Потом ввалился внутрь тамбура. Сделал шаг, закачался, опустился на колени.

Из спины разбойника торчало лезвие кинжала.

Когда, когда успели?

Виктор склонился над Предельником, пытаясь оценить длину лезвия и точку удара. Разбойник захрипел, роняя на металлический пол кровавую пену.

Правое легкое пробито. Не спасти. Никак.

Отодвигая Виктора, небрежно переступая через разбойника, гном встал в открытых дверях. И вовремя — по перрону, вдоль набирающего ход поезда, бежали оставшиеся Водные.

— Посторонись! — Шипящий крик Готора резанул уши.

— Ваш билет, — невозмутимо ответил гном.

— Выродок пещерный! — взвыл маг. — Как ты смеешь!

— Никто не ездит по Пути бесплатно.

— Мы выгоним вас из нор! Затопим, как сурков! Еще поплатитесь...

Гном пожал плечами и захлопнул дверь. Поезд раскачивался, набирая ход.

Ярослав, только сейчас поднявшийся с пола, на корточках подполз к отцу. Заглянул в лицо и тихо, по-детски заныл.

— Молчи... не позорь имя стражей... — с натугой вымолвил разбойник. Посмотрел угасающим взглядом на Виктора: — Мы сделали все... что могли.

— Я знаю, — вымолвил Виктор.

— Ты доволен, Владыка?

Доволен? Тем, что за четверть часа за него — из-за него — полегли трое молодых парней, а теперь умирает и этот несчастный?

— Я благодарен тебе.

— Владыка... возьми... — Рука Предельника потянулась к внутреннему карману куртки. Сжала что-то — и застыла навсегда.

Виктор развел сведенные в последнем усилии пальцы, достал из ладони разбойника то, что тот так стремился достать.

Портрет. Маленькая миниатюра на овальном керамическом медальоне. На таких ожидаешь увидеть профили римских цезарей или приукрашенные художником женские личики.

На этом портрете было лицо Виктора.

Фиолетовая дымка, на ее фоне — его собственное лицо. Чуть более жесткое, наверное... впрочем, жесткими могут становиться любые лица.

Виден еще воротник рубашки — черной, глухо застегнутой. Никакой подписи, ничего. Как снимок, перенесенный на камень.

Вот только медальону этому — многие и многие годы. Быть может, столетия.

Мальчик, всхлипывая, сидел рядом. На медальон глянул мельком — значит, видел не раз.

— Что будем делать с телом? — глухо спросил гном. — Боец был отважный... если хотите — на следующей станции я прикажу рабочим Пути похоронить его.

Виктор посмотрел на мальчика — тот никак не реагировал.

— Слава, — язык не повернулся называть его сейчас взрослым именем, — как похоронить твоего отца?

— Пусть на могиле напишут «Страж Серого Предела». — Ярослав хлюпнул носом. Слезы стремительно просыхали. — И больше ничего, Владыка.

— Сойдешь на следующей станции, — сказал Виктор. — Проследишь, чтобы все было как надо. Я дам тебе денег на обратный билет.

— Владыка!

— Не спорить! — рявкнул Виктор.

Еще не хватало — брать на душу ответственность за жизнь ребенка. И без того счет немал!

— Владыке служат, а не прислуживают. — Ярослав встретил его взгляд.

— Конечно. Вот ты и будешь служить. Вернешься и передашь Раде, хозяйке ресторана, записку от меня. Все, разговор окончен.

Виктор встал, опустил медальон в карман. Гном задумчиво смотрел на него.

— Где мое купе?

ГЛАВА 8

Тихо-тихо стало над исполинским Клыком.

Ритор плавно повел перед собой левой рукой, словно отодвигая невидимый занавес. Ласковые струйки ветра коснулись висков, играя, побежали по щекам. В небесах над головами семерки медленно разворачивала крылья птица не птица, стрекоза не стрекоза, бабочка не бабочка; белесые нити складывались в пару громадных крыльев, казалось, обнимающих всю землю, от Теплого Берега до неведомых северных тундр; извив, извив, еще один — и так без конца; тяжело плетутся Кружева, особенно — когда еще не настал час полной силы.

Ритор задавал тон и темп. Он, старший, обязан был чувствовать всех и знать, когда следует прибавить (ошибешься, изливая силу — Ветром в прах развеет), когда же, напротив, помедлить, облегчить ношу старикам, Гаю и его брату. Пожилые маги работали виртуозно. Они умели многое, очень многое — но годы брали свое. Здесь, на вершине Клыка — одно дело, а схватка с молодыми магами Торна — совсем иное.

Они должны найти их обоих. И Дракона, и — хорошо бы! — его Убийцу. Если Торн не блефовал — а он почти наверняка не блефовал — Убийца уже должен быть здесь. А Дракон? — кто знает... Ритор не мог до конца положиться только на свои чувства. Приход Властителя — не торжественный парад, тем более пока Крылатый не прошел всю цепь посвящений. Даже Ритор нуждался в колдовстве, чтобы отыскать явившегося в Срединный Мир его вековечного хозяина.

Найти *двоих* — почти непосильная задача. Но, проклятие, они обязаны продержаться. Или найти хотя бы Убийцу — что сложнее, он ведь отражает магию слабее, чем Дракон.

Гай *тянулся*. Белые крылья в небе — след его протяжки. Как и ветер, туго-натуго спеленутый, воющий и ярящийся в тончайшей, незримой трубе, свирепо рвущийся наружу, — Гай ткал бесконечную живую нить, которую Сандра и Салли завивали в небе причудливым узором. Мало кто смог бы различить в хаотическом сплетении узора линии великих Рун, принесенных изгнанниками из-за Горячего Моря...

Ладонь Асмунда стала совершенно мокрой. Парень старался вовсю, через него сейчас текла Сила, и ему приходилось принимать на себя почти всю чудовищную мощь отдачи — гнев сонных громад аэра, пробужденных от дремотного и теплого сна, безжалостно брошенных в неистовую круговерть над каменным Клыком. Мальчишка старался, как мог. Каждый изгиб в узоре Крыльев отзывался мучительными спазмами в легких — казалось, исполинский насос беспощадно высасывал из них воздух, трещали и гнулись ребра. Однако Асмунд стоял, и никакая боль не способна была заглушить восторг — как же, он теперь один из настоящих магов, и его волей развертываются сейчас над Клыком исполинские Крылья...

Болетус предупреждающе кашлянул. Крылья ветра, парящие над Клыком, сейчас со всей отпущенной магам Стихийного клана мощью тянули к себе мириады мельчайших струй Воздуха — от всех пределов громадной страны.

Беря разбег над бескрайней, чуть всхолмленной равниной, протянувшейся на сотни километров к северу от Теплого Берега, ярящиеся потоки неслись прямо к Клыку. Там, в высоте, с каждым мгновением нарастал бешеный рев — Ветер не любит вопросов, он не подчиняется никому, сведения можно вырвать у него лишь силой — и горе тому, кто не сможет выдержать ответного удара.

Ритор видел, как побледнел Гай, как пошатнулся его старший брат. Извини, Асмунд, кажется, сейчас тебе будет очень больно. Это, конечно, подло, но ты — наш живой щит, и с этим уже ничего не поделаешь. Годы выносливости проходят быстро, Асмунд. Я, Ритор, потратил свои, гоняясь за последним Драконом... и, как теперь понимаю, зря.

Асмунд внезапно дернулся. Рука задрожала, казалось, она сейчас вырвется из ладони Ритора. Парень закусил губу, глаза стали закатываться...

— Сандра! — резко скомандовал предводитель Воздушных.

Однако волшебница и сама уже знала, что ей делать. Не разрывая кольцо рук, она шагнула вперед, с молодой гибкостью прогнулась, прижавшись лбом к покрытому потом лбу мальчишки. Сама болезненно поморщилась, но дело свое сделала — тиски боли разжались, Асмунд выпрямился, взор вновь стал осмысленным.

— Держись, мальчик, — сквозь зубы сказал ему Ритор. Волна боли, правда, многократно ослабленная, докатилась и до него. — Держись. Если не ты — нашим старикам несдобровать.

...Хорошо еще, что этих слов не слышали ни Рой, ни его брат.

А крылья тем временем становились все больше и больше. Казалось, они уже закрыли все небо. Исчезла голубизна, черные тучи сплошной пеленой заткали все от зенита до горизонта, день померк, остались лишь белые росчерки крыльев на черном небесном бархате.

Ритор сосредоточился. Начиналось самое главное. Пронзающие простор потоки несли вести обо всем, случившемся в стране; надо только умело спросить. Ритор спрашивать умел.

Новые с Изнанки. Новые из Мира Прирожденных. Новые... новые... новые... новые среди уроженцев этой земли, Срединного Мира. Крылья сейчас качали через себя целые океаны «информации», как называли это пришедшие с Изнанки. Ритор готов был до полусмерти загнать своих товарищей-магов, но добиться ответа.

Если Убийца уже здесь, Воздух не может не знать. Кипящая кровь, алая полоса еще не видна в ауре, но она уже есть. Древний гнев Четырех Стихий коснулся избранного судьбой человека, уже меняет его — быть может, незаметно даже для самого Убийцы. Мельчайшие частицы ветра запомнят это. Ярящийся гнев и жажда убивать, способность подчинять себе других и напролом идти к заветной цели. Как правило, раньше избранный стать Убийцей такими качествами не обладал. Это Ритор знал по себе. Очень долог был путь от скромного, застенчивого мальчишки, книжного червя и девственника до нынешнего Ритора. Лучшего (пока еще, несмотря на весь талант Асмунда) Воздушного волшебника.

Вой в вышине становился все нестерпимее. Великие крылья рвались на свободу. Взмахнуть всей несказанной мощью, оторваться от тварной земли, могучим ударом обратить ненавистную твердь в океан пыли, подхватить ее, зашвырнуть в дальнее море! Стереть с лица земли жалкую кучку дерзких, осмелившихся задавать какие-то свои ничтожные вопросы!

...Однако до предела натянувшаяся привязь держала тем не менее крепко. Наступил час Силы.

Узор на крыльях начал тускнеть. Руны дрожали, меняя очертания. Сандра и Солли разинув рты смотрели вверх. На их памяти такое случалось впервые.

А вот Рой такое уже видел. Как и Ритор. И очень хорошо знал, что за этим последует.

Крылья нашли искомое. Но натолкнулись при этом на почти непреодолимое сопротивление. Туго свернутые в дугу ревущие потоки ветра начинали обретать свободу. Еще несколько минут — и скрепляющие заклятье связи ослабнут, неистовый вихрь вырвется на волю — и горе тем, кого он встретит на своем пути!

— Открывай шлюзы, Сандра! — рявкнул Ритор. Сейчас приходилось думать не о себе — а о том, как отвести беду от городка. Разумеется, Ритор предусмотрел подобный исход. Заготовлен путь, по которому вихрь устремится в пустую, безжизненную степь.

— Открываю! — стараясь перекричать вой урагана, откликнулась волшебница. Лицо ее покраснело от напряжения.

Асмунд вновь застонал. Он прокусил себе губу, из носа тоже бежала кровь, но парень держался молодцом.

Никогда еще Ритор не встречал такого сопротивления. Маги клана потратили все силы, какие только могли, крылья растянулись на все небо, от горизонта до горизонта, и... и ничего. Точнее, нечто. Нечто настолько сильное, что...

— Вот он! — вдруг завопил Гай.

Однако Ритор уже видел все и сам.

Городишко он узнал сразу. Дальний север, возле самого Предела — кажется, территория клана Земли. Пыльный вокзалишко. Вдоль деревянного перрона вытянулся размалеванный в варварские цвета поезд. Ритора, точно волной, окатило страхом битком набившихся в его нутро людей. А потом он увидел не слишком молодого, но и далеко еще нестарого мужчину, лет тридцати, худощавого и темноволосого, в черной куртке с эльфийским мечом в нелепых, непарных ножнах.

Мощь набравшего запредельный разгон Ветра была настолько велика, что Ритор — о удача! — смог уловить даже обрывки крывшегося внутри бежавшего.

«...Пространство таяло, растворялось в белизне... Лишь один взгляд назад — и страх сковывает разум... В пене облаков скользит крылатая тень. Исполинская. Грозная. Смертоносная. То ли звезды сияют в белоснежной чешуе, то ли она горит собствен-

ным светом. Крылья равномерно колотят разреженный воздух, в огромных мерцающих глазах — ярость. Он посмел бросить вызов чудовищу, посмел — хоть и не в силах еще был справиться. И теперь его догоняет властитель неба и хозяин глубин, повелитель тверди и господин огня...»

Ритор закричал. Это был неистовый вопль игрока, поставившего на кон не то что свою собственную жизнь — но жизнь целого мира.

— Есть! Есть! Есть!

Он чувствовал Убийцу — так ярко и четко, как может только собрат.

И в тот же миг ветер вырвался наконец на волю.

Асмунд приглушенно ахнул и потерял сознание. Ритор едва успел подхватить качнувшееся к краю обрыва тело.

— Вниз! Все вниз! — заорал Ритор, направляя поток боли в себя. — Сандра!..

Однако ни она, ни Солли его уже не слышали. Они не нуждались в подсказках. Они, раскинув руки, пытались удержаться на вершине Клыка — направляя при этом все уничтожающий вихрь за реку, в степь, подальше от городка. Незримый кулак разбушевавшейся стихии ударил им обоим в грудь. Ритор видел, как дернулась голова Сандры, как брызнула вверх дымящаяся кровь; волшебница пошатнулась, судорожно взмахнула руками — в широко раскрывшихся глазах застыл ужас — и с истошным воплем сорвалась вниз. Солли остался стоять — лицо искажено, на скулах лопается кожа, глаза плотно зажмурены; Ритора окатило жаром — с такой быстротой маг менял заклятия. Невидимый молот уже взлетел над городком... а Ритор все еще стоял, оцепенев, придерживая тело Асмунда. Открыть дорогу урагану должны были Сандра и Солли. Болетус их подстраховывал... где он, кстати?!

Но площадка была пуста. Ни стариков, Роя и Гая, ни горбоносого волшебника. Только бесчувственный Асмунд, Солли и он, Ритор. Который до конца удерживает готовые взорваться изнутри крылья, потому что тогда городок не спасет уже никакое волшебство.

Над ними творилось нечто невообразимое. Изящный узор крыльев превратился в белесый хаос, пятно живой гнили на темном теле аэра; Ритору виделось там искаженное нечеловеческим гневом лицо. Вихрь мял и рвал эту белую мглу, закручивая исполинский водоворот над острием Клыка; ревущий поток рвался на северо-запад, в открытый Солли путь, но границы трещали — распирало, подобно тому, как в половодье распирает бока деревянных отводных лотков; внизу, под скалой, царила мертвая тишь — предвестник либо сокрушительной бури, либо... либо благополучного исхода.

— Бери Асмунда и прочь отсюда! — скомандовал Ритор. Солли лишь покачал головой. Как он стоял, Ритор понять не мог. Ветер резал магу лицо, как бритвой. На висках уже стали видны кости. Длинный шлейф крови тянулся Солли за спину, однако маг все равно стоял.

Ветер добрался и до Ритора. Вцепился в плечи, с неодолимой силой поволок к обрыву. Асмунда протащило по камням; мальчишка охнул и открыл глаза.

— Вниз! — приказал Ритор. Паренек больше уже ничего не мог сделать. — Линза!

Асмунд торопливо кивнул. Кажется, понял.

Ритор швырнул его за край площадки, точно куль с мукой.

Пришло время доучиваться, Асмунд.

Теперь — на помощь Солли. Вдвоем они должны продержаться, пока не истает стянутая к Клыку сила.

Но Солли уже не мог держаться. Он истратил все, что имел. Лицо его превратилось в одну сплошную кровавую маску. Ветер с особой жестокостью содрал с него скальп. Ритор лишь мельком подивился, как Солли еще жив... и точно рассчитанным толчком под колени заставил волшебника упасть.

Рушились, истаивали скрепы, никто больше не направлял ураганный поток, и тот, в дикой радости от освобождения, заплясал, мечась, как молодой норовистый бык, из стороны в сторону, круша все, до чего мог дотянуться. И наверное, он натворил бы немалых бед... если б городок Воздушных не строился с расчетом как раз на подобное буйство. Свой пик силы ураган уже миновал; поваленные заборы, выбитые окна да вырванные кое-где с корнем деревья не в счет.

...Когда стих вой, Ритор с вершины Клыка увидел, как на улицы выплеснулась толпа. Народ бежал к скале, и Ритор знал, ни Сандра, ни Асмунд не останутся без помощи.

А перед глазами Ритора стояло лицо того молодого мужчины в черной куртке, с нелепым в его руках эльфийским клинком. Лицо Убийцы Дракона.

На Викторе сухой нитки не было. Он разделся, выжал одежду и развесил по стенам купе. Замотался в колючий толстый плед, сел у окна.

Наверное, с «отдельным купе» он погорячился. Это была целая комната на колесах. Стены обтянуты розовым шелком, на потолке — две лампы в абажурах из цветного стекла. Массивная кровать, которой место в музее, а не в поезде, круглый стол с двумя креслами, резной бар красного дерева, заполненный бутылками и кувшинчиками. Надо же — после безумия схватки на перроне пришел миг комфорта.

Ярослав тоже смотрел в окно. Виктору было не по себе от молчаливой сдержанности паренька — нет, это не равнодушие, конечно, не цинизм... И все же от мальчишки, только что потерявшего трех братьев и отца, подсознательно ожидалась иная реакция.

— Ты видел раньше этот медальон? — Виктор кивнул, указывая на лежащую на столе миниатюрку.

— Да.

— Где?

— Он висел на стене у нас дома. Иногда отец его брал с собой... когда уходил надолго.

Исчерпывающая информация...

— Ярослав, я пока мало что понимаю в вашем мире.

Мальчик слегка пошевелился, по-прежнему глядя в окно. Там бежали холмы и перелески — мирный, буколический пейзаж. Чем дальше от дороги, тем гуще становился лес, сливаясь на горизонте в непроходимую чащобу.

— Отец говорил, что вы не сразу осознаете себя, — ответил он. — Я... я понимаю. Медальон — это знак стража Пределов.

— Твой отец был стражем. Значит, он следил за мертвыми, чтобы те...

Мальчик повернул голову, удивленно посмотрел на Виктора. Стало понятно, почему он так упрямо пялится в окно, — в покрасневших глазах застыли слезы:

— За мертвыми? А что за ними следить-то? Стражи смотрят, чтобы живые не обижали мертвых.

Виктор не нашелся что ответить — так нелепо выглядела ситуация.

— Они ведь не виноваты, — чуть укоризненно сказал мальчик. — Их вернули в мир, заставили думать и двигаться — когда они уже умерли. Им и так не досталось вечного покоя — так пусть достанется просто покой. Серые Пределы не дают им выйти и вредить живым. А живые... живым все можно. Они ходят за Предел, неживых добивают, снимают с тел украшения, кольчуги, оружие. Воруют всякое... у мертвецов там свои поселки, всякие странные вещи... нам-то и незачем, а все равно воруют... Вот на севере, где Пределы через городок прошли, монахи целый институт организовали. Ходят через Предел... изучают.

В его голосе послышалась обида.

— А там же наши, все наши! И люди, и эльфы, и гномы. Они не виноваты, что была битва, а потом их снова подняли из мертвых. Там мой прадед где-то... там последний эльфийский правитель и гномий совет... Стражи как могут народ попугивают. Мы... — это «мы» прозвучало так, словно мальчику было лет триста, — тогда специально остались. Клятву дали, что раз предали братьев, не дали им умереть, так теперь будем защищать. И защищаем.

— Поэтому твой отец разбойничал? — не удержался Виктор. — Чтобы отпугивать от Пределов?

Мальчик опустил голову. Тихо сказал:

— Нет... не только. Для этого тоже... но у нас тяжело жить. Зверья почти нет, и земля не родит — Пределы рядом. Жить чем-то надо...

— Я понимаю, — сказал Виктор. Через силу, потому что не мог, все равно не мог оправдать разбойников. Никогда ему не хватало доброты, чтобы понять уличную гопоту или благообразных казнокрадов, разваливших страну. И здешних разбойников оправдать он не мог — несмотря ни на что.

— Вы все равно на нас сердитесь, — сказал мальчик. — Я знаю. Вы сердитесь, но только простите отца.

— Я простил. Честное слово. — Эти слова дались легче, искреннее, и Ярослав благодарно кивнул.

Виктор встал, прошелся по купе, открыл бар и порылся в бутылках. Выбрал кувшинчик попроще — вдруг за все это придется еще платить? — бокал и вернулся за стол.

Напиток был божественным. Не бренди, как он вначале подумал, а крепчайший сладковатый ликер, в чьем вкусе угадывались десятки трав. На кувшинчике были выдавлены какие-то руны. Наверное, эльфийский напиток?

— Когда будет станция, ты сойдешь, — велел он.

Мальчик молча кивнул.

— Посмотришь, чтобы Предельника похоронили как положено. И вернешься домой. Кто там у тебя остался?

— Никого.

— Не пропадешь? — помолчав, спросил Виктор. Нельзя позволять мальчишке увязаться за ним, поддавшись жалости.

— Не пропаду.

— Хорошо. Я посплю. Когда будем подъезжать к станции — разбудишь.

Мальчик кивнул:

— Еще не скоро. Мы Пределы огибаем.

Виктор глянул в окно, словно можно было в лесном море обнаружить грань между миром мертвых и миром живых.

А ведь и впрямь — можно!

Это было почти неощутимое, неявное — и все же несомненное присутствие Силы. Будто пронесся через лес бурный поток — и деревья слегка присели, покосились; будто промчался шквал, изломав, скрутив ветви; пролетел быстрый верховой пожар, опалив, обуглив верхушки; взвилось облако пыли, навечно осев на листьях. Тянущаяся через лес полоса, тонкая, почти неприметная — и до сих пор, несмотря на сотни прошедших лет, живая. Барьер, граница. Серый Предел.

— Именем Четырех Стихий... — прошептал Виктор.

Опять наступило, нахлынуло — он уже не был собой или не только собой был...

— Воздухом и огнем, водой и землей — вечными силами отделяю вас от живых...

Поезд тряхнуло. Мигнули лампы. Мальчишка уже не сидел на кресле, он сжался в углу, с ужасом глядя на Виктора.

— И ставлю Серый Предел между вами и теми, кому лишь предстоит умереть...

И тут — ударило еще сильнее. Контрапунктом. Заволокло сознание. Провал, водоворот, вихрь, пламя...

Последние. Двое последних. Уже ощутивших его силу, уже догадавшихся, что даже им — не устоять. Пылающий лес, ливень льет с серых небес, но шипит, испаряясь, не в силах коснуться размокшей почвы. А он идет сквозь огонь — ему дана эта власть, даны силы противостоять всем стихиям.

И двое последних понимают это.

Небо больше не держит их, воздух подламывается под крыльями, и ливень прижимает вниз, и земля расходится под чудовищным весом чешуйчатых тел, и смертоносное пламя, так послушно испепелявшее врагов, теперь грозит взорваться в пасти.

Значит — они встретят его в человеческом облике.

Значит — и он настигнет их как человек.

Расплата. За тысячелетнее господство, за ярость и непреклонность, за нежелание поделиться хоть капелькой власти, за самомнение и гордыню.

Он выбран — и он станет знаменем новой эры. Вестником свободы.

Лес расступается, мелькает вдали полоска реки — и на берегу он видит последних. Мужчина и женщина, мужчина — в черных латах, женщина — в разорванной тунике. Ей досталось больше в скоротечные моменты схватки в небесах.

Мужчина в черных латах идет вперед, навстречу ему. Лицо наглухо закрыто решетчатым забралом шлема. Ладонь сжимает рукоять меча. В голосе усталость — но не страх и даже не ненависть. По крайней мере они умеют проигрывать достойно.

— Зачем ты преследуешь нас? Мы уходим. Мы уже на Тропе. Вы хотели свободы? Берите ее...

В словах есть правда, но время милосердия ушло.

— Вы уйдете в никуда. Ибо я — Убийца Драконов.

Мужчина достает меч. Может быть — он еще верит в победу. А может быть — ищет красивой смерти...

Это прошло. Так же быстро, как и началось, оставив лишь гудящую тяжесть в голове и слабость в руках. Поезд покачивался на рельсах, за окном, утонувшая в лесах, тянулась незримая граница.

— Что со мной, а? — то ли мальчика спрашивая, то ли к себе обращаясь, сказал Виктор.

Вот только сын Предельника не знал ответа. А уж сам Виктор — тем более.

Однако паренек старался.

Казалось, что мальчик старательно подбирает слова, пытаясь высказать как можно проще нечто, ему прекрасно понятное и никогда не требовавшее объяснений.

— Маги живут в кланах, на берегу океана. Человеческие города им не нужны. Есть Стихийные кланы. Их четыре. Они главенствуют в мире.

— Понимаю. Это мне уже говорили.

— Есть кланы Звериные. — Ярослав дернул плечами. — Оборотни. Они способны перекидываться... обращаться в животных. Они слабее, но их сила тоже велика...

Он явно собирался продолжать. Много ли, мало ли знал сын несчастного Предельника — но сейчас это было явно чересчур. Из глубины вновь поднимались разрушительные видения — и огонь, и вода, и рушащиеся горы, и сметающие все смерчи. Виски рвануло болью — на миг показалось, что голову насквозь пронзила стрела.

Взмахнув рукой, Виктор заставил паренька замолчать.

Дальше идти нельзя. Все, вбираемое тобой, отражается в памяти, словно в кривом зеркале, собирающем жгучий жар солнца. Нельзя брать сразу и помногу. Слишком велик соблазн — сразу, от первого «знатока» узнать все потребное, получить все готовенькое. Что-то хранило Виктора... или, может, очутившегося рядом.

— Владыка... — Мальчик явно забеспокоился, молчание Виктора затягивалось.

— Все хорошо. — Виктор сглотнул ставший в горле комок. — Вы мне и впрямь помогли. Я благодарен твоей семье за помощь.

Может быть, Ярослав и почувствовал ложь в его словах. Но преклонение перед Владыкой было слишком велико.

— Скоро станция? — спросил Виктор.

Мальчик долго смотрел в окно.

— Да... скоро. Полчаса, час...

— Ты сойдешь, — повторил Виктор. — Возьми.

Потянулся к сохнущим джинсам, достал мешочек с драгоценностями. Молча отделил три кроваво-красных рубина.

— Мы служим вам не за деньги, Владыка!

— Знаю. Но я вознаграждаю за преданность.

Сразу же после стычки Лой Ивер с Торном ее осведомителям пришлось потрудиться в поте лица.

Итак — где Огненные?

Почему, кроме Ритора, не было никого из Воздушных?

И из-за чего, собственно говоря, два могущественных мага дошли до рукопашной? Почему Торн решил презреть все писаные и неписаные традиции, устроив свару прямо на ее, Лой Ивер, балу?

Что все это значит?

Когда дело пахло «подпаленными хвостами», как говорили у Кошек, Лой предпочитала грубой силе лесть и хитрость. Лесть, хитрость и, конечно же, хороший совет. Только надо, чтобы советчики не поняли, что чем-то помогли ей.

У нее собрался ближний круг, доверенные подруги (если только к Кошкам вообще применимо такое определение) — всего трое, но больше и не надо. «Вероятность провала, — наставляла маленькую Лой ее бабка, Ивер Первая, — прямо пропорциональна числу посвященных в тайну».

Бабка же и подбирала в свое время ее товарок... Это сейчас, конечно, Лой понимала, что преданная до самоотречения, всегда восхищающаяся ею Кари на самом деле не случайно стала ее лучшей подружкой. Умела старая Ивер видеть людей насквозь, и в окружении Лой с самого детства были лишь те, кто лучше оттенял ее выгодные черты. Так и прилепилась к Лой умненькая, но с радостью остающаяся в тени подруги Кари.

Да и парни, начавшие ухлестывать за Лой, когда пришло время, оказывались не из последнего десятка. Будущие воины и правители клана (если, конечно, к мужчинам клана Кошек относится слово «правители»)... И рассказы о безумствах молодых котов, расползавшиеся по всему Срединному Миру, многое добавили к славе Лой Ивер. Умна была бабка, умна, и, глядя порой на закат, куда по традиции уходили умирать старики клана, Лой вспоминала ее добрым словом...

— Я отправила гонцов к Огненным, — говорила Лой. За стенами тоскливо выл ветер... подозрительно сильно выл. Уж не решил ли гордый Ритор, что за Кошками и впрямь нужен глаз да глаз? Тогда дело плохо. Тягаться с могущественнейшим волшебником Срединного Мира Лой вовсе не хотелось. — Ответ должен быть послезавтра...

— А какого ты ждешь ответа? — спросила Кари.

Лой пожала плечами. Вот уж действительно тот случай, когда заранее ничего не угадаешь. Обычно ответы лишь подтверждали ее собственные догадки, а тут приходилось по-настоящему ждать, и это злило нетерпеливую Кошку.

В будуаре Лой было поразительно тесно — по контрасту с бальными залами это смотрелось очень странно. Но что уж тут поделаешь, против природы не пойдешь, и настоящий уют женщины клана находили лишь в таких вот укромных, полутемных, уставленных мягкими кушетками помещениях. Сейчас подруги полулежали, на столиках перед каждой стояли кувшинчики с любимым вином. Но к напиткам почти не притрагивались, молчаливо признав ситуацию слишком серьезной для обычного веселого девичника.

— Непривычно как-то тащиться в хвосте событий, — заметила жеманная Лола, единственная в окружении Лой, кто пришел с Изнанки. По ее собственным рассказам, там она была великим ученым — все равно что магом в Срединном Мире. Но Лой слишком давно убедилась, что рассказы пришедших из другого мира содержат мало правды. Скорее — одни мечты...

— Как же мы упустили Торна? — вздохнула Ота. Вот она как раз-то и была сильной личностью, ослепительной красавицей и хорошим магом. Таких Лой приближала к себе с единственной целью — держать на виду, контролировать, а то и сковать нарочитым дружелюбием возможные интриги.

— Что это с вами, подруги? — нахмурилась Лой. Оте ни в коем случае нельзя было поддакивать. — Мы предаемся сожалениям? Мы корим себя за упущенное? Мы, Кошки?! Отставить панику! Мы еще заставим и Торна, и этого гордеца Ритора плясать под нашу дудку! Скажите лучше мне — что они могли не поделить?

— Только не власть, — заметила рассудительная черноволосая Кари. — Ритору на власть наплевать.

— Верно, — согласилась Ота. — Никогда не пытался доминировать...

— У Ритора одна, но пламенная страсть, — задумчиво проговорила Лола. — Прирожденные.

—. Точно, — заметила Лой. — Но какое отношение это имеет к Торну? Вода никогда не питала особой любви к оставшимся на том берегу... Я бы даже сказала, напротив.

— Тогда все-таки власть? — сплела тонкие руки Кари.

— Первое, что приходит на ум, — отрицательно покачала головой Ота, — и едва ли самое верное. Ритор никогда не стремился к власти. А ведь мог, особенно после...

— А Торн? Он хорош... и честолюбив. Богат. Он выжимает полюдье всеми методами. И Наказующие Воды не знают устали. Могли они сцепиться из-за земель?

— До такой степени, чтобы драться на моем балу? — Лой возмущенно вскинула голову. — Он не настолько жаден.

— Торн ведь так чтил обычаи... — задумчиво проговорила Ота. — Должно было случиться нечто поистине невероятное...

— Общих слов нам тут не надо! — резко оборвала подругу Лой. — «Невероятное»... У нас таких слов быть не может. У нас в клане Воды семеро осведомителей. Почему они бездействовали, я хочу знать? Фиа, я знаю, спала с Романом — он если и не правая рука Торна, то уж левая — наверняка. И почему от нее ни одного слова, почему?!

— Не случилось ли беды? — заметила осторожная Лола.

— Беды? Со всеми семью одновременно?

— А почему бы и нет? Мы стали немножко самоуверенны в последнее время. Крупные провалы — достояние истории. Нам — ого-го! — и Стихийные кланы по плечу. А что, если Торн все это время посмеивался над нами, а когда пришла пора действовать — по-быстрому прикончил всех семерых, что работали на нас? Почему мы его недооцениваем? — с горячностью возразила Лола.

Ивер призадумалась.

— Значит, так. К Торну — восьмерых. Столько же — к Ритору. И по четыре — к двум другим Стихийным. И будем ждать. Пока.

— Может быть, стоит и мне, — мурлыкнула Ота, — ...прогуляться? У всех осведомителей есть один главный недостаток — они не владеют стратегической информацией. И значит, не понимают, что надо искать...

Лой в очередной раз порадовалась, что вовремя заметила и приблизила к себе Оту.

— Нет, подруга, — ласково ответила она. — Нет. Прогуляться придется мне.

— Почему же это?

— Как раз потому, что только я, — Лой послала подруге и конкурентке самую очаровательную улыбку, — владею *всей* стратегической информацией.

Пусть Ота поломает себе голову, пытаясь сообразить, что же еще известно великой Лой Ивер!

ГЛАВА 9

Поезд то ускорял свой бег, то притормаживал на крутых поворотах, когда путь изгибался дугой. Виктор дремал, сидя на кровати, откинувшись головой на мягкую стенную обивку. Один раз он услышал странный скрежет, открыл глаза и обнаружил, что Ярослав маленьким бруском острит свой нож. От взгляда Виктора мальчишка покраснел, спрятал брусок и сел неестественно прямо.

Вояка...

Виктор закрыл глаза, борясь с искушением вновь начать расспросы. Наверняка мальчик мог бы ему многое рассказать.

Но по-прежнему стоял в сознании запрет. То ли страх, то ли отвращение к возможному результату расспросов — приступу видений, ярких и выматывающих.

Да что же он такое... точнее — кто такой? Откуда берутся эти галлюцинации? Не было с ним такого, не могло быть...

Виктор и сам не заметил, как задремал.

И оказался на берегу, по колено в антрацитово-черной воде. Глухо рокотал прибой.

Опять!

Вот только ночью... Господи, это было только сегодняшней ночью! — Виктор был уверен, что спит. А сейчас — нет.

Во сне бывает все. И краски — яркие, живые. И звуки.

Но никогда, почти никогда не чувствуешь собственного тела. И уж точно не замечаешь, что вода — мокрая, солнце — жжет затылок, камни под ногами покрыты скользким налетом.

— Дьявол! — только и сказал Виктор.

Между этими снами и видениями уж точно не было ничего общего. В видениях он был лишь зрителем. Взирал на происходящее, ничему не удивлялся и не осознавал себя — собой. В общем-то, если уж судить непредвзято, как раз-то эти наваливающиеся ни с того ни с сего видения и напоминали нормальные сны.

А сейчас он совершенно отчетливо помнил — кто он, как попал в Срединный Мир. Помнил и Тэль, и погибшего Предельника, и мальчишку Ярослава, еще минуту назад возившегося с кинжалом.

Зачерпнув воду в ладонь, Виктор поднес ее к лицу. Вода как вода. Прозрачная. Откуда же берется этот густой черный цвет, сочный, словно чернила в авторучке?

Волна плеснула, окатив его до пояса и прервав дальнейшие эксперименты. Виктор торопливо побрел к близкому берегу. Вдали виднелись те самые причудливые горы и приземистое строение, в котором он давеча побывал. Кислой вони в воздухе больше не было, и дым из трубы не валил.

— Что же такое, а, братцы-кролики... — прошептал Виктор. Крикнул: — Эй, хозяин! Мне понравилось, принимай гостей!

В проеме, заменяющем дверь, никто не появился. И огонь, в прошлый раз мерцающий в темноте, исчез. Виктор попрыгал на берегу, высоко задирая ноги в попытке вытрясти воду из ботинок. Ничего не получилось, пришлось усесться на обкатанную волнами гальку и разуться.

Нет, неправильно все это. Слишком реально для сна. Разве можно во сне зачерпнуть пригоршню мокрого песка — и рассмотреть отдельную песчинку? Разве ощутишь прикосновение каждого камешка, разглядишь в прозрачности воздуха любой изгиб фиолетовых ветвей на далеких деревьях?

Полноте, а сон ли это?

Виктор ощутил страх — пока неуверенный и робкий. Как холодный комок на сердце. Он ведь в мире, живущем по иным законам? Почему бы не допустить, что и сны здесь материальны?

Нет! Нельзя поддаваться такой мысли. Хотя бы потому, что после первого такого сна он не нашел на теле синяков или кровоподтеков. А нелепая драка с коренастым уродом должна была их оставить.

«Бывают сны, доченька. Просто сны». Что ж, доверимся старику Фрейду из анекдота. Попробуем разгадать до конца подкидываемые подсознанием загадки.

Виктор натянул влажные носки, неохотно всунул ноги в ботинки — босиком бы пройтись, но что-то не хочется резать ступни об осоку.

Он двинулся к «лаборатории», приминая высокую траву. И остановился — пораженный.

От берега, немного с другой точки, тянулась к строению тропинка. Примятая, сломанная недавно осока. Правильно. Там он и шел.

Не сон — и не явь. Он оставляет следы в этом мире — а вот мир не оставляет на нем своих следов. Невольно ускорив шаги, Виктор вышел на старую тропку и перешел на бег. Откуда-то пришла мысль, что отпущенное ему время не так уж и велико. А можно — и нужно что-то понять.

— Хозяин! — Остановившись у входа, Виктор сделал последнюю попытку докричаться до толстяка-алхимика.

Тишина. Далекий шум волн — и все.

— Ну... тогда не серчай. — Виктор вошел. Вновь зрение мгновенно приспособилось к полутьме.

Обрушившаяся полка по-прежнему на полу. На оставшихся висеть, кажется, поубавилось предметов непонятного свойства. А самое главное — исчез котел, и не горит огонь. Доварилась кашка... кашка с миниатюрным Фредди Крюгером...

Опасливо оглянувшись — нехорошо все-таки, Виктор приподнял крышку сундука. Осторожно — вдруг там найдется еще какая-нибудь мелкая гадость?

Сундук был пуст. Толстый слой пыли, паутинка по углам. А это интересно. Как же ухитрился толстяк достать отсюда человечка?

Виктор вдруг понял, что рад, очень рад этой маленькой нестыковке снов. Иначе — было бы уж совсем тяжело. Сон, едва ли не ярче и последовательнее реальной жизни — вещь неприятная.

— Кхе-кхе!

Он обернулся.

Красномордый верзила стоял в проеме, вытирая ладони о необъятное брюхо. Поглядывал смущенно и слегка лукаво, будто неудачно пошутивший приятель. Улыбочка была неумелая, но вроде бы дружелюбная.

— А нет ничего, господин хороший! — объявил он. — Такие, значит, дела... кончилось...

— Что — кончилось?

— Да вот все, что было, все и кончилось, — очень вразумительно объяснил толстяк. Вошел, задевая плечами стену. Со вздохом обвел взглядом помещение: — Славненько тут было...

— Где котел-то? — грубо спросил Виктор.

Толстяк вновь осклабился:

— Котел? Докипел! Вашими стараниями, все вашими стараниями... и как угодно будет вашей милости...

Он раскланялся в издевательском, шутовском поклоне. Вид этой паясничающей туши с повадками старого пропойцы вызывал какое-то брезгливое отвращение.

— Для меня, значит, старался... — безразлично бросил Виктор. Снял с ближайшей полки странный предмет — кусок мятой жести. Угадывались в куске какие-то выступающие плоскости, нечто, бывшее прежде тонкостенной трубой, стеклянное крошево... — А что это в ход не пустили? А?

Неожиданно напыщенный тон ревизора оказал неожиданный эффект. Толстяк суетливо подбежал, запанибратски обнял Виктора за плечи, вгляделся...

— Это? А, это...

Он пренебрежительно сморщился.

— Сколько ж можно, сам подумай! И так десятка два кинули, и тех... — он покрутил своим верхним окороком над головой, — и этих... — раскинув руки, толстяк сделал пару шагов. — Нет, ты рассуди! Их кидаешь, кидаешь... а они все падают...

Только тут, в приступе какого-то резкого откровения, Виктор сообразил, что держит в руках.

Самолет. Крошечную модель самолета — кажется, «Боинга» или еще чего из зарубежных. Смятые крылья, разорванный корпус, клочки ткани — кресла? — крошево иллюминаторов.

Или... это не модель?

Виктор зачарованно провел пальцем по обшивке лайнера. Поморщился от резкой боли, оцарапавшись о развороченный металл.

— Тут и народца-то не было почти, — пренебрежительно бросил толстяк. Вынул из онемевших рук Виктора модельку, швырнул в угол. — Плюнь! Что надо — все в дело пошло! Не сомневайся — тебе хватит!

И он захохотал, будто выдав редкого остроумия шутку. Но Виктор не обращал на него внимания — шарил глазами по стенам, по почти пустым полкам, отчаянно пытаясь понять.

Вот еще одна «модель». Зеленовато-бурая консервная банка, из которой торчат блестящие лезвия — вертолетные винты. А вот... ну, можно назвать крошечные обгорелые вагончики —

детской железной дорогой, только не стоит, ох не стоит, детям играть в такие игрушки. Ну и комья тинистой глины, чуть подсохшие, но будто недавно из моря. То гребной винт торчит из грязи, то краешек мачты с обрывком паруса, то острый нос с остатками надписи на английском: «...ent».

Да что же это!

— Это... это ты их? — спросил Виктор. Очень спокойно. И в полной уверенности — если услышит «да», то придется убивать. Пусть только во сне.

— Что?! — взревел толстяк в неподдельной ярости. — Я? Ты за кого меня держишь, умник? Разве ж мы звери какие?

Виктор отступил к стене, одинаково испуганный напором и смущенный собственной оплошностью.

— Зачем... нам-то зачем? Если ж они сами... бултых... трах... — Коротышка почесал брюхо и неожиданно спокойно, миролюбиво, сказал: — Конечно, можно было бы. Только как? Кто мы такие? Разве нам дозволено...

Он развернулся и с тяжким вздохом двинулся к выходу. На пороге остановился и добавил с иронией:

— А ты заходь еще, заходь. Вот как время выберешь... Здесь-то делать больше нечего, ты в лесок сходи...

Исчезнув из виду, он подал голос еще раз:

— Остерегись-ка, гость незваный!

Замешательство прошло. Виктор метнулся к выходу, и едва успел переступить порог, как затрещала крыша. Посыпались какие-то деревянные плашки, рухнула за спиной тяжелая балка. И сразу же вспыхнуло пламя.

Сидя на корточках, упираясь руками, Виктор смотрел, как охватывают строение стремительные языки огня. Жаркие, почти прозрачные, с одинаковым успехом пожирающие и дерево, и камень, и железо. Рухнула труба — будто втянуло ее внутрь. А еще говорят, что на пожарищах всегда остаются закопченные, но целехонькие печи...

Так и не вставая, Виктор начал отползать от огня. Быстрее и быстрее — жар нарастал. Внутри рушащегося, складывающегося здания что-то гулко лопалось, шипело, вспыхивало разноцветными бликами. Виктор прикрылся от разлетающихся, будто от фейерверка, снопов искр.

И — казалось — доносился тонкий, многоголосый хор голосов...

— Владыка! Владыка!

Виктор открыл глаза. Дернулся, отстраняясь от перепуганного Ярослава.

— Вы стонали, — робко сообщил мальчик. — Громко. И так... — он показал, — руками заслонялись.

— Мне приснился сон, — объяснил Виктор. — Страшный сон. Спасибо, что разбудил.

И, уже не доверяя собственным словам, Виктор посмотрел на руки. Он ведь оцарапался? Может, и не до крови, но след должен остаться.

Не оказалось никакого следа. Сон. Просто сон.

Но, Господи, какой реальный!

Для такого буйства вырвавшихся на свободу ветров потери, считай, оказались вполне терпимы. Правда, и Рой, и его брат, и Салли, и горбоносый Болетус вышли из строя, причем старики надолго — переломы, глубокое истощение в их возрасте не залечить простой магией. Ритор мог рассчитывать только на неугомонную Сандру. Да еще мальчишка Асмунд, единственный, не получивший и царапины, — сориентировался, мгновенно сотворил воздушную линзу, отделавшись, как говорится, легким испугом. Эх, такую бы сообразительность Таниэлю... Ритор запретил себе думать об этом.

Пока в городке наводили порядок, совет Воздушных собрался вновь.

Ритор взглянул на Сандру. Волшебница баюкала неестественно вывернутую руку, лоб блестел от пота — боль пробивалась через все защитные барьеры. К вечеру, конечно, от перелома с вывихом не останется и следа, но пока что приходилось терпеть.

Асмунд неслышимой мышкой притаился в уголке. Как же, первый раз на настоящем совете!

Пришли, конечно же, не только маги. Верхушка Воспитующих; воины, лекари, травники, мастера. Брат Кан тоже здесь; сегодня у него было немало работы.

Зал совета остался прежним. Никакое буйство стихии не могло поколебать защитных заклятий, наложенных еще основателями клана, первыми из явившихся на Теплый Берег из туманов Горячего Моря. По-прежнему — ни капли воды, ни земной пылинки, ни огненного отблеска. Здесь только недвижный, замерший в сосредоточенном покое Воздух.

На Ритора смотрело почти сорок пар глаз.

— Братья, — волшебник поднялся, — прежде всего — честь и хвала почтенным Рою и Гаю, честь и хвала почтенному Эдулюсу. Они отдали все, чтобы дело наше увенчалось успехом. — Ритор не слишком жаловал подобные церемонии, его красноречие давало слабину, но тут уж ничего было не поделать. — Мы сделали половину дела... большую половину... даже, наверное, две трети. Мы нашли Убийцу.

По зале прошелестел короткий сдержанный вздох. Ритор оглядел напряженные лица — нет, затаенной радости не чувствуется ни в ком. Хочется верить, что хотя бы в своем клане его не подведут.

— Убийца появился там, где и можно было ожидать — на дальнем севере, у Серых Пределов. Теперь мы будем постоянно у него за спиной. Надо лишь настичь его... пока он не прошел посвящения. Успеть, пока клан Воды не нашел Убийцу и не взял под охрану. Тогда — неизбежна война. А мы сейчас, увы, не в тех силах, чтобы воевать.

Совет вновь тихонько зашелестел. Что такое война с кланом Воды, здесь все понимали.

— Бросить клан совершенно без защиты нельзя. Взять с собой многих я не смогу. Сандра, Асмунд... остальные нужны здесь.

— Вы не справитесь втроем, — хрипло сказал Жеймо, начальник Воспитующих. — Даже если Убийца еще не в полной силе...

— Правильно, — кивнул Ритор. — Дай мне две лучшие пары, Жеймо.

— Кевин и Эрик, — тотчас отозвался старый вояка, и совет одобрительно загудел.

— Я тоже пойду, — негромко, но так, что услышали все, сказал Кан. — Заклятия могут не все, Ритор.

Маг пристально взглянул на брата. После смерти Таниэля они так и не смогли поговорить по-настоящему. И тело племянника тоже осталось там, у стен замка Ббхчи... может, уже осквернено чародеями Воды...

Глаза брата оставались черны и непроницаемы. Слишком уж черны и слишком уж непроницаемы.

— Хорошо, — против собственной воли сказал Ритор. — Возьми себе одного помощника, Кан, чтобы умел не только кипятить воду. Мы выходим немедленно. «Колесница Ветра» будет проходить через два часа.

Станция возле города Стихийного клана была куда роскошнее обычной. Беломраморное строение обошлось гномам, наверное, в целое состояние, но не уважить клан Воздуха они, конечно же, не могли. Фонтаны перед вокзалом и в зале ожидания питали специальные насосы; зеленые, несмотря на осень, лужайки радовали глаз девственной незатоптанностью. Колонны и портик придавали всему зданию сходство с греческим Парфеноном — если, конечно, доверять словам Болетуса.

Возле станции толпилось немало народа. В основном, конечно, люди из недальних деревень, но хватало и гномов — их копи к востоку, в старых горах еще не истощились, подобно многим иным, на самом Теплом Берегу.

При виде Ритора и его свиты народ начал потихоньку расползаться. Торговки, праздношатающиеся эльфы, озабоченные гномы, люди — без видимой спешки, но как-то бочком-бочком очень даже быстро покидали площадь. Никогда не стоит лишний раз оказываться на пути волшебников Стихийного клана. Тем более на пути Ритора — его многие знали в лицо, особенно из местных.

Ни на кого не глядя, Ритор прошел в зал — разумеется, не в общий. Надпись на двери недвусмысленно гласила: «Только для магов и сопровождающих лиц». Гномы постарались и тут, внутри. Ритор не знал, что они имитировали, но роскошь вокруг была прямо-таки кричащей. Пушистые ковры — маг догадывался, их расстелили непосредственно перед его появлением, диковинные цветы в кадках, хрусталь, позолота, красное дерево... Здесь все поддерживалось в идеальном порядке.

Правда, билеты приходилось покупать даже магам. Даже из Стихийного клана.

Над окошечком кассы висела табличка — инкрустация золотом по черному дереву:

«Детям и магам скидки».

— Значит, мне двойная полагается! — обрадовался Асмунд. — Мне еще шестнадцати нет...

Гномиха-кассирша старательно прятала раздражение.

— Никак невозможно, молодой господин. Скидка бывает только одна.

— И на кого больше? — не унимался мальчишка. Ритор его не одергивал — пареньку сейчас очень, очень страшно, он уже понял, что игры кончились, и такой вот бравадой пытается обмануть всех, и первым — самого себя.

— На детей, — ухмыльнулась кассирша. Волосатый подбородок дернулся. — Но только в период летних каникул...

С гномами, фактическими хозяевами Пути, старались не ссориться без нужды даже маги. Гномы, познавшие пар и электричество, отличались известной устойчивостью перед стихийной волшбой. Конечно, возьмись за них всерьез хотя бы мальчишка Асмунд — им несдобровать, но... Ритор сильно подозревал, что кое-кто из старых волшебников откровенно побаивался тех же паровиков, считая технику не известной им разновидностью колдовства.

— Нам девять, — сказал Ритор в окошечко. — Девять отдельных купе соответственно. Вагон. На «Колесницу Ветра». Ближайшую. До... до самых Пределов.

— Не извольте беспокоиться, — угодливо заулыбалась гномиха. Улыбка в ее исполнении едва не заставила Ритора вздрогнуть. — Сей же час прицепим-с.

Она приняла деньги мохнатой лапкой, выдала Ритору девять картонных кусочков с золотыми обрезами и фигурными вырезами по краям — «литерные».

— Располагаемся и ждем, — велел Ритор.

Не было никакого смысла выступать в поход под мраком ночи или еще как-то скрываясь. Торн и его ищейки не способны засечь Ритора — так же как и Ритор не способен засечь Торна. Гномы же — как всем было известно — держали рты на замках и чужими тайнами не торговали. Потому и просуществовали так долго, не исчезли, подобно кое-кому другому, так и не принявшему новый порядок.

Поезд показался из-за поворота в точно назначенное время. Что такое «опоздание», гномы не знали. Приготовленный для отряда Ритора вагон уже выкатили к перрону. Сейчас — знал волшебник, чтобы не снижать даже на йоту скорость поезда, — к нему подцепят резервный паровик. И хорошо, что таковой всегда под рукой, а то пришлось бы отцеплять какой-то из вагонов «без мест», высаживая всю публику. А публика на «Колеснице Ветра» даже в таких вагонах ездит не последняя — ближние купеческие приказчики, а то и сами купцы, денег сбережения ради.

...Наконец дрогнул и поплыл назад заоконный пейзаж. Ритор вздохнул, откидываясь на плюшевую спинку дивана. Сейчас должны подать чай — и можно хоть чуть-чуть отдохнуть. Едва ли Торн знает, где его искать...

— Сойдешь на ближайшей станции, — вновь строго повторил Виктор пареньку. Сын Предельника истово кивал, словно всякий раз узнавая великую истину. — И сделаешь все, как я тебе велел.

— Да, Владыка... я счастлив... мы послужили тебе...

— Ну-ну, хватит, — сказал Виктор. И инстинктивно, словно мать ему в детстве, когда они ездили к бабушке Вере: — Проверь, ничего не забыл? Сходить скоро...

Станция оказалась небольшой, обшарпанной, утопающей в облетевших желтых листьях. Одни тополя до сих пор упрямо сопротивлялись осени. Низенькое желтое строеньице с облупленными стенами и покосившейся крышей; окна украшают внушительного вида решетки.

Ярослав поднял на Виктора полные искренней муки глаза:

— Прощайте, Владыка...

— Да с чего ты взял? — деланно удивился Виктор. — Мы еще встретимся... обязательно встретимся. И отца твоего с братьями помянем.

— Правда?! — Парень едва не задохнулся от восторга.

— Правда, правда, — поспешил успокоить его Виктор. — А теперь иди. Не мешкай.

Он вышел из купе вместе с Ярославом.

— Сходите? — равнодушно поинтересовался гном-проводник, возившийся в тамбуре с какими-то рукоятками, что торчали из стены.

— Он — сходит. — Виктор указал на сына Предельника. — Я остаюсь.

— А-а... Смотрите, у нас с этим строго — билеты только на станции купить можно. До места доедете, если дальше пожелаете — выходить придется. Я билеты не продаю, — все с тем же равнодушием сообщил гном.

— Спасибо, учту, — сказал Виктор. Оставшись стоять на верхней ступеньке, он провожал взглядом медленно бредущего к вокзалу мальчика. Хорошо, что он сходит. Хватит невинных жертв. Похоже, что находиться рядом с ним, Виктором, — сейчас не самое безопасное занятие.

...Они вынырнули из-за тополиных стволов, по двое с каждой стороны, быстрые и бесшумные; грохочущим водопадом в сознание Виктора ворвались вся накопленная ими злость и жажда отомстить. Они понесли потери, их осталось только четверо — и теперь они пришли убивать. Виктор не знал, как они исхитрились догнать поезд — наверное, есть у магов в этом мире свои секретные дорожки. Да сейчас это было и не важно.

Четверо Наказующих клана Воды. Во главе с магом Готором.

— Беги! — заорал Виктор в спину Ярослава.

— Сейчас сойти изволите? — вкрадчиво осведомился гном из-за спины.

Виктор не ответил. Бегом ринулся в купе за мечом... точнее, должен был бы ринуться, и нога уже оторвалась от железного пола, когда он понял — это бесполезно. Меч тут не поможет. Нечто иное... изнутри.

— Стойте, вы, все! — гаркнул он, прежде чем даже успел сообразить, что же ему, собственно, следует сейчас делать. — Оставьте в покое... моего верного слугу!

Мальчишка же и не думал убегать. Выхватил кинжал, мягко присел, зубы оскалились. Он знал, что обречен. Владыка должен уцелеть, прочее значения не имеет.

Трое продолжали неторопливо приближаться к Ярославу; Готор остановился, с вызовом взглянул на Виктора.

— Что же ты стоишь?! Выходи, иди сюда!

За вызовом скрывался страх.

— Ты вновь на моем пути, Готор, — сказал Виктор. Внутри уже развертывался тугой комок холодной ярости. — Теперь тебе не уйти. Что я обещал тебе?..

Он вновь не знал, что собирается сейчас сделать. Ударить?.. Чем? Меча нет.

Готор не остановился. Короткий голубой плащ его утратил первозданную чистоту, кое-где зияли прорехи — очевидно, путь тайными тропами тоже дался непросто. Однако в лице его проступало и нечто новое — словно бы обреченность.

Тем временем трое двигались к Ярославу.

Готор поднял руку.

За станцией, выворачивая с корнями тополя, презрев земное тяготение, поднялась исполинская волна; кипящая пена, венчавшая ее гребень, — единственный белый росчерк на иссиня-черном фоне. В грохоте ломающихся деревьев утонули все звуки. Волна была исполинской, настоящее цунами, неведомо как забравшееся на равнину. И при этом Виктор знал — весь удар многотонной громады нацелен лишь на него. Мир померк; сейчас девятый вал рухнет на Виктора, сомнет и обратит в ничто.

Готор не стал вызывать раз опростоволосившегося водяного духа, или демона, или как там еще могло называться то существо.

Виктор рванулся вперед. Вспоминай быстрее, парень, чему там тебя учили.

Маг Воды сделал руками движение, точно сворачивал шею гусю.

Виктор прыгнул.

Конечно, любой тренер за подобное маягири в прыжке поставил бы его отжиматься на кулаки раз пятьдесят. Но с Готором это прошло, волшебник даже не подумал защититься. Самый что ни на есть подлый и грязный удар носком ботинка в пах заставил его согнуться в три погибели; силы, удерживающие вздыбленный вал, распались. Лавина растаяла, словно ее никогда и не было.

Донесся короткий вскрик.

Виктор поднял голову.

Кровь. И раскинувшее бессильные руки тело Ярослава в темно-алой луже. И комья грязно-белого тополиного пуха, невесть откуда взявшегося осенью, жадно пьют детскую кровь.

Двое над трупом. С мечами — поняли, что со стражей Серых Пределов надо биться обычным оружием. Третий сидит, схватившись за разрубленное плечо, между пальцев бегут красные струйки.

Убийцы, в чьих руках уже начинали извиваться водяные бичи, медленно повернулись к Виктору.

За спиной заворочался Готор. А еще — раздался сигнал отправления. Если у этих типов, как и в тот раз, не окажется билетов...

Виктор повернулся. И побежал, ежесекундно ожидая рвущей сознание боли. Наверное, это должно быть как от попадания под циркулярную пилу.

Вовремя вспомнился какой-то боевик. Виктор в меру сил проворно пригнулся, попытавшись одновременно прыгнуть в сторону. Получилось, скажем прямо, не слишком, но гибкая водяная плеть прошла над самой головой — посыпались ледяные брызги.

Ступеньки были уже совсем рядом.

Вскочить — и с каким-то запредельным не озорством даже, а смерть презирающим «шапкой оземь!» оглянуться назад.

Двое поднимали Готора. Третий, с трудом поднявшись, тащился следом.

В руке его было несколько картонных квадратиков, он держал их веером, точно игральные карты. Готор озаботился-таки купить билеты.

Виктор похолодел.

Теперь не спасет уже ничто.

Поезд тронулся. Пока еще еле-еле, очень медленно. Двое из клана Воды были уже совсем рядом. Третий, морщась от боли, молча протягивал гному билеты.

— Только без драк в моем вагоне, почтенные, — брезгливо сказал гном, и Виктор, уже приготовившийся как следует пнуть подступившего первым, невольно попятился. Но, к счастью, уверенный тон гнома подействовал не только на него.

— Мы... знаем, подземный, — яростно прошипел Готор. Он сверлил Виктора взглядом, но ни на что большее не решался. — У нас... билеты. Покажи... наше купе.

— Прошу за мной, — равнодушно сказал гном. Виктор пятился по узкому коридору — повернуться спиной к Водяным было выше его сил.

Однако ни Готор, ни его присные так и не попытались напасть. Буравили Виктора взглядами, но и только.

— Ваше купе, — скрипуче сказал гном.

Соседнее с купе Виктора.

— Настоятельно прошу почтенных воздержаться от выяснения отношений, — повторил гном.

Готор ответил презрительным взглядом. Его подручные захлопнули дверь.

— Желаете в коридоре стоять? Или к себе пройдете-с?

Виктор в полубессознательном состоянии ввалился в купе. Захлопнул дверь, задвинул хлипкий засовчик. Руки тряслись, словно у закоренелого алкоголика.

Конец. Выследили. Взяли. «Замуровали, демоны». Деться теперь некуда, хоть из окна прыгай.

Поезд подозрительно резво набирал скорость.

Виктор сидел, завороженно глядя на стену. Казалось, ее вот-вот прошьют навылет водяные струи, режущие не хуже лазеров. За окном катился назад осенний пейзаж; Виктор чувствовал себя в самой настоящей клетке.

Неужели Наказующие так и не решатся напасть здесь? Неужели для них, таких могущественных, и в самом деле что-то значат слова какого-то гнома-проводника? Или, может, они чего-то ждут? Но чего?..

Да. Все началось с неисправного электропатрона. А кончилось тем, что пришлось удирать от неприятно-реальных злых волшебников.

И Тэль куда-то исчезла...

Что дальше? Сидеть и ждать, покуда аналогичное занятие надоест Готору и он таки прикончит его, Виктора?

— Что же ты не смог защитить своего верного слугу? — раздался из-за перегородки издевательский голос водного мага. Вряд ли в роскошных купе были столь тонкие стенки, наверное, не обошлось без колдовства. — Неужели один жалкий удар — это все, на что ты способен? Почему же ты не испепелил нас всех на месте, как грозился совсем недавно?.. Почему ты не отвечаешь мне?..

Дешевые подначки. Поддаваться нельзя. «Этому Готору отчего-то очень надо вывести меня из равновесия, — подумал Виктор, вытирая о джинсы предательски потные ладони. — Спрашивается зачем? Не могут справиться со мной, когда я собой владею, когда я спокоен?.. Проклятие, надо было добиться правды от мальчишки, — пришла внезапная мысль, холодная и жестокая. — Он так и так погиб. Погиб бессмысленно и бесполезно, не причинив врагу серьезного урона. Едва ли здешние маги сильно уступают девчонке Тэль. Через несколько часов от раны на плече ничего не останется. А так — я бы знал о себе больше. Похоже ведь, что я — оружие само в себе, надо только понять, как этим оружием пользоваться. И нельзя давать слабину. Как только дрогнешь, пожалеешь кого-то, — начинаешь проигрывать».

Готор продолжал бубнить что-то из-за перегородки. Виктор не слушал. Сохраняй спокойствие, учил сэнсэй... жаль, что год занятий так и не стал для Виктора чем-то большим, чем модная забава. Лишь смутно вспоминается: «Адреналин — сильное оружие само по себе, пускай его в ход не раньше и не позже, чем следует».

Спокойно. Еще жив, верно? Вот и радуйся. И — если бы маг Воды хотел убить тебя, он бы уже попытался это сделать. Им нет смысла ждать ночи или там пустынных перегонов. Здесь нет милиции, нет следователей, прокуратуры или адвокатов. Зато есть Наказующие кланов — они и следствие, и суд, и исполнители приговора. Не подлежащего кассационному обжалованию.

И все-таки они ждут. Едва ли потому, что так сильно боятся гномов. Тогда не было бы смысла вообще садиться в поезд.

Раз уж они способны опередить его — проще следить за Виктором на расстоянии и, когда он окажется вне «защиты Пути», спокойно довершить дело.

Они боятся? Или... им что-то от него нужно? Например, чтобы он напал на них сам, потеряв голову от ярости? Вздор, он не Шварценеггер и не Ван Дамм. И уж тем более не Майк Тайсон. Нужно что-то иное? Но тогда что?..

Нет ответов.

Выйти в коридор он не решался очень долго. Пока не приспичило так, что хоть под себя делай.

В коридоре столкнулся лицом к лицу с одним из бойцов Готора, чуть не отпрыгнул назад — но тот лишь скользнул по Виктору равнодушным взглядом. Похоже, возвращался он как раз из того самого места, куда Виктор направлялся. Какое трогательное совпадение...

И вновь ожидание.

Виктор не вспоминал о еде. Сознание тщилось отыскать выход — только разве отыщешь его, разве можно выиграть партию у Каспарова, если только-только научился отличать ферзя от пешки? И он продолжал сидеть, тупо глядя перед собой, ожидая невесть чего.

Интересно, вдруг пришла мысль, если в этом мире Слово — куда больше, нежели простое сотрясение воздуха, есть ли в нем настоящий Бог? Высшая инстанция, перед которой смешны все здешние разборки и чудеса... Или Тэль права, и нет никаких параллельных миров, возникший из Большого Взрыва мир един, и все зависит лишь от точки нашего на него взгляда?

Самое время для отвлеченного теоретизирования, усмехнулся про себя Виктор. Рядом с тобой, за тонкой деревянной перегородкой в одну доску — четверо беспощадных убийц. Думай о них, думай, как спастись!

А что толку думать? Как только я выйду из поезда, они меня прикончат. И больше не будет мальчиков-фанатиков, готовых умирать по первому мановению твоей руки. Согласись, это ведь неплохо, когда кто-то умирает за тебя? Ведь это приятно, не так ли, Виктор? Подчинять и повелевать, и ощущать чужое преклонение и слепой страх — это ведь сладко, правда, Виктор?.. Но халява кончилась. Отступать тебе некуда. Прими бой и умри, как подобает мужчине.

Пустые и бессвязные слова. Их очень хорошо слушать, когда они звучат с экрана, их хорошо читать в книгах, восхищаться и трепетать от чужого мужества; но, когда все это оказывается обращенным непосредственно к тебе... Виктор тискал в потной ладони бесполезный меч. Эльфийская железка, что от тебя толку? Водяной бич тобой все равно не перерубить.

Готор за перегородкой замолк — верно, выдохся. Наступила тишина. Только стук колес да изредка заунывные гудки паровика. Купе Виктора оказалось с наветренной стороны, мимо плыли разлохмаченные клубы дыма; «Стрела Грома» оказалась чем-то сродни нашей «Красной Стреле», двигалась почти без остановок и довольно-таки ходко, лишь изредка меняя на узловых станциях паровозы, не утруждая себя забором воды и угля.

Шло время. Вот-вот должен был наступить вечер, а Виктор все еще сидел в странном оцепенении, не в силах ни на что решиться. Первоначальный план — попытаться догнать Тэль — теперь казался ему полным бредом. Где и как он сможет ее отыскать? Он сам отдаст себя в руки магам-убийцам, и этим все кончится. Что там говорила Рада? Либо в Луге, либо в Рянске «Четыре Дыма» точно нагонишь? Названия-то какие знакомые...

Виктору пришлось долго собирать все мужество, чтобы высунуть нос из купе. По счастью, гном-проводник болтался в коридоре.

— Послушайте, милейший... — начал Виктор, никак не в силах избавиться от этого дурацкого слова. — Когда будем в Луге?

— Да вот прямо сейчас и будем, — буркнул гном. — Полчаса от силы осталось. Там десять минут стоять будем.

— А «Четыре Дыма»?..

— «Четыре Дыма»? А их мы, господин хороший, как раз в Луге-то и обгоним. И пойдем прямиком до самого Рянска, и Путь перед нами уже чистый. Оно и неудивительно, что нагнали, «Дымы» возле каждого столба останавливаются. Чего еще спросить желаете, господин хороший?

Виктор вернулся к себе, тщательно запер дверь. Луга — это был шанс. Маленький, но все же шанс. Кланы, как сказал несчастный Ярослав, живут на юге, на Теплом Берегу — не туда ли направлялась девчонка? Может, она и не сошла?.. Но как ее найти, да еще обвести при этом вокруг пальца Водных?

Наверное, какой-нибудь Конан-киммериец, Лорд с планеты Земля или там Олмер из Дэйла с легкостью нашли бы выход. Виктор, увы, на роль сказочного героя подходил мало. Ничего путного в голову ему, как назло, не лезло. Оставалось положиться на самое надежное средство — непобедимый русский «авось».

Тем временем «Стрела» загудела во всю мощь своей паровой глотки и начала сбрасывать скорость. Вокруг потянулись предместья, мало чем отличавшиеся от какого-нибудь подмосковного городишки середины семидесятых. Одноэтажные деревянные домики среди облетевших садов — срубы, обшитые вагонкой, разной степени облупленности, покрашенные веселенькими красками. Виктор невольно удивился — судя по всему, здесь стояла осень, однако было еще тепло. По крайней мере путешествовать в куртке было совсем не дискомфортно.

Мелькнула каменная водокачка, придорожные будки, поезд загрохотал на неуклюжих стрелках.

— Луга... Луга... — донеслось из коридора. — Стоянка десять минут...

«Четыре Дыма» Виктор заметил сразу. Чудовищный паровик, четырехтрубный, словно крейсер «Варяг», и вытянувшиеся за ним обшарпанные вагоны. Похоже, что «Стрела Грома» не зря именовалась дорогим поездом.

Держа под мышкой меч и обливаясь потом, Виктор вышел в тамбур. Никто из Водных не появился.

Два поезда стояли рядом; меж ними кипела густая толпа пассажиров и мелких торговцев; какая-то баба громогласным визгом рекламировала свои несравненные приворотные и отворотные зелья краткого действия, «на полсуток, аккурат для Пути, чтоб не навсегда, значит»; Виктор с некоторым удивлением подметил, что отворотные средства брали в основном мужчины, в то время как женщины, особенно одетые подобротнее и, что называется, «бальзаковского возраста», больше налегали на приворотные...

Стоя на высокой подножке, Виктор огляделся. Оставить без наблюдения выход в коридор он боялся, незащищенная спина вопила от страха громче всего; хотя понятно было, что надежды увидеть Тэль вот так вот, сверху, практически нет.

— Позвольте-ка, господин хороший... — раздалось где-то сбоку, и из стенной ниши вынырнул гном. В волосатой лапе он держал здоровенный чайник. Отстранив Виктора, гном спустился вниз и, важно раздвигая толпу, смешно заковылял к вокзалу.

«Самое время Водным ударить, — подумал Виктор. Перехватил меч поудобнее. И... продолжал смотреть, не в силах больше ни на что решиться. Искать Тэль в этой толпе можно было очень долго.

Над вагоном нависали голые черные ветки. Громадный раскидистый дуб, устоявший, несмотря на подлинное экологическое бедствие.

Виктор не знал, что заставило его поднять взгляд. Ровно за миг до того, как по крыше что-то слегка стукнуло — не сильнее упавшего куска коры или отломившегося сучка. Он замер, инстинктивно отступая в глубь тамбура, острие меча смотрело вверх. Во всяком случае, если они решили ломать крышу, он успеет...

Негромко скрипнуло железо. Потолочный лист отполз в сторону, в темной дыре показалась пара небольших сапожек, за которыми последовали широкие, стянутые понизу синие шаровары, словно у опереточных запорожцев, белая рубаха и, наконец, короткие рыжие волосы. Блеснул золотой лак ногтей.

Миг спустя Тэль мягко спрыгнула на пол. В руке — плотно закрытая плетеная корзинка.

— Закрой, — чуть слышно шепнула она, так, словно с Виктором они расстались всего минуту назад или даже, скорее, не расставались вовсе. — Гном сейчас придет... чтобы не подвести старика...

Виктор мысленно вставил на место отвалившуюся (правда, тоже мысленно) от удивления челюсть и сделал все, как надо. Железный лист повернулся удивительно легко и бесшумно, словно на хорошо смазанных петлях. Когда Виктор вошел в купе, Тэль уже была там. Сидела, забравшись с ногами на плюшевый диван, ловко раскладывая на столике какую-то снедь, настолько аппетитного вида, что у Виктора немедленно заныло под ложечкой. И недостойное истинного мужчины желание как следует отшлепать эту паршивку по голой заднице куда-то сгинуло.

— В Рянске нам надо будет сойти, — впиваясь белоснежными зубками в зеленую мякоть какого-то плода, полушепотом сказала она. — За «Стрелой Грома» теперь следит слишком много глаз.

— А... э... — только и смог сказать Виктор.

Тэль деловито сунула ему в протянутую для патетического ораторского жеста руку здоровый бутербродище с толстенным шматом ветчины и зеленью.

— Так было нужно, — сказала она. — Не обижайся, Виктор. Ну можешь... можешь отлупить меня, если хочешь. Выпороть как сидорову козу. Штаны снимать?

Виктор поперхнулся бутербродом. Склонным к педофилии с одновременной флагелляцией он себя раньше не считал.

— Если бы я осталась, Готор прикончил бы меня, — просто сказала Тэль, не сводя с Виктора пристального взгляда. — Пришлось отдать ему разбойников.

— Отдать? Ты позволила им умереть? Даже ребенку?

Тэль поморщилась, словно вслушиваясь во что-то неслышимое.

— Мальчишка жив, Виктор. За него не переживай.

— Откуда ты знаешь?!

— Чувствую, — с непоколебимой уверенностью сказала Тэль. — Ранен, потерял много крови, но ничего. Выходят. Гномы, они знаешь как Наказующих не любят... Впрочем, кто их любит, извергов!

— Так ты знала, что Наказующие нас догонят?!

— Конечно. С самого начала. Это было необходимо, Виктор. Я и так не сомневалась... и все же требовалась небольшая проверка. Осталось последнее дело. На мосту.

— На каком еще мосту? — беспомощно спросил Виктор. Злость бесследно исчезла.

— В Рянске мост есть, — охотно пояснила девчонка. — Там все и решится.

— В каком смысле? — Отчего-то Виктор внутренне похолодел. Было в словах Тэль что-то темное... и пахнущее кровью, кстати.

— У Готора приказ — покончить с тобой во что бы то ни стало. Но приказа связываться с гномами у Готора нет. Путь неприкосновенен. Собственно говоря, Готор возьмется за тебя, как только ты сойдешь с поезда.

— Это я и так знаю, — вырвалось у Виктора.

— Готор наложил на тебя дозорное заклятие. Оно не слишком сильно, однако позволяет все время держать тебя на поводке. Поэтому он может не рисковать. Наказующих, во избежание стычки, он оставил внутри. Готор атакует, как только ты спустишься с лесенки. Ты поступил очень благоразумно, не бросившись искать меня в Луге. Ты должен был понимать, что я тебя отыщу сама. Нам надо Готора обхитрить. И мост для этого — лучше всего. Магу Воды никогда не придет в голову, что ты попытаешься улизнуть от него на реке, где волшебство Готора особенно сильно. А мы попытаемся, и именно там.

— Да, но как...

— Очень просто. Слушай и не перебивай. — Тэль смешно сдвинула брови, точно играя в строгую учительницу. — Когда мы поедем через мост... Впрочем, нет. Говорить не буду, а то еще Водный подслушает. Когда я скомандую, делай просто как я, и все. Я заранее прошу у тебя прощения, мне придется командовать... Но это, надеюсь, в последний раз. А теперь давай есть, — закончила она.

— Давай, — оторопело сказал Виктор.

Некоторое время они сосредоточенно жевали.

— О Предельнике и его сыновьях жалеть не надо, — не отрываясь от еды, сказала Тэль. — Они умерли счастливыми, потому что защищали самое для себя дорогое.

— Но, Тэль... почему они называли меня «Владыкой»? Почему дали этот амулет? Что он вообще значит?

Девчонка наморщила лобик, сосредоточенно разглядывая медальон.

— И вправду, очень похож, — озабоченно сказала она. — Надо же... никто и не знал, что стражи так верны древним клятвам...

— Каким? — жадно спросил Виктор. Он, конечно же, все время помнил о том, что на особо дотошные расспросы наложен запрет, — но пока ничего страшного.

Тэль пристально взглянула на него — словно удивилась.

— Не будем пока об этом говорить. Не зови лихо, пока спит тихо. А что это значит... Вслушайся в себя, Виктор, — можно ли тебе меня об этом спрашивать? Медальон означает, что мы на верном пути. Что ты — человек Срединного Мира, а не отравленной Изнанки. Помнишь, что я говорила тебе о наших предках?

— Что они воевали вместе...

— Правильно. И вот тебе доказательства.

— Но ты же сама сказала — «похож»! А похожих людей может быть сколько угодно! — возопил Виктор. От всех этих высоких материй ум у него явно заходил за разум. — Сколько в мире двойников!

— Правильно, — кивнула Тэль. — Может быть, простое совпадение. А может быть, и портрет твоего предка. Например, деда или прадеда.

— Ну хорошо, — не выдержал Виктор. — А почему Водные хотят меня убить?

— Почему? Да потому что знают, кем был твой дедушка, — решительно отозвалась Тэль. — Или думают, что знают... им этого достаточно.

— Они что, видели медальон? — тупо спросил Виктор.

Тэль всплеснула тонкими руками.

— Нет, правду говорят — если мужчина подавляет свой гнев, этот яд отравляет его мысли... Мне, наверное, все же следовало снять штаны, а тебе — меня выдрать. Может, тогда ты и соображал бы лучше. Никакого медальона они, конечно же, не видели. Следили за мной... пытались напасть при переходе... а когда разглядели тебя, уверились полностью. И нача-

лась охота. Вот и все, очень просто. Но — Виктор, знай, Готора так просто не одолеть. Он сильный маг...

— Так что же мне делать?

— Как что? Драться!.. — Она внезапно напряглась, вскинула подбородок, став на миг точно насторожившаяся птичка-
пеночка — к чему-то прислушиваясь. — Кончаем разговоры, —
одними губами сказала Тэль. — Готор прислушиваться начинает. Пока еще не дотянулся, но... Давай я постанывать буду, а ты
диваном скрипи. Водный меня не знает. Пусть думает — ты
малолетнюю шлюшку на вокзале подцепил. Те, кто в отдельных купе ездят, часто так делают...

Виктора прошиб холодный пот. Все это уже слишком напоминало какое-то извращение.

— Ну же! — шепотом приказала Тэль.

Пришлось подчиниться. Девчонка принялась «постанывать», и притом настолько натурально, что у Виктора мгновенно запылали щеки.

— Все, хватит теперь, — распорядилась Тэль. — Им этого
и так надолго хватит. Можно говорить спокойно. А лучше бы
не говорить вовсе. До Рянска еще ехать и ехать. Там может
жарко быть. Отдохни пока.

— Тэль... Расскажи мне, кто ты такая? Ярослав... ну, сын
Предельника погибший... говорил, что есть четыре Стихийных да еще множество звериных кланов. А ты? Кто ты сама?

Тэль строго посмотрела на Виктора.

«Сейчас понесет что-нибудь о том, что, мол, тебе знать не
положено», — тоскливо подумал он. Однако все оказалось совсем не так. Тэль тихонько вздохнула, положила подбородок
на сцепленные пальцы рук. Казалось, ждала — он сам отка-
жется от вопроса.

Однако Виктор тревоги не чувствовал. Пока.

— Откуда я... не из четырех Стихийных, Виктор. И не из
тотемных, «звериных», как говорят в народе.

Речь Тэль сейчас никак не походила на речь четырнадца-
тилетней девчонки. Так могла говорить умудренная годами и
тревогами женщина. Много повидавшая и пережившая.

— Ты и в самом деле все очень скоро узнаешь сам. Я очень
боюсь исказить... подтолкнуть не туда... Ты сейчас... ну, как

бы на горке. И вправо можно покатиться, и влево. И назад, и вперед. А отчего это зависит — куда ты покатишься, — мало кто знает. Ритор, наверное, знает. Торн тоже. Еще пара-тройка магов...

— Ритор — это кто? — Виктору отчего-то стало не по себе. Было в этом имени что-то пугающее, как свист ветра смерти над выжженной пустыней. — И Торн... кто?

— Ритор — самый могучий волшебник клана Воздуха. И наверное, сильнейший сейчас маг всего Срединного Мира, если не считать, конечно, Хранителя. Торн — его вечный соперник, лучший чародей клана Воды... — Она пристально смотрела в лицо Виктору, словно ожидая, как он воспримет эти ее слова.

Ритор... Ритор... нет, в этом имени было нечто большее, чем простые тварные звуки. Ритор, Ритор, Рито-ор, свист боевого ветра, шелест распахнутых крыльев, беспощадная ярость, пробивающая облака стремительная громада закрытого тяжелой броней тела. «Ты пришел, Убийца», — громовой голос из-за туч. «Что ж, давай сразимся. Час настал, и я не побегу от судьбы. Пусть она решит, кому из нас жить, а кому — нет...»

...Двое измученных людей, мужчина и женщина, черный меч в руке мужчины, глухой шлем на голове. Неодолимая твердость во взгляде женщины, готовой умереть, но не покориться. Они не побегут. Они будут драться с тобой, Убийца-Виктор, драться до конца, потому что простое слово «Честь» для них — нечто большее, чем просто четыре буквы и мягкий знак на конце. Ты, Виктор... или не Виктор? — ты никогда не мог понять этого до конца. Можно ведь пережить все что угодно, если ты не размякшая барышня. Подняться после любого унижения. Сделать все для победы. Ты уже и так сделал... многое. А они — нет. Они не могут побежать, не могут показать врагу спину. Они отступали до самого последнего предела, до края мира, и дальше отступать уже не могут. Теперь им осталось только умереть.

Мужчина поднимает черный меч и становится в позицию. За спиной Убийцы набирает силу смертельный, напоенный огнем ветер, готовый смять и сокрушить любые преграды и защиты. Сколько крови и слез должно было пролиться, чтобы напоить ветер до такого предела? Чтобы подчинить Убийце такие силы, могущие сокрушить каменные крепости Властелинов, поразить смертью весь их поганый род?! И теперь пришло время последней платы.

Ноги мягко ступили по влажной земле. Над правой рукой стремительно зрело огненное яблоко. Все четыре стихии покорны сейчас тебе, Убийца, — не упусти же своего шанса! Эти двое, стоящие перед тобой, — последние из некогда великого рода. Доверши начатое — и Срединный Мир навсегда обретет свободу.

Совсем небольшой ценой.

А эти двое получат по заслугам. Суд давно состоялся, и приговор вынесен. И то, что приговор — обвинительный, подтверждается тем, что он, Убийца, смог пройти через все и все преодолеть, жадно устремляясь к этой последней схватке.

— *Начнем, — говорит Убийца, и все существо Виктора отзывается дрожью сладкого предвкушения. Отзывается его самая глубокая, потаенная сущность; может, ему и в самом деле написано на роду именно это — убивать Драконов в сказочных мирах?*

— *Начнем, — соглашается Дракон в глухом шлеме.*

— *Начнем, — кивает его спутница.*

И — странное дело! — он, Виктор, не то участник, не то незримый зритель давнего поединка, — ощущает нечто вроде укола совести. Они могли справиться с ним, когда он был моложе и слабее. Но теперь уже нет. Это не бой — а казнь. Исполнение приговора. И он, Убийца, — уже не воин, а палач. Что ж, Убийца на то и Убийца, чтобы добивать свои жертвы. Он не имеет права дать сочувствию овладеть им. Срединный Мир должен получить свободу. Страшные, проклятые замки на высоких бесплодных горах вдоль Теплого Берега никогда уже не оживут вновь.

— *Начнем, — повторяет Убийца. В его руке — сжатая в тугой комок сила Огня. За плечами — расправленные крылья Ветра. Под ногами — ждущая пасть Земли.*

А против всего этого — всего лишь один черный меч. Простой вороненый клинок. Да еще глухой шлем.

Женщина неторопливо обнажила изящную, длинную рапиру. В левую руку взяла дагу. Встала рядом с мужем.

Двое против одного — но знают, сколь неравны сейчас силы.

Драконы спокойно ждут. Они уже пережили все. Пораже-
ние, разгром, бегство. Они видели, как горят в собственном огне их родные. Как рушатся стены родовых замков и распадаются пеплом веками собиравшиеся библиотеки, в которых, как утвер-
ждалось, — мудрость всех трех миров.

Однако они никогда не станут просить: «Скорее...»

Убийца осторожно, словно величайшую драгоценность, вы-
таскивает из-за пояса кривую саблю чистого белого железа. Без всякой краски клинок ее бел, словно снег возле Серых Пре-
делов.

Убийца тоже не хочет покрывать себя бесчестьем, убивая тех, кто сейчас уже почти беззащитен перед его силой. И Виктор чувствует, как грудь его сдавливается восторгом — он, Убийца, и благороден, и честен. Он искренне пытается уравнять шансы.

И тоже становится в позицию...

— Виктор! — Сверху обрушивается поток ледяной воды.

Он открыл глаза.

Перестук колес, плавно покачивающийся вагон. Запертая на цепочку и засов дверь купе. И — перепуганная Тэль с кув-шином в руках.

— Ты вдруг... вдруг весь как-то поплыл, — виновато сказа-ла она. — И не отзывался. Тебя ведь повело, правда? Ты что-то видел?

— Тэль, я...

— Нет, не надо, не рассказывай! — Она поспешно зажала розовые ушки ладонями. Испуганная девочка, которую роди-тели позвали для «серьезного разговора». — И слышать не хочу! Помни — ты должен выбрать сам! Иначе... иначе... — голос ее упал, — иначе лучше бы тебе и не являться сюда. Страшно подумать, что ты натворишь, если... если станешь не самим собой.

— Не самим собой? — искренне удивился Виктор.

— Ну да. Потому что это — мука мученическая, всем пыткам пытка, и никакое существо выдержать ее не в силах. Вот потому я и боюсь... случайно тебя подтолкнуть. Потому что сила в истерзанном болью сердце — страшнее, чем...

— Чем псих на воле, — мрачно закончил Виктор. Все-таки было нечто детское, несерьезное во всех этих словах и ритуалах. Нечто игрушечное, нарочитое. Словно в этой, как ее, ролевой игре.

— Не смейся, — обиделась Тэль. Надула губки и на некоторое время отвернулась к окну. — Не смейся. Потому что это правда, а над ней смеяться нельзя. Обязательно отомстит.

— Хорошо, не буду, — покорно согласился Виктор. — Скажи тогда лучше, скоро там этот Рянск?

— Где-то за час до заката приедем.

— Тэль... а твои родители живы? — неожиданно спросил Виктор.

Глаза девочки на миг закрылись.

— Мою маму, — спокойно ответила она, — казнил Последний Дракон. Отец... тоже погиб.

— Господи... — вырвалось у Виктора.

— Когда я была совсем маленькой. Мама была замешана в мятеже. Мятеж подавили. Зачинщиков казнили. Дракон оказался милосердным. Он убил всех сразу и быстро. Никто не мучился, и потом он даже отдал тела родственникам для погребения. Такое не часто случалось.

— Дракон... — медленно произнес Виктор. Внутри закипал глухой гнев — не его гнев! — руки сами тянулись к оружию.

— Я могла только утаить это. Но не солгать, если ты спросишь в открытую. — Казалось, Тэль сейчас заплачет. — Только не спрашивай меня, кто такие Драконы.

— Кажется, я это знаю и так... — пробормотал Виктор.

Драконы. Величайшее проклятие мира. Зло, которое истреблял Убийца Драконов. Почти неуязвимые, непобедимые, почти не старящиеся — почти, до тех пор, пока не появлялся Убийца Драконов, если судить по последнему... сну? видению? наваждению?

«Почему вот только все это является мне?» — подумал Виктор.

— Потому что это судьба, Виктор, — тихонько и очень по-взрослому сказала Тэль. — Не беги от нее, взгляни в ее лицо... и будь что будет.

Хор был в бешенстве:

— Ты можешь хотя бы объяснить, куда тебя несет? Сейчас, когда мы на грани войны с Водой? А?

Лой молча собиралась. Короткое платье из грубого хлопка, вязка деревянных бус, сандалии из мягкой кожи. Так могла одеваться либо женщина высокого положения, уже утратившая вкус к драгоценным побрякушкам и роскошным тканям, либо простая крестьянка, боящаяся даже подойти к землям клана.

Сейчас Лой были одинаково важны обе причины.

— Если ты сгинешь... — Хор замолчал и вдруг, понизив голос, попросил: — Лой, позволь мне идти с тобой.

Мысленно Лой торжествующе улыбнулась. Любит. Очень любит. Ревнует, боится, переживает...

— Милый... — Она подошла к Хору, мягко прижалась. От воина пахло вином, потом и чьими-то духами. Надо запомнить запах... Ведь наверняка прибежал с веселой пирушки, бросив и молоденьких подруг, и испытанных собутыльников. Прибежал сразу, как только Лой приказала уйти служанке-соглядатаю, то ли подкупленной, то ли соблазненной Хором.

Просто все-таки управлять мужчинами...

— Я ничего не могу тебе сказать. Сейчас — не могу... милый...

Хор напрягся, потянулся было, чтобы грубо и страстно сграбастать Лой, но она ловко вывернулась.

— Настанет время — и ты все узнаешь, — успокаивающе продолжила Лой. — А сейчас я пойду. Одна. И не посылай вслед своих шпионов, ага? Мужчин я соблазню, а девушек могу и поцарапать...

Хор выдал витиеватое ругательство. Окинул Лой более внимательным взглядом, спросил:

— Что, нашла дружка среди поселян?

С самым серьезным видом Лой покачала головой. И даже позволила блеснуть в глазах слезинке — от незаслуженной обиды.

В конце концов, она уже года два как не заводила интрижек вне кланов!

— Не сердись, — сказала Лой, открывая неприметную дверцу в свою «магическую комнату». Хор шагнул было следом, но вовремя остановился. Вторгаться в святая святых мага — это было чревато полным разрывом.

— Кошка! — бросил он с такой яростью, словно сам принадлежал к иному клану.

Лой захлопнула дверцу. Постояла, разом утратив всю показную уверенность.

Что же она делает? А?

Нет, то, что Хор сейчас двинется обратно в развеселую компанию, ее ничуть не тревожило. Она давным-давно поняла — крепче всего тот поводок, которому порой даешь слабину.

Беспокоил Лой ее собственный план. Одно дело — осадить Оту, лишний раз подчеркнуть свою исключительность. А другое — предпринять вылазку.

Торн не простит ей унижения. Ни один мужчина не простит того, что она сотворила...

Полную информацию можно получить лишь в клане Воды. Воздух не в счет — раз не Ритор начинал конфликт, значит, не владеет всеми сведениями.

Что же делать?

— А? Думай, дурочка, думай... — ласково попросила саму себя Лой. — До Водных ты доберешься, а дальше?

Не хотелось ей тонуть, или иссыхать, или даже получить экзекуцию водными бичами. А фантазия у Торна богатая, мало ли что он придумает в наказание...

Богатая фантазия...

— Попробуем, киска? — задумчиво сказала Лой. — Рискнем?

В конце концов, что такое жизнь без риска! Секс приедается, яства вызывают лишь отвращение, властные интрижки становятся однообразны и скучны. Но когда жизнь и смерть ставятся на карту, когда сердце начинает частить в испуге — все краски мира обретают первозданную свежесть.

Открыв потайную дверцу, Лой двинулась по узкому, уходящему все глубже и глубже под землю коридору. Ход шел под корнями исполинского дуба, служившего кровлей и стенами бального зала, шел под гномьим Путем — порой тут даже слышался перестук колес их отвратительных локомотивов, шел под рекой — здесь было очень сыро и звенела по каменному полу капель... Не любила Лой пользоваться этим выходом. Два часа по подземному лазу — утомительно и неприятно для любого.

Зато она выйдет у маленькой ленной деревушки, населенной людьми и гномами. Рядом со станцией Пути, в трех часах езды от мест обитания Водных.

ГЛАВА 10

Лой находила особый интерес в путешествиях инкогнито. Нет, конечно, не потому, что ей нравилось, — кому могут понравиться грязноватые вагоны, тупые и наглые попутчики, отсутствие привычного уважения во взглядах. Удовольствие было в ином — знать, что все это «понарошку». Не насовсем. Говорят, подобные забавы любил один из мелких человеческих властителей востока — Харун Рашид. Бродил по своим городам в простой одежде, без охраны, наблюдал, как живет народ, а потом поражал придворных знанием обстановки в государстве. Прекратил он эти забавы то ли после того, как подцепил в трущобах дурную неизлечимую болезнь, то ли после того, как его зарезали насмерть в темном переулке... тут рассказчики расходились во мнениях в зависимости от чувства юмора и степени кровожадности.

Но ведь Харун не был магом, не так ли?

В своем простом платье, без украшений и косметики, Лой все равно выделялась в толпе. Так породистый щен, украденный неосторожным крестьянином у сеньора, все равно заметен в толпе дворовых собратьев. Но, помимо жадных мужских взглядов и завистливо-пренебрежительных женских, Лой ничего особенного не замечала. Соглядатаи либо ее не нашли, либо Хор смирился и пожалел шпионов.

За шесть медяков Лой купила в кассе билет в общий вагон, с местом, но без права спать. Поезд был медленный, «Гордость Олхиды», но до обиталища Водных часа за четыре добраться должен.

Сами собой ноги понесли ее к залу ожидания для магов — и лишь наткнувшись на охранника-эльфа у дверей, Лой сообразила, что делает. Эльф, окинув презрительным взглядом простолюдинку, все же снизошел до объяснений:

— Не про тебя место. Тут Коты собираются... иди-ка подальше, а то...

Он оскалился, не слишком успешно пародируя знаменитую боевую гримасу Котов. Через плечо эльфа Лой видела, что зал, к счастью, пуст и опознать ее некому.

— Ой... ой... — запричитала она, отступая. Может, слишком уж поспешно — девицы из простых были вовсе не прочь подцепить ухажера-Кота, но охранник удовлетворенно заулыбался.

Проклиная себя за глупость — надо же, расслабилась, будь эльф поумнее и понаблюдательнее, заподозрил бы неладное, — Лой прошла в общий зал. Здесь было душновато и пол не мыли уже пару дней, а уж народа набилось...

Лой с трудом нашла себе местечко, села на скамейке, прямо и чинно, прикрыв руками голые коленки. На взгляд обычного человека, ей было лет семнадцать-восемнадцать, девица в самом соку, и соседи начали петушиться. Два паренька, по виду то ли мастеровые, то ли студенты, принялись громко и умно разговаривать о паровой магии гномов, о том, что постигнуть ее по силам и людям. Какой-то рейтар постарше, может быть служивший ленному властителю, а может быть и состоящий в клановом ополчении, напыжился, выпятил заляпанную орденами грудь и принялся сверлить Лой взглядом. На красноречие свое он мудро не полагался и рассчитывал лишь на героическую внешность. И даже пожилые крестьяне, кто с узлами и корзинами, кто с толстыми и некрасивыми женами, невольно приосанились. Бедненькие... Лой, довольная эффектом, заложила ногу за ногу, демонстрируя их безукоризненную форму.

Будь эта вылазка простым приключением, она бы, возможно, и отдала дань героическому вояке... или студентикам, сразу обоим, ибо в их силах она сомневалась. Но не до того ей сейчас было. Впереди ждал клан Воды... и разъяренный, кипящий желанием мести Торн.

При этой мысли Лой обдало холодом. Нет, не врет пословица, погубит ее любопытство. Только что поделать — не в отваге бойцов, не в кокетстве женщин главная сила ее клана. Информация, сплетни, слухи, тонко пущенная ложь и вовремя сказанная правда — вот оружие клана Кошек.

Прогудела, приближаясь к вокзалу, «Гордость Олхиды». Лой скромно пошла в толпе, старательно потупив глаза и прижимаясь к стеночке. Не надо на нее пялиться, она скромненькая и послушная девочка, едет в гости к бабушке, ухлестывать бесполезно, лучше за кем другим приударить...

Рейтар все же направился следом. Как на грех, и у него билет оказался в общий вагон, и когда Лой приглядела себе местечко — между двумя сухонькими, дремлющими над своими корзинами старушками, рейтар уселся напротив. Вновь напыжился, выпятил грудь, зазвенел медалями. Лой украдкой покосилась на планки — так, за оборону Стополья... значит, воевал за князей, там была чисто человеческая война... орден «Большой Воды»... нанимался Водными... а это что? Орден Шмалько-великомученика? Его специально придумали для гарнизона Иловой крепости, за титаническую усидчивость в обороне. Беда лишь в том, что крепость так никто никогда и не атаковал, и красивая яшмовая побрякушка была по сути эквивалентом значка за выслугу лет. Бедолага Шмалько, в честь которого назвали орден, волонтер корпуса «Ладный гром», еще при первой обороне Стополья укрылся в каком-то древнем могильнике, потерялся и блуждал по бесконечным карстовым лабиринтам два долгих года, питаясь речным илом и летучими мышами. Однако, когда курган отрыли и бравый солдат вышел на свет, при нем по-прежнему была казенная алебарда, что вызвало у победивших противников известное уважение.

Рейтар, приняв улыбку Лой на свой счет, расцвел. Он, видимо, полагал, что наличие медалей, палаша и пары пистолетов на поясе — все, что нужно для побед на любовном фронте.

И когда через полчаса Лой встала и двинулась в туалетную комнату, рейтар направился следом. Только в тамбуре Лой обратила на это внимание — да и трудно было не заметить крепкую руку, опустившуюся на плечо.

— Детка... — Рейтар прокашлялся. — Я парень простой, говорить не обучен.

Лой смерила его презрительным взглядом. Но рейтар уже набрал полный ход и остановиться не мог.

— Значит, так, ты мне сразу понравилась, твои глаза мне душу обожгли...

Сочтя вступительную фазу законченной, рейтар обхватил Лой и приник к ее губам жадным поцелуем. Лой равнодушно переждала и спросила:

— А что дальше?

Видимо, рейтар решил, что девушка полностью покорена. Заозирался, пробормотал:

— В туалете-то оно неромантично...

— Проверим, — сказала Лой. Те, кто хорошо ее знал, едва уловив такие интонации в голосе, бросились бы наутек. Но рейтар в их число не входил.

...Когда через полчаса рейтар вернулся из туалетной кабины — Лой пришлось прогуляться до соседнего вагона, — он был мокрый, но уже почти чистый. А синяк под глазом и царапины на шее — мелочь для такого героя. Лой с любопытством смотрела на приближающегося вояку. Неужели мало?

— Не серчайте. — Рейтар коротко поклонился и отошел в другой конец коридора. Лой мысленно зааплодировала. Умеет проигрывать и не считает зазорным признать, что юная девушка оказалась крепче. Молодец. Ладно, доведется встретиться в другой раз... может, и по-другому все повернется.

Бабушки-соседки одобрительно смотрели на нее. Лой прикрыла глаза, размышляя. Забавное происшествие вернуло уверенность в себе... хоть Торна и не макнешь головой в унитаз. И все же настроение улучшилось. Любого мужчину можно покорить. Главное — соблюсти баланс силы и слабости, напора и податливости.

Дальнейший путь прошел без приключений. Несколько раз поезд притормаживал на маленьких станциях, кто-то выходил, кто-то садился, пробегали торопливо по вагону торговцы, нахваливая свою сладкую воду, снежные пирожные и ореховые палочки. Но Лой не хотелось ни есть, ни пить. Она размышляла, пытаясь предусмотреть все возможные реакции Торна и заранее найти выигрышную линию поведения. Скорее всего это окажется бесполезным. И все же — такая разминка для ума никогда лишней не бывает.

А потом в вагоне зашумели, стали собирать вещи. Поезд наконец-то вырвался из горных долин, спустился к морю и пошел вдоль прибрежной полосы. В открытые окна врывался соленый ветер, запахло йодом. Лой едва заметно поморщилась. Приоткрыла один глаз, наблюдая за приближающимся Стопольем.

Красив был древний город, давным-давно, еще до прихода кланов, вставший на морском берегу. В чьих руках только не перебывал, прельщая моряков обилием удобных бухт, простых селян — плодородием земель, рождающих чудесные виноградные лозы, князей и наместников — великолепием пейзажа.

Но последние столетия, когда Стополье облюбовали Водные, все попытки подраться за город прекратились. Даже со стороны других кланов не было поползновений — отобрать, положим, город смогли бы, а вот жить в нем после этого... Лишь магия, вытянувшая из недр артезианские воды и повернувшая течение рек, смогла превратить Стополье в подлинно райский уголок.

Как бы ни были Кошки равнодушны к воде, но и у Лой перехватило дыхание от восхищения. Давно она не была в Стополье, давно... Подавшись вперед с жесткой скамьи, она жадно смотрела в окно.

Меловые холмы, на срезанных верхушках которых стояли белоснежные дворцы. Радуги над фонтанами — будто весь город оплетен голубой сетью, над которой дрожат цветные блики. Дороги — тоже белые, чистые... легко Водным Стополье в чистоте держать, каждую ночь — короткий освежающий ливень, и вся грязь уходит по каналам в море, а там послушными течениями уволакивается прочь от берега.

Лой подавила непрошеную ревность, нахлынувшую вдруг при виде Стополья. Ладно. Не твой это город, не твой это клан, и быстро наскучила бы хрустальная чистота воздуха и плеск фонтанов. Сейчас о другом думать надо — как бы живой здесь остаться и дело свое сделать.

Поезд, с шипением стравливая пар, замер напротив здания вокзала, облицованного нежно-розовым ракушечником. И сразу же хлынула толпа из всех вагонов — диву даешься, сколько же людей вмещалось в дощатых коробках. Стополье — город большой. Из стихийных кланов лишь Водный и Земной позволили разрастись таким крупным поселениям. Огонь и Воздух то ли не желали подобного, то ли самой природой своей магии отпугивали простой люд. Что ни говори — а магия Воды и Земли, пусть и не менее убийственная и мощная, куда проще для людского понимания...

Лой вышла из вагона последней. Уже уковыляли с перрона бабки-соседки, ушел, оглянувшись один раз, опозоренный, но не озлобившийся рейтар, а она все собиралась с духом.

— Что угодно, госпожа?

Отмахнувшись от носильщика — ну неужели не видит, что никаких вещей у нее с собой нет? — Лой прошла в здание вокзала. Здесь тоже хватало проявлений Силы. Водные не поскупились — и фонтан в центре зала, чьи струи взмывали вверх медленно и неспешно, будто и не вода, а тягучий клеевой раствор или густой сироп, и под ногами — прозрачное, подсвеченное или электрической магией, или еще чем озеро. Идешь по полу и не понять — то ли стекло прикрывает воду, то ли вода, насмехаясь над привычным, обрела прочность поверхности...

Здесь она тоже привлекала чужие взгляды. Но меньше — Стополье кишит человеческой знатью, и красивые девушки съезжаются сюда со всех сторон.

Лой перекусила чуть-чуть в ресторанчике при вокзале — грех было не воспользоваться случаем, здесь вылавливали в щедрых морских глубинах такую рыбу, что отведать ее приезжали специально. И двинулась по улице.

Жизнь бурлила. На тележках и арбах свозили к вокзалу товары — в основном ту же самую рыбу, вяленую, сушеную или охраненную заклятиями Водных — хоть неделю ее держи на воздухе, останется живой. Есть хватка у клана, и силой свое берут, и подторговать заклинаниями не упускают... Прогуливались празднично одетые люди и эльфы (эльфов, правда, поменьше) — наверняка приехали издали, от Серых Пределов и Железных Гор, просадить на теплом берегу честно заработанное или неправедно нажитое... Хватало, конечно, и гулящих девиц, настороженно оглядывающих Лой — не конкурентка ли? — и нищих, просящих подаяние на перекрестках. Но даже нищие выглядели тут по-иному, не вызывали брезгливого раздражения, и продажные женщины, обычно приводящие Лой в ярость — нельзя продавать любовь, дарить — можно, продавать — нет! — казались неизбежным и веселым элементом пейзажа.

Странное место Стополье. Здесь всего много — и магии, и денег, и веселья, и порока. И все сплетено так хитро, что ни одной ниточки не выдернешь — все рухнет в одночасье...

Дворцы, где жили Водные, растянулись вдоль побережья, в речной петле. Раньше этой речушки не было, она пришла вместе с магами клана, когда те окончательно облюбовали Стополье в качестве места обиталища. Лой неторопливо — ох, не хотелось ей спешить, может, и впрямь — погулять и вернуться? — перешла через ажурный мостик. Постояла, вслушиваясь в Силу. Чужую Силу...

Здесь уже случайные люди не ходят. А если и забредут — то убедятся, что зря. Вначале их промочит нежданным дождиком. Потом угодят в невесть откуда взявшуюся лужу. Затем водный монстр — не самое приятное создание — увяжется следом, и даже самый тупой поймет, что лучше уходить.

Но ей это не грозит. Ее Силу почувствуют быстро... доложат Торну... и вот тут-то все и начнется.

Усевшись на скамейке напротив колледжа магов Воды, Лой принялась ждать. Глядела на играющих детей... много, очень много учеников у Водных. Говорят, что школы Огня и Воздуха за последние годы ослабли. Печально, это нарушает баланс и приводит к таким вот бедам, как ссоры кланов. Конечно, количество не есть качество, и средний ученик Воздуха наверняка сильнее Водного. Но при такой разнице в количестве магов тонкость и мастерство волшбы уже не играют решающей роли.

А дети развлекались, как любые дети любого клана, вырвавшиеся с занятий на свежий воздух. Некоторые пытались (оглядываясь на окна, ибо формально боевая магия была для них под строгим запретом) сотворить бичи. У двоих это даже получилось — и сейчас они азартно рубились, стараясь рассечь чужое оружие. Лой покачала головой — без ран не обойдется, и хорошо еще, если никто не лишится куска мяса. Целая толпа лепила водного демона — безуспешно, конечно, для этого нужна хотя бы седьмая ступень, а с ней уже в школе не учатся. Несколько учеников постарше вели глубокомысленную беседу... причем — поглядывая на Лой. Точь-в-точь как студенты на вокзале... Лой усмехнулась.

— Лой Ивер?

Она обернулась.

Стража подошла абсолютно неслышно. Так неслышно, что Лой почувствовала ее приближение лишь минуту назад, и с тех пор особенно заинтересованно стала пялиться на двор колледжа.

Трое магов-бойцов. И маг третьей ступени.

Ого-го!

Веселый задор охватил Лой. Если уж такая важная птица... нет, такая важная рыба явилась по ее душу! Значит, Торн уже в курсе. Рвет и мечет. Сыплет приказаниями, как щука икрой.

Поиграем, котик...

— О, ребятки, устала ждать... — Мило улыбнувшись, Лой поднялась со скамейки. — А я залюбовалась вашей будущей сменой. Растут таланты!

— Талантов там не много, — не отводя от нее внимательного взгляда, ответил старший маг. Лицо у него было бледное, болезненное — то ли и впрямь страдает чем, то ли в последнее время отдал массу сил. — Все таланты давно уже в строю.

— В строю? — громко удивилась Лой. — Неужели клан Воды с кем-то не в ладах?

Маг пожевал губами, потом улыбнулся:

— И мы хотели бы это знать. Лой Ивер, магистр Торн ждет вас в своих апартаментах.

Лой Ивер едва заметно нахмурила бровки, и маг понял намек.

— Прошу вас, высокородная госпожа, маг первой ступени, глава клана Кошки, Лой Ивер, нанести визит высокородному господину, магу первой ступени, главе клана Воды, Торну Нагаеву.

Лой грациозно протянула магу руку — и тот, не успев сообразить, что делает, припал к ней губами. Оторвался... посмотрел ей в глаза... и взгляд его стал мутнеть. Еще секунду Лой подержала мага на невидимом поводке, сотканном из едва заметных движений рук, секундной мимики, плавных изгибов тела, пульсации взгляда и волны феромонов.

Нет, она не собирается брать мага под контроль. Торн почувствует, и скандал выйдет страшный. Пусть просто поймет, с кем имеет дело, и не считает, будто маг третьей ступени стихийного клана — это больше, чем маг первой ступени клана Кошки.

— Я с удовольствием приму приглашение уважаемого Торна.

Краем глаза Лой видела недвусмысленный отблеск росы на листьях деревьев. Отблеск, складывающийся в гротескное лицо Торна.

Что ж, пусть маг поломает голову, почему Лой сама — САМА — идет к нему в руки!

Здесь даже закаты были неправильные.

Солнце, весь день лениво двигавшееся по небосводу, вдруг закатывалось за горизонт так стремительно, так быстро, что темнота вмиг охватывала мир.

Виктор подумал, что это могло быть связано с воздухом. Просто слишком чистый воздух, без копоти и пыли Изнанки. Неоткуда взяться долгим, красивым закатам.

Впрочем, это объяснение было чужим, взятым из обычного мира. Здесь оно тоже могло быть правдой, а могло и не значить ровным счетом ничего.

Тэль дремала, раскинувшись на кровати. Лицом зарылась в подушки, руки прижала к груди. Виктор ощутил невольный укол заботливости, смешанной с тревогой. Он должен защищать девочку...

Да что за чушь! Тэль здесь — как рыба в воде, как птица в небе. Уж она-то точно выпутается из всех неприятностей! Если надо — снова сбежит, бросит его, когда захочет — появится. О себе стоит позаботиться...

И все же он не мог ничего поделать с этим неистребимым, глупым мужским инстинктом — защищать. Тем более — женщину. Тем более — девочку. Смешно, если реально оценивать их силы и способности, но такие вот рефлексы и делают людей людьми.

Виктор достал меч, положил на колени. Посидел немного, представляя, как сейчас смотрится со стороны.

Более чем забавно. Купе, отделанное в лучших традициях девятнадцатого века. За окном — стремительно наступающая ночь. Доверчиво спящая девочка. Слабые шорохи за стенкой, где сидят маги-убийцы. И он сам, с мечом в руках и каменной мордой героя...

Виктор тихонько засмеялся. Нет, скорей бы река и мост. Что угодно лучше такого вот ожидания. Он протянул руку, придерживая, чтоб не щелкнул, повернул фарфоровый рычажок. Над кроватью загорелась неяркая лампа в матовом абажуре.

А ведь ему нравится этот мир! Что-то ностальгическое и притягательное есть в этой лениво, неспешно развивающейся технике. Уж если пар — так паровоз будет мчаться на скорости в сотню километров. Да и как ровно — видимо, за путями следят очень тщательно. Если уж электричество — так свет будет именно таким, какой приятен для глаз. Никакой режущей яркости. Все спокойно, основательно, надежно.

Если бы еще не было магии... смертельной магии.

В дверь постучали — тихонько-тихонько. Виктор встал, держа меч перед собой, приблизился к двери.

— Кто?

— Проводник, — отозвались таким же шепотом.

После секундного колебания Виктор отпер замок.

Это и впрямь был гном. В коридоре царила тишина, будто все в вагоне легли спать пораньше. А может, просто заперлись в купе, не желая случайно попасть в чужую свару?

— Через полчаса город, — тихо сказал гном. — Вам сходить.

Виктор молча кивнул. Почему-то ему казалось, что проводник сочувствует именно ему. Вот только не рискует помочь ничем, кроме строгого нейтралитета.

— Хорошо. Мне сдать постельное белье?

Гном нахмурился, явно ничего не понимая:

— Белье? Зачем? Что ж я, кому-то грязное стелить буду? Хотите — оставляйте, хотите — с собой забирайте.

Виктор кивнул, вспоминая бдительных проводников Изнанки, придирчиво пересчитывающих грязные тряпки, именуемые полотенцами и наволочками.

— Уж не знаю, чего вам и пожелать... — сказал гном. Покосился на спящую Тэль: — Ух... пролезла-таки...

Он пригладил бородку.

— Ладно... пускай хоть быстро...

Развернувшись, гном двинулся по коридору. Виктор только головой покачал, сообразив, чего ему пожелали.

— «Если смерти — то мгновенной, если раны — небольшой...» — промурлыкал он оптимистичную строку из песни. Заперся, подошел к кровати, нагнулся над Тэль. Она все спала. Невольно улыбнувшись, Виктор пощекотал пальцем маленькую розовую ступню.

Тэль поджала ногу.

— Пора, — негромко сказал Виктор. — Тэль, просыпайся...

Никакой реакции.

Чувствуя себя Гумбертом Гумбертом, Виктор повторил процедуру. Тэль что-то сонно пробормотала, повернулась, открыла глаза.

— Мы подъезжаем.

Протирая глаза, девочка уселась на кровати. Посмотрела в окно. Зевнула:

— Еще минут семь можно было подремать...

— У тебя не нервы, а стальные канаты, — искренне позавидовал Виктор. — Ты хоть понимаешь, что может произойти?

— Куда лучше, чем ты, — отрезала Тэль. — Потому и хотела отдохнуть. Мне такой приятный сон снился...

— Хорошо тебе. Я, кажется, этого удовольствия навсегда лишился.

Тэль состроила сочувственную гримаску. Начала обуваться, тщательно зашнуровывая сапожки.

— Бедненький... А мне снилось, что я бегаю по лугу, луг весь в ромашках, и никого рядом нет, и никуда идти не нужно. Я стала гадать на ромашке, и тут ты меня разбудил...

Виктор невольно усмехнулся.

Тэль заглянула в окно, всмотрелась:

— Вон река. И мост уже видно.

Припав к стеклу, Виктор глянул вперед, по ходу поезда.

Река была широкой. Не Волга, конечно. Но...

А это еще что?

Мост выгибался над рекой стальным горбом. Тонкие опоры — то ли бетон, то ли камень — возносили рельсы на высоту метров пятьдесят. В последних отблесках уходящего дня вода серебрилась, и казалось, будто под мостом — мелководье.

— Тэль...

Кажется, девчонка что-то говорила про мост... Однако при одном взгляде на это инженерное страшилище Виктор враз позабыл даже о Готоре и его команде. Что Тэль собирается здесь делать? Река... средоточие силы Водных... и принимать здесь бой?

— Что ты задумала?

Вместо ответа Тэль весьма выразительно поглядела на окно.

— Прыгать? — задохнулся Виктор. — ТУДА?

— Тс-с-с! — Тэль прижала пальчик к губам. Блеснуло золото ногтей. — Именно так. Оба выхода они перекроют. Наверняка уже перекрыли. Остается только один путь. Наступает Противочас их магии, они не смогут сражаться в полную силу.

— Мы же расшибемся о воду, — беспомощно сказал Виктор. — При чем тут магия?

— Не расшибемся, — отрезала Тэль, — если Готор не заметит. Думаешь, так уж легко обратить воду льдом — даже такому магу, как он?

О том, что совсем необязательно падать на лед, чтобы расшибиться о воду, здесь, похоже, предпочитали не вспоминать.

— Открывай! — скомандовала Тэль. Виктор повиновался.

Рама казалась закрепленной намертво. Гномы все делали на совесть. Однако стоило слегка потянуть ручку, как стекло неожиданно легко опустилось. В купе ворвался встречный ветер пополам с паровозной гарью.

На полной скорости «Стрела Грома» приближалась к мосту. Мелькнул сторожевой пост — каменная башенка и двое мрачных гномов со здоровенными аркебузами. Третий, с арбалетом в руках, для чего-то взгромоздился на низкую толстую лошадь. Похоже, мосты в этом мире охранялись точно так же, как и какой-нибудь Мстинский мост в родной Изнанке.

Живое серебро водной глади мелькнуло далеко внизу. С легким облегчением Виктор отметил, что никаких ограждений и ферм на мосту нет. Только две нитки рельсового пути. По крайней мере нет риска разбиться об ограждения.

И тут задергалась дверь. В коридоре зазвучали приглушенные злые голоса.

— Прыгаем, Виктор! — Голосок Тэль зазвенел. — Вот теперь — прыгаем! Быстрее, иначе — смерть!

Одним гибким движением она оказалась на столике, возле открытого окна.

— Меч-то не бросай! — заметила она строго. — Давай, я — первая!

И бросилась вниз. Виктору показалось — ветер подхватил тонкое тело, рывком поволок в сторону...

Дверь затрещала. Из-под нее потекли темные струйки.

Виктор зажмурился. Главное — войти в воду вертикально. И еще — крайне желательно не ногами вперед. В буквальном смысле. А не то смысл буквальный враз станет переносным.

Виктор выругался и бросил тело вниз.

В его распоряжении было около пяти секунд. Опытный маг наверняка успеет немало сделать за это время. Тем более маг Водный.

А ведь Тэль говорила что-то о прыжках со скал...

Он падал, сжимая в руке меч. Падал отнюдь не головой, а кулем, да еще и отчаянно дергая зачем-то ногами.

А внизу поверхность реки вдруг стала подниматься ему навстречу чудовищным горбом. Серебро надувалось, набухало, словно чудовищный нарыв; Виктор невольно поднял голову (когда только успел!) — наверху, на фоне вечереющего неба, замерли распяленные силуэты четверых преследователей.

«Отчего же я еще жив? И отчего так долго падаю, словно Алиса вниз по кроличьей норе?»

Водяной горб внизу начал раскрываться, прорисовывалась чудовищная фигура, вся состоящая из одной громадной пасти, из давящих и рвущих челюстей.

Виктор судорожно извернулся в воздухе... и воздух неожиданно послушно поддержал его. Тело все еще падало, но медленно, очень медленно; руки, казалось, раскалились добела, а меч стал просто яростно светящейся полосой зеленого огня.

А может, это все просто казалось...

Всплеск. Ледяная вода осенней реки приняла Виктора. И тотчас же навалилась скручивающая, рвущая боль — словно он очутился в чудовищных тисках.

Он взмахнул руками — вверх, вверх, вверх, к свету и воздуху!

Тяжелая лапа составленного из воды зверя вдавила его обратно в глубину. Снизу, сквозь серую мглу он видел четыре неподвижно застывших прямо над водной гладью силуэта — Готор и его присные.

Захлебываясь, обдирая бока о сделавшуюся внезапно жесткой и колючей воду, Виктор продолжал рваться вверх.

И тотчас же пришло: да как они смеют? Как смеют они, жалкие волшебничишки, вставать на пути у него, Убийцы? Ему так и не удалось пустить Силу в ход, когда шел бой на вокзале и сыновья Предельника умирали один за другим, защищая его, но, может, сейчас?..

Вода сжимала его, сдавливала, словно стремясь во что бы то ни стало проломиться внутрь, разорвать натянутые на ребра мышцы и кожу, смять легкие, обратив Виктора в жалкое подобие выпотрошенной рыбы. Сверху вода приобретала плотность засыхающего клея — Виктора, точно муху в янтаре, намеревались закупорить в сгущенной воде и, очевидно, в таковом же виде представить... как его... Торну.

Не бывать этому! Ваш гнев, Водные, — мое оружие! Огонь в моих руках, ветер за моей спиной, земля у меня под ногами!

И ты, вода, не дерзай вредить мне, иначе я иссушу все твои пути огненным дыханием, и все, что в тебе, умрет, и все, питающиеся от тебя, умрут, и умрешь ты сама!

Виктора окатила волна жара. Вокруг его рук вода мгновенно вскипела, обращаясь в пар; меч с легкостью рассек готовую стянуться крышу ловушки, и Виктора подбросило вверх.

Когда от твоих рук вверх рвутся клубы пара — это не слишком приятно. Ощущение как в котельной с прорванной магистралью. Окутанный белым облаком, Виктор очутился на поверхности. И в правый висок тотчас же ударил водяной бич.

Точнее, он должен был бы ударить. Но способная резать металл струя воды обернулась бесформенным клубом пара, едва соприкоснувшись с головой жертвы. Откуда-то справа раздался сдавленный вопль.

Виктор рванулся к берегу — словно раскаленная чушка на канате, оставляя за собой дымный след. Противников он не видел.

...Наверное, огонь внутри него питался Викторовой же яростью. Постепенно жар начал спадать, пар перестал рваться из-под рук. Теперь он просто плыл — не слишком быстро и не слишком умело, сносимый под мост сильным течением. Виктор оглянулся.

Готор и еще двое магов-бойцов плавно скользили по водной глади следом за Виктором. Скользили, легко и непринужденно балансируя на поверхности, словно на водных лыжах. На лицах — неприкрытое торжество. Сейчас, сейчас, сейчас...

А куда же делся третий вояка?

Конечно же, уйти на берег они ему не дали.

— Вот тебе и конец, самозванец! — в предвкушении взвыл Готор.

Виктор нащупал под ногами дно, когда магу удалось наконец воссоздать водного монстра.

Окрашенная закатом в алые тона, гигантская фигура дотянулась макушкой до каменного изгиба моста высоко вверх. Сотня струй-рук рванулась к Виктору, замершему по горло в воде, с бесполезным эльфийским мечом в опущенной руке...

Как известно, «волны гасят ветер». Но верно также и обратное.

Невидимый воздушный кулак, набрав разбег над низкой приречной равниной, пронесся над головой Виктора.

«Убить. Убить! УБИТЬ!» — тысячами голосов гремело и горело в сознании.

Свистящий поток, умеющий крушить толстенные деревья и срывать крыши каменных замков, пройдя над головой Виктора, напитался живым огнем. Поток воющего от ярости горящего воздуха сшибся с водяным монстром, лишь чуть-чуть не дотянувшимся до Виктора.

Наверное, так взрывались паровые котлы на старинных пароходах — только очень большие котлы, размером с крепостную башню. Чудовищное облако пара, во все стороны рвутся бело-дымные струи, словно в агонии шарящие руки.

Пламенный клинок пошел вверх, он резал водного гиганта, однако каждый дюйм давался с громадным трудом. Холод воды тоже наступал, тщась задавить и загасить пламя, заставить горящий ветер скользнуть по закованному в броню стремительно твердеющего льда боку, заклятия Готора гнали и гнали воды, выдергивая их с речного лона; двое его приспешников заходили с боков, однако они явно осторожничали. Водяной бич оказался не столь уж хорош. Да еще и убил собственного хозяина, напоровшись на завесу раскаленного воздуха.

Крылья, обнимающие мир, лапы, попирающие мир, пламя, обжигающее мир, разум... неужели вот эти жалкие выродки, поднахватавшись крох магии с барского стола, неужели они вновь возьмут верх?!

Из горла Виктора вырвался вопль. Точнее, даже не вопль, не крик, не рев и не вой — все вместе, трубный глас, дающий понять всему живому, что настало время уносить ноги, что гнева не сдержать уже ничем, и пусть спасается тот, кто не успел.

Облако пара уже поднялось много выше моста. Водяной демон шаг за шагом отступал, теснимый огненным ветром; откуда-то справа вынырнул Готор — лицо искажено, из руки, словно ее продолжение, рвется водяной кнут; по бокам — двое последних бойцов, наступают с мужеством отчаяния; пока Виктор дрался с чудовищем, маги отрезали ему дорогу к берегу. Придется продолжать бой, стоя по шею в воде.

Виктор поднял меч над головой.

— Ты все равно умрешь, — прохрипел Готор. — Мы не отступим...

Наверное, он мог бы придумать что-то еще, этот маг; но отчего-то старался задавить Виктора одной силой.

Три бича вспороли воздух возле самой головы Виктора. Сливаясь с окружавшей водой, они взрывались снопами режущих точно бритвы брызг. По щекам, лбу и вискам потекла кровь, заливая глаза, — правда, боли Виктор не ощутил, только взъярился еще больше, почувствовав во рту солоноватый вкус.

Раздирая грудью попытавшуюся было затвердеть мириадами режущих льдинок воду, Виктор прыгнул вперед. Не успевший сомкнуться лед разлетелся в стороны, точно громадная, вдребезги разбитая витрина в каком-нибудь голливудском боевике. Виктор очутился рядом с Готором, вражий бич пробил слой воды, болью обжег плечо, и Виктор не глядя ткнул мечом вбок.

Река в этом месте взорвалась, словно туда бросили добрый ящик динамита. Столб воды, перемешанной с паром и огнем, взметнулся едва ли не выше моста. Там, где только что стоял один из магов-бойцов, осталось только иссиня-черное пятно, жирное, точно пролитая нефть.

Окаменели все. Даже Виктор и Готор.

А потом маг бросился наутек.

И Виктор его не преследовал.

Мокрый до нитки, пошатывающийся Виктор, волоча за собой меч, выбрался наконец на берег. По лицу стекала кровь, бесчисленные порезы и ранки горели огнем, на правом плече — глубокий, обильно кровоточащий след водяного бича. Мельком Виктор взглянул на меч — лезвие изъедено, словно побывало в кислоте. Теперь он годен разве что щепать лучину — до новой заточки.

Мокрый, дрожащий, он остановился возле каких-то кустов. Нужен огонь, и немедленно. Тэль... где Тэль? Опять она ускользнула, бросив его один на один с людьми Готора, и, наверное, опять из каких-то высших соображений.

Зубы выбивали барабанную дробь. Иссеченный лоб немилосердно горел. Виктор неловко размахнулся мечом, срубил несколько веток — сырые и гореть плохо будут, но что же тут поделаешь...

Он пошарил в кармане. Что? Зажигалка?

Серый металлический цилиндрик, вроде «Зиппо» со странной эмблемой на боку — две человеческие руки закрывают сверху и с боков черную усохшую розу.

Герб стражей Серых Пределов.

После нескольких неудачных попыток костер разгорелся.

Виктор кое-как отжал одежду, дрожа от холода, развесил ее. Остается только бегать вокруг костра. Как они с Тэль, когда появились в этом мире.

Он сбежал к реке, вернулся обратно. Отчего-то он был уверен — Водные назад не вернутся. По крайней мере сейчас.

Река была пуста и величественна в этой своей пустоте. Темнота быстро сгущалась, на обоих берегах возле гномьих дозорных башенок загорелись огоньки. Никаких признаков жизни. Никаких следов Тэль.

А потом как-то сразу, ударом — да как же это я мог? Как уцелел? Что со мной было? Как это у меня все получалось? Огонь, пар, взрывы...

А еще ненависть. Голова до сих пор какая-то пьяная. И перед глазами все слегка плывет. И руки трясутся, как после попойки.

Он опять убивал. И притом — с удовольствием. За Предельника-отца. За его сыновей. За мальчика Славку, оставшегося на безымянной станции где-то на севере. Если бы Виктор мог, он выкорчевал бы все тополя в округе — за их тополиный пух, даже в осень примчавшийся напиться горячей мальчишеской крови...

«И все-таки я отомстил, — сказал Виктор. — Пусть Готор ушел... но двое киллеров никогда уже никого не убьют».

И еще — все случившееся значит, что этот мир и в самом деле мой. Что там было? Огонь из рук?.. Не бывает, скажут в Изнанке, и будут совершенно правы. У них, в спокойном и скучном мире, где сходят с ума от этой самой скуки, и заливают планету нечистотами, и затевают нелепые войны, — там такого быть не может.

— Эгей, служивый! — хрипло окликнули его.

Виктор резко повернулся — однако это оказались всего-навсего двое гномов. Очевидно, из охраны моста: оба с арбалетами, один нес небольшой фонарь, похожий на керосиновый.

— Цел, служивый? — дружелюбно сказал один из них, коренастый бородач. Арбалет свой он держал на плече, елико возможно при своей свирепой физиономии демонстрируя мирные намерения. — Видели мы, как ты из окна сигал... И что потом учудилось... Решили — все, замочат тебя Водные. Ан нет, глядим — кто-то костерок растеплил. В трубу глянули — на Водного никак не похоже, ну никак. Решили пойти да глянуть.

— А... девочку... не видели?

— Девочку? — искренне удивился гном. — Девочку не видели. Да и какая там девочка, ты же один прыгал. Вот, Дарт, — он кивнул в сторону своего спутника, — он с самого с начала на посту стоял, все видел! Как поезд ехал, как окно открылось. Как ты прыгнул, как Водные за тобой последовали. А боле никого не видали.

«Вот это да, — подумал Виктор. — Угу, Тэль снова ушла, да так, что эти простофили ее и вовсе не заметили. Так что и расспрашивать их бесполезно. Все, бросаем об этом думать. Что нам теперь нужно? Обогреться, обсушиться да переночевать. А там... утро вечера мудренее».

— Чего тут толчешься, служивый? Пошли с нами. У нас в караулке место найдется, — сказал Дарт.

— Так вы ж на посту, — удивился Виктор. — Разве можно?

— А, так ты с Изнанки небось, — догадался первый гном. Виктор кивнул.

— Идем, идем. Мы на Водных не работаем. Мы вообще ни на кого не работаем. Мы сами по себе. Путь стережем, а до магов нам дела нет. Тебя, мы видим, тоже припекло... И как это ты успел им насолить, а? — Гном ухмыльнулся.

— Да уж успел, — Виктор невольно подхватил предложенный тон. — Вот, подрались...

— А ты, парень, видно, крепкий будешь, — одобрительно заметил гном. — Не зря тебя Изнанка-то выпихнула... эвон как их поджарил! Огнем управлять умеешь? Мой тебе совет — иди в клан Огненных... это, конечно, путь неближний, но с поездом мы тебе поможем. Дружки довезут.

— А вы что же, магов Воды не боитесь? — спросил Виктор.

Дарт распахнул дверь прилепившейся к склону холма караулки.

— Мы вообще со всеми стараемся в мире быть, — серьезно ответил он. — Нам ведь ни без Воды, ни без Огня, ни без Земли никак — паровики-то как без этого двигаться заставишь? Мы вот только Наказующих не любим. И ежели кто от них бежит — завсегда помочь стараемся. Так что ты, служивый, коли и впрямь магом станешь — помни, дурная это вещь — Наказующие. Не к лицу магам этим заниматься, совсем не к лицу...

В караулке было тепло и очень уютно. Вкусно пахло ружейной смазкой, порохом, теплым хлебом. На основательной, толстой столешнице стояла глиняная крынка с молоком.

— Раздевайся, — сказал Дарт. — Шкуру эвон там возьми, укройся, вы, люди, — народ хлипкий...

Виктор не обиделся.

— Поспи, служивый, — услыхал он напоследок. — «Белый Орел» только утром пойдет. Мы тебя подсадим — прямо до Ороса и доберешься. Красивое это место, говорят... на самом Теплом Берегу...

Ночь прошла без сновидений и происшествий.

На рассвете Виктора разбудили. Знакомые гномы куда-то ушли, однако оставшиеся были, что называется, «в курсе».

Одежда высохла, в мешок караульщики-доброхоты напихали сколько могли снеди, поезд «Белый Орел» подошел к мосту по расписанию, на миг притормозил у дозорной башенки, гном-проводник распахнул дверь — и Виктор оказался внутри.

Никто не требовал с него денег, проводник словно бы все знал заранее. Место Виктору нашлось, целая полка «с правом спать».

Как ни странно, после вчерашней схватки на него снизошло удивительное спокойствие. Ему повинуется магия? Очень хорошо! Примем как данность, потому что, если вдумываться, можно запросто рехнуться. Схватка с Водными, убитые им люди — а ведь среди них могли быть и такие же, как он, пришедшие с Изнанки — он спокоен и сдержан.

А разве он может быть иным? Он, Убийца Драконов?

И вот теперь он лежит на достаточно чистом белье, едет куда-то на Теплый Берег, в загадочный Орос, где живут Огненные...

И все же что-то изменилось внутри. Наверное, чуть отодвинулся и отступил страх. Словно пробудилась какая-то часть спавшей в нем самом Силы, словно он не только дрался с Водными, но и... и... вбирал в себя часть текучей мощи водной стихии.

Теперь-то он не повернет назад, пока не выяснит все до конца. Не важно, что ему это совсем не нужно, не важно, что еще недавно он мечтал попасть домой, в привычный мир Изнанки. Теперь он доберется до Теплого Берега... и сам все увидит.

Ритор задумчиво смотрел на неспешно вечереющее небо. «Колесница Ветра» пыхтела, одолевая длинный пологий подъем. Держать заклятие поиска было непросто. Сандра и Асмунд помогали по мере сил; в вагоне царило молчание. Кан закрылся со своим учеником — потребовали у проводника-гнома кипятку и затеяли составлять какие-то настойки. Кевин с Эриком, Старшие пар, опять затеяли состязание на руках, наказав мальчишкам-«подхватам» потренироваться в дартс.

— Он тоже сел в поезд, — заметила Сандра, от волнения забыв все свои морские присловки.

Ритор кивнул.

— Его тащат на юг. Думаю, дело рук Торна. Посвящения ему проходить больше негде, — расхрабрившись, вылез Асмунд.

— Если у Торна есть голова на плечах, он постарается устроить ему все это пораньше, — возразил старый маг.

— А мы сможем это заметить? — жадно спросил Асмунд.

— Сможем, камбала сушеная, — почти ласково сказала Сандра. — Если как следует попотеем.

— Думаю, попотеем, — улыбнулся Ритор. — Не хотел бы я встретиться с Убийцей, если у него уже за плечами все четыре инициации.

— А разве он сможет пройти посвящение Воздуха, если мы не захотим? — не отставал Асмунд.

— Увы, сможет, — вздохнул Ритор. — Мы не контролируем Воздух полностью, иначе наши враги просто перестали бы дышать.

Асмунд покраснел.

— Не расстраивайся. — Сандра далеко не материнским жестом положила Асмунду руку на плечо. — Посвящения Убийцы вам не преподавали... и не скоро еще начнут.

Асмунд покраснел еще жарче, даже потупился.

Ритор чуть заметно сдвинул брови. Сандра способна развлекаться где угодно, даже на поле боя. Волшебница поняла, виновато повела бровями. Правда, от Асмунда не отодвинулась.

Заклятия Творения Убийцы испокон веку относились к самым что ни на есть тайным и запретным. Ученикам подобного никогда не давали — да что там ученикам! Только магам третьей ступени и выше.

Магия Ветра требует лишь умственного сосредоточения, но зато — полного и совершенного. Ритор взял Асмунда за руку, вторую протянул Сандре. Древнейший из древних приемов, «кольцо», когда силы творящих волшбу сливались.

Необязательно прибегать к столь опасному колдовству, как Крылья, могущие смести с лица земли целый город. Ритор мастерски умел использовать обходные варианты. Убийца у него на крючке, теперь к нему можно прилепить незримого соглядатая, который и узнает, на что способен сейчас этот непрошеный гость с Изнанки.

Туго свернутое заклинание отозвалось во всех мучительным толчком боли. Легко обгоняя поезд, воздушный посланец устремился вперед, к ясной, одному ему видимой цели. Он не способен убить или причинить хоть какой-то вред. Он может только сообщить, после чего — распадется, прекратив свое существование. Умение продержать такого гонца достаточно долгое время — одно из наивысших умений мага.

Ритору и двум его сотоварищам пришлось ждать довольно долго. И наконец...

Купе заполнила незримая, но отчетливо ощутимая сила Воды. И не просто Воды, но Воды разъяренной, Воды разгневанной, Воды, доведенной до исступления. Голубое свечение, перерезанное красно-белыми росчерками, — там шел бой.

Сандра и Ритор замерли, изумленно глядя на открывшееся их взорам. Ничего не понимавший Асмунд смотрел во все глаза, не решаясь задавать вопросы.

— Противочас... — заметил Ритор. — Интересно...

— Зачем этим гнилым кашалотам — Водным — нападать на Убийцу? — удивилась Сандра.

— Едва ли они атаковали его по-настоящему, — покачал головой Ритор. — Во-первых, противочас. Во-вторых, не думаю, что Торн пребывает в счастливом неведении относительно наших Крыльев. Это для отвода глаз, Сандра. Думаю, они просто замаскировали посвящение под драку.

— Все равно не понимаю, килька-селедка! Для чего имитировать атаку? Кому они собираются отвести глаза? Нам?

— Полагаю, Торн решил, самый лучший способ заставить нас поверить в то, что этот парень не Убийца, — напасть на него. Вот и все. Нехитро, но действенно. Торн ведь не знает, что в действительности явили нам Крылья. Он не знает, что мы видели подлинную сущность пришедшего с Изнанки. Он — Убийца. Никаких сомнений. И, если мы уничтожим его, новый появится еще не скоро.

— А как же эта проклятая каракатица, Дракон Прирожденных? — в упор спросила Сандра. — Если мы убьем Убийцу?

— Тогда-то и нужна будет вся сила Стихийных кланов. Совокупная сила, чтобы помочь Дракону. Его время приходит, но Прирожденные могут успеть раньше, — пояснил Ритор.

Волшебница кивнула.

— Вот смотрите. — Ритор кивком указал на опустившееся голубое сияние. Пересекавшие его алые и белые нити исчезли. — Посвящение закончено. Бой прекратился. И Водные сразу же отступили. Как я и предсказывал. Ты хочешь что-то спросить, Асмунд?

— Да, наставник. Получается, нам сейчас придется драться с людьми Торна? Они теперь с Убийцей? Они его охраняют?

— Хороший вопрос, — по неистребимой лекторской привычке ответил Ритор. — Нет, Асмунд. Торну надо, чтобы этот несчастный парень осознал себя Убийцей, и желательно — как можно скорее. Думаю, они могли бы даже убить кого-то рядом с ним... разжечь его гнев... Торн безжалостен — он с легкостью пожертвует кем-то из Наказующих низшего ряда ради достижения цели. А Водные сейчас отступили. Торн же догадывается, что мы, Воздушные, сидеть сложа руки не станем. Зачем ему подставлять под удар опытного мага — наверное, не ниже третьей ступени? Шестерки пусть гибнут — но по-настоящему ценного воина Торн сохранит.

— Я понял, наставник, — благоговейно сказал Асмунд.

— Все, гасим заклятие, — распорядился Ритор. — Думаю, мы встретим его в... да, да, ты права, Сандра. Наши владения. По крайней мере там можно не слишком опасаться Водных... до недавнего времени.

— Ты думаешь, Торн это не учитывает, сто якорей ему в задницу?

— Полагаю, учитывает, — отозвался Ритор. — Но парень уже посвящен Водой. Да и река там тоже есть, и немаленькая...

— Засада, сожри меня осьминог? — врубила Сандра. Асмунд невольно вздрогнул, но глаза у мальчишки прямо-таки вспыхнули неуемным азартом.

Ритор кивнул.

— Торн знает, что мы не ждем там атаки. И потому обязательно атакует. Если бы я взял с собой в три раза больше людей — это значило бы, что замысел Торна раскрыт. Он придумал бы что-то еще. Но мне больше нравится, когда я могу предугадывать действия врага. — Ритор чуть заметно улыбнулся при виде неприкрытого восхищения в глазах Асмунда. — Пусть Торн думает, что мы ни о чем не догадываемся. Пусть... до поры до времени. А теперь всем отдыхать! Заклятие я подержу пока сам.

Над всей равниной, по которой текли к недальнему Горячему Морю полноводные реки, сгустилась ночь. Сандра и Асмунд ушли; старый маг не пожалел сил на заклятие абсолютной тишины — ни к чему ему слышать сейчас их любовную возню за перегородкой. Мысли Ритора невольно тянулись к тому неведомому парню, что волей злой судьбы обратился — точнее, обращался сейчас — в Убийцу Дракона. Что ему уже известно? На что он сейчас способен? Пройдя одно посвящение — едва ли на многое. Но случайности необходимо исключить. Он, Ритор, не имеет больше права на потери. Каждый мало-мальски сильный маг — на вес золота. И волшебник Воздуха в который уже раз прикидывал и так и эдак, намечая стремительный и сокрушительный удар. Один-единственный удар, который сметет любую защиту и не причинит жертве особенных мучений.

На «бархатном» Пути, столь тщательно поддерживаемом гномами, совсем не чувствуется стыков. Поезд мчит сквозь ночь. Бой будет завтра днем, во время зенита Силы Воздуха.

«Колесница Ветра» пришла в Хорск точно по расписанию. Паровик, устало пыхнув в последний раз, встал. Команда Ритора была уже на ногах. Первым на перрон мягко спрыгнул Эрик — не дожидаясь даже, пока гном-проводник откинет трап. Толпа вокруг поезда мгновенно поредела. Эрика знали далеко за пределами Теплого Берега. Круглолицый блондин, высокий и мускулистый, с роскошными пшеничными усами на загорелом лице, глаза с постоянным прищуром, украшение мужчины — шрамы, заставлявшие тревожно колотиться не одно девичье сердце. Руки Эрик держал перед грудью, словно прижимая к ним невидимый шар. Никакого оружия он на виду не носил, а то, что скрывалось под малоприметной курткой, не имело ничего общего с традиционными мечами, топорами и кинжалами.

Цепкий взгляд его быстро обежал пути, стоящий невдалеке какой-то местный поездишко, толпу торговок, скользнул дальше, вдоль перрона до самых дверей зала «для магов»; мало кто знал, что в это же время мальчишка-оруженосец прикрывал своего Старшего, распластавшись на крыше вагона с легким арбалетом в руках.

Разумеется, появление Эрика не прошло незамеченным. Расталкивая не успевших убраться с дороги, к вагону уже спешило все вокзальное начальство. Пара гномов тащили рысью ковровую дорожку, за ними топала целая команда подметальщиков.

Ни на кого не глядя, Эрик мягко зашагал вперед. Ни дорожки, ни прочие атрибуты торжественной встречи его нимало не интересовали. Его задача — обеспечить безопасность. И он ее обеспечивал. Так, как умел.

Мальчишка-«подхват» быстро-быстро заспешил следом. Он прошивал толпу, точно игла. Ему едва-едва исполнилось двенадцать, он был тонконогим и легким, как жеребенок. Мало кто знал, что этот «жеребенок» способен в одиночку расправиться с бандой из двух десятков вооруженных громил. Когда мальчик подрастет, он из «подхвата» станет «солистом», Старшим в паре. И, наверное, одним из лучших. Потому что с плохим «подхватом» Эрик ходить бы не стал.

Гном — начальник станции низко и раболепно поклонился Ритору.

— Какая честь для нас, многоуважаемый, достопочтенный и высокочтимый...

— Оставь, Кирби. — Ритор махнул рукой. — Мы вполне довольны тобой и регулярностью платежей. Наш визит сюда — неофициальный. Мы здесь не с инспекцией. Слово Ритора. Мы не станем обременять тебя своим присутствием... вот только встретим «Белого Орла».

Гном Кирби, в богатом парадном камзоле (видно, натянутом только что, едва досмотрщики доложили о появлении важных гостей), не скрываясь, вздохнул с облегчением.

— Угодно отдохнуть с дороги? Завтрак сей же момент сервируем. А до «Белого Орла» еще целый час, успеете...

— Тогда давай завтрак, — распорядился Ритор.

За его спиной, держа арбалет наготове, шел Кевин. Второй мальчишка-«подхват» прикрывал хвост колонны, двух целителей, Кана и его ученика.

Переполох, вызванный появлением высоких гостей, мало-помалу стихал. Откуда-то появилась цепочка волонтеров — квартировавший в городе корпус «Ладный Гром» дело свое знал. Любопытствующие тотчас же сочли за благо убраться подальше.

Поданный в особом зале «только для магов» завтрак оказался выше всех похвал. Имелось: заяц, тушенный с вином, крокеты из картофеля, креветки с рублеными яйцами и карп, запеченный с квашеной капустой. Скромно, но со вкусом.

— Он едет в первом вагоне, — негромко сказал Ритор после того, как все наелись и вокруг зала была поставлена глухая защита. — Кевин, Эрик, вы должны его спугнуть. Заставьте его высунуться. Больше от вас ничего не требуется. Немедленно отходите и смотрите, чтобы не появились Водные. Если их заметите — бить первыми и на поражение. Главный удар наносим я, Сандра и Асмунд. Если по каким-то причинам мы промахиваемся, сделайте все, чтобы уложить этого парня. Даже если мы все погибнем.

— Мы поняли, Ритор, — сдержанно сказал Кевин. Перед боем он, как всегда, оделся в свои цвета — черное и серебряное. — Ребята наши не промахнутся.

Эрик согласно кивнул.

— Но, почтенный Ритор, почему нам с Кевином не завершить все самим? Это ведь не Олимпийские игры. Входим с двух сторон...

— Вы и войдете с двух сторон, — спокойно сказал Ритор. — Мальчики, перед нами Убийца Дракона. Прошедший уже одно полноценное посвящение. Поверьте, я знаю, на что он способен. Я не Торн. Я не посылаю людей на смерть. Что?

Мальчишка-«подхват» Эрика молча провел по левому рукаву. Ритор мгновенно ощутил напряжение готового выстрелить оружия.

— И не думай, — строго сказал маг. — Он почувствует. И мало тебе не покажется. Никакой самодеятельности. Только спугните. Мне нужно, чтобы он вышел из вагона.

— Может быть, мне? — подала голос Сандра. — А то как он возьмется за ребяток...

Кевин и Эрик оскорбленно вскинули подбородки, и за ними — тотчас, с полусекундным опозданием — мальчишки-«подхваты» повторили движение Старших.

— Нет, нет. — Ритор досадливо покачал головой. — Не стоит, Сандра. Лавров Лой Ивер тебе все равно не снискать. Сила Убийцы — в гневе. Он пока еще не в состоянии контролировать себя. Нужно действовать так...

...Солнце поднималось все выше и выше. Приходили и уходили поезда, перроны кипели народом. Кого тут только не было! Торговки и торговцы перестали обращать внимание на замерших Кевина с Эриком (мальчиков-«подхватов» они, само собой, не видели).

«Белый Орел» вползал тяжело. Несмотря на громкое имя, был он из самых что ни на есть заштатных поездов. Расхлябанные вагончики, древние, сочащиеся паром цилиндры, обшарпанные подножки. Даже у гномов не на все хватало денег.

Устало вздохнув, паровик замер, и Ритор облегченно перевел дух — их цель никуда не делась.

Эрик и Кевин не торопясь двинулись к открывшимся деревянным дверям первого вагончика. Народ поспешно расступился, давая дорогу. Следом за Старшими внутрь юркнули мальчики-«подхваты».

Теперь нужно только ждать.

Ритор коротко взглянул на кусающую губы Сандру, на бледного Асмунда — они держали сейчас на привязи чудовищную мощь Ветра, сжатого в одно невообразимо тонкое, длинное копье, протянувшееся до самого горизонта. Оно не просто пробьет грудь, оно не просто вырвет сердце и внутренность, оно разнесет на мельчайшие частицы саму суть Убийцы — чтобы потом он долго еще не мог вернуться в Срединный Мир.

Некоторое время все было тихо. Ритор знал — Эрик и Кевин с наивозможно наглыми мордами пробираются сейчас узким, заставленным узлами проходом, пиная и распихивая все, попадающееся под ноги, громогласно восклицая: «Проверка! Поголовная проверка! Подорожные грамоты, ну-ка, все, быстро! Что? Нету?! А ну-ка, на правеж, деревня! Небось на дыбе-то забывчивость мигом пройдет!..» Если Ритор прав в своей оценке психологии приходящих с Изнанки... тем более из этой страны Изнаночного мира... Убийца не сможет остаться спокойным. Он непременно задергается. А окна-то открыты, и на перроне-то толпа, где так легко затеряться...

«И тут мы вступим в дело», — подумал Ритор.

В вагоне кто-то внезапно завизжал. И тотчас же Ритора окатило слитной волной ненависти. Жгучей и непереносимой, какую загасить можно только кровью врага. Одному — пусть даже Убийце! — не дано было так ненавидеть.

К женскому визгу присоединился хор разъяренных мужских голосов. Зазвенело выбитое стекло, и в тот же миг в вагоне началось что-то невообразимое. Словно десятки бешеных котов сплелись в яростной схватке; в темных проемах окон заворочалось какое-то существо — многорукое, многоногое, единое существо под названием «толпа»; вторая волна ненависти была уже просто обжигающей, словно в бочку с нефтью бросили пылающий факел. Ритор знал, что сейчас в тесном и душном аду деревянного вагончика Эрик и Кевин идут по трупам, убивая всех, чтобы только не быть убитым самим; а их мальчики, чистые, аккуратные молчаливые мальчики деловито добивают сшибленных с ног и раненых — потому что даже смертельно раненные, не обращая внимания на размозженные конечности, пытаются дотянуться хоть чем-то до убивших их...

Стекла сыпались одно за другим; мелькали какие-то не то черенки лопат, не то заготовки для топорищ; перевалившись через край проема, под ноги остолбеневшим торговцам рухнуло окровавленное человеческое тело, за ним кто-то выбросил прямо на лоток с яблоками увязанного в одеяльце, исходящего криком грудного младенца; в вагоне теперь уже выли и вопили так, что замер, оцепенев от ужаса, весь вокзал; Ритор заметил бегущего по перрону гнома Кирби в сопровождении трех стражников-гномов, камзол начальника распахнут, лицо перекошено настоящим ужасом.

Из окна вылетел какой-то мужичок, судя по виду — простой поселянин. В руке — короткий заступ; левая часть лица залита кровью.

Мужичок был мертв.

Ритор схватился за голову, несмотря на всю свою выдержку. Он уже понял, что произошло, но поверить в это боялся.

Люди падали из окон, точно дождевые капли. Мужчины, женщины, дети. Иные вскакивали, иные лежали неподвижно, кто-то стонал, кто-то уже был мертв или же умирал; отчаянно голосили дети. То и дело выбитые окна извергали из себя фонтан чьей-то крови; то и дело обрывалась чья-то жизнь. Ритор видел, как в одном из окон показалась тонкая девичья спина в кожушке, дернулась, согнулась; тело перевалилось вниз. Совсем молоденькая девчонка с торчащей из виска короткой черной стрелкой.

В дело вступили мальчишки-«подхваты». Бой пошел не на жизнь, а на смерть. Магу Воздуха доводилось сталкиваться с этим видом боевого безумия. И именно потому, что он успел побывать Убийцей Драконов, Ритор мог понять, что произошло. Необычайно редкое, но все-таки иногда случающееся.

А Убийца все не показывался и не показывался.

— Асмунд, Сандра! — коротко приказал Ритор. — Меняем план. Цель — крыша. Сорвите мне ее к такой-то матери. Вдвоем. Быстро!

...Нет, не зря эта старая развратница Сандра трахалась с мальчишкой. Они сумели сработаться. Они ударили слитно, как после долгих месяцев тренировки.

Порывы ветра с воем обрушились на сошедший с ума вагон. Жалобно затрещали доски крыши, жестяные листы заворачивало вверх, добротные гномьи болты лопались, точно гнилые нитки. Крышу словно поддело исполинским ножом; ломая и круша, ветер задирал неподатливую кровлю, словно охальник — юбку упирающейся девчонке; уши резануло вырвавшимся на свободу диким, нечеловеческим воем.

И тут из окна наконец-то выпрыгнул Он.

Точь-в-точь такой, как и показали Крылья. Высокий мужчина в черной куртке стража Серых Пределов. Растерянный, ошеломленный, потрясенный, оглушенный обрушившейся на него чужой ненавистью и болью.

«Мне тоже пришлось пройти через это, — мысленно сказал Ритор своему врагу. — Мне это тоже знакомо. Скольких людей ты заставил сегодня умереть, Убийца?»

Мужчина держался правой рукой за левое предплечье. Боли он еще не чувствует, она появится позже, пока что у него лишь ощущение, что его просто очень сильно дернули за руку.

Пошатываясь, Он побежал через пути. Прочь, прочь, подальше отсюда... однако Он безошибочно выбрал самый рациональный путь бегства — к реке.

«Все правильно, Убийца. Но ты не знаешь, что имеешь дело с самим Ритором. И никогда уже не узнаешь».

— Хватит! — скомандовал маг Сандре.

Убийца оказался очень прыток. Словно все понимая, он держался в гуще толпы; люди с воплями бросались от него в сторону — такая волна злобы и ужаса вскипала вокруг мужчины.

Ритор снизил прицел. «Заклятие кое в чем похоже на аркебузу», — подумал он и нажал на невидимый курок.

Старательно скопленные, туго взведенные витки ветра распрямились, словно бросающаяся на добычу змея. Пронзительный визг, словно железом очень-очень быстро ведут по стеклу; убегавший мужчина обернулся. Неосознанным жестом защиты вскинул руки — в наивной и пустой попытке защитить лицо.

Его тотчас окутало облако взметнувшихся из-под земли водяных фонтанов.

Вода и Воздух сшиблись. Убийцу опрокинуло, покатило по гладкому перрону; его водная защита брызнула во все стороны мириадами злых брызг.

Люди разбегались кто куда, вокзал стремительно пустел.

— Тебе не удастся это, Ритор! — крикнул кто-то.

«Так. Этого я и ждал, — подумал Воздушный маг. — Готор, маг Воды. И при нем один Наказующий. Все ясно. Пришли принять удар на себя».

— Позволь мне, Ритор! — взвыла Сандра. С магами Торна у нее были старые счеты. И прежде чем Ритор успел сказать ей «да» или «нет», атаковала.

Она была очень хороша в атаке. Наверное, так же хороша, как и в постели. Наказующий не успел даже поднять свой водяной бич. Бешеный ветер ударил его в грудь, опрокинул, закружился на одном месте, яростно вжимая свою жертву в утоптанную, жесткую землю. На миг мелькнуло враз ставшее алым лицо несчастного, выпученные в агонии глаза; в следующую секунду его горло лопнуло, не в силах выдержать напор. Кровь разлетелась веером мгновенно высохших капель.

Час Серого Пса давно прошел, и час Пробуждающейся Воды тоже. Ритор не зря выбрал именно это время и это место. Готор не имел ни одного шанса.

Однако маг Воды оказался далеко не трусом. Он контратаковал, и острое лезвие водяного серпа прошло совсем рядом с горлом Асмунда — Готор безошибочно определил слабое место в противостоявшей ему боевой тройке.

Асмунду и в самом деле пришлось разорвать кольцо, отводя внезапную атаку; и тогда Ритор ударил сам. Со всей нерастраченной злостью, со всей силой, прибереженной для Убийцы, который — было ясно — теперь наверняка сумеет ускользнуть.

Готор попытался оборониться, но его водяной вихрь разлетелся, точно облако тополиного пуха под свежим ветром. Невидимое копье Ритора пробило защиту Водного мага, нанизало его на острие, подняло почти до крыш и брезгливо швырнуло оземь.

Грудь волшебника была разворочена: изодранное мясо вперемешку с острыми белыми осколками костей.

Он умер даже прежде, чем почувствовал боль.

От изуродованного вагона уже бежали Кевин и Эрик, их мальчики — за ними. Кевин зажимал ладонью один глаз, Эрик держался за кровоточащую кисть. Однако и они опаздывали, безнадежно опаздывали.

Ритор бросился следом, в безумии еще надеясь догнать.

Однако Убийца явно знал, что делать. Он даже не бежал, он мчался прямиком к реке. Посланное ему вдогонку заклятие хоть и сбило с ног, но только даром проволокло по булыжной мостовой улицы — еще ближе к речному обрыву.

Он обладал колоссальной сопротивляемостью. Он дрался как лев, этот Убийца. Его защита оказалась почти идеальной; быть может, тут-то как раз и должны были пригодиться Эрик с Кевином...

— Нужна вся Сила клана, — прошептал Ритор, видя, как человек перевалился через перила и камнем рухнул вниз, в

Сергей Лукьяненко, Ник Перумов

спокойные речные воды. — Или еще кто-то из Стихийных. Неужели тебе не сладить с ним в одиночку, Ритор?

— Похоже, ушел, медуза тухлая, — вздохнула рядом подоспевшая Сандра.

— Ушел, — печально согласился Ритор. Головы Убийцы не было видно на поверхности, но Ритор более чем хорошо знал — задохнуться тому не грозит. По крайней мере в ближайшие часы.

— Что же будем делать, Наставник? — Голос Асмунда дрожал от сдерживаемых слез. Ритор оглянулся — Кан и его ученик уже возились возле покалеченного вагона, откуда гномы выносили убитых и раненых.

— Не беспокойся, Асмунд, — негромко ответил волшебник. — Нашей вины в этом нет. Это Убийца... это он вызвал ярость в толпе... иначе никто не посмел бы напасть на Эрика и Кевина, ведь здесь же наши владения... Никто никогда не дерзнул бы. Это Убийца... я знаю. Я помню.

— Кажется, сюда идут гномы, — скривилась Сандра.

— Ну, что же... пусть. Мы покроем их убытки. Не так и много — подумаешь, всего один старый вагон!

— А семьям погибших? — негромко напомнила Сандра.

Ритор скривился. Да, никуда не денешься. Клан Воздуха слыл добрым хозяином. Поддержание этого стоило больших денег — правда, и уберегало от мятежей.

ГЛАВА 11

Лишь один раз Лой довелось побывать на территории клана Воды. В раннем детстве, когда ее, еще совсем малышку, взяли в гости. Тогда, сразу после войны, кланы были очень, очень дружелюбны по отношению друг к другу. Входило в моду обмениваться визитами, посольствами, порой случались переходы из клана в клан и даже браки... Но с тех давних лет ей запомнился лишь звон фонтанов, блеск солнца и угрюмый парнишка, приставленный для охраны и увеселений юной

Кошки. Лой откровенно скучала — у нее как раз начинался кризис взросления, когда все будущие возможности начинают просыпаться. С мстительным удовольствием она терзала бедного паренька капризами, жалобами, легким кокетством — а под конец потребовала в доказательство преданности не посильного тому колдовства. Если разобраться, то так и рождается неприязнь между кланами.

Сейчас ей не было нужды в демонстрации своих возможностей. Да и увидеть чужую магию она не стремилась. Вполне хватило бы той, которая доверху наполняла дворец Торна.

Разумеется, хватало тут и фонтанов, водяных полов, текучих живых зеркал, повисших под потолком радуг — непременного ассортимента, предназначенного поражать воображение людей. Но куда важнее была подлинная Сила. Даже слабых способностей Лой (а может быть, ей помогали это почувствовать?) хватило, чтобы обнаружить целый ряд пугающих обстоятельств. Например, то, что Стополье расположено в буквальном смысле на воде — огромное пресное озеро, подтянутое магами, залегло метрах в двадцати под землей. Какой сюрприз будет для возможных агрессоров — если под их ногами распахнется бушующая стихия...

Заметила Лой и волну. В километре от берега, затаившись над самым дном, дремало нерожденное цунами. Хитрые ниточки тянулись ко дворцу, готовые в любой момент пробудить чудовищный вал и обрушить его или на берег, или на приближающиеся корабли.

Сильны Водные. Очень сильны.

Наконец путь по коридорам и анфиладам залов кончился. Остановились маги-бойцы, остановился и маг третьей ступени. Лой оказалась перед аркой, прикрытой завесой-водопадом. За искрящимся дождем из капель ничего не было видно.

Улыбнувшись сопровождающим, Лой шагнула вперед.

Она ожидала чего-то неприятного, ехидной издевки — например, целого ручья, вылившегося за пазуху, или хотя бы того, что тонкое платье намокнет и облепит тело, вынуждая ее предстать перед Торном все равно что голой.

Нет. Маг не опустился до мелких гадостей. Искрящийся водопад расступился, пропуская ее. И Лой оказалась перед главой Водных.

Помещение было обставлено без показной роскоши. Значит — настоящее обиталище Торна, а не зал, отведенный для пускания пыли в глаза. Пол прозрачный, подсвеченный, с застывшими в глубине цветными рыбками. Бегущая по стенам вода — видимо, защита. Мозаика под переливающимися струями казалась только что выложенной — хотя лет ей наверняка немало. Изображения в основном показывали, как первые корабли приближаются к Срединному Миру, как Водные овладевают своей стороной Силы, как возводятся дворцы и расцветают сады. Ничего мрачного, боевого. Лицемеры...

Маг ожидал ее стоя. Два кресла ждали в сторонке, но Лой прекрасно понимала, что шансов усесться в них для дружеской беседы немного.

— Да, я удивлен. — Торн заговорил первым.

Лой кивнула, не отводя взгляда. Холодная вежливость и ледяная ярость — не лучшее начало разговора. Она предпочла бы выслушать угрозы, проявить слабость... спровоцировать Торна к насилию.

Но как получилось — так и получилось.

— Я тоже удивлена, Торн.

— Чем же, мудрая Лой? — Слово «мудрая» было произнесено очень насмешливо. — Отсутствием музыкантов и ликующих толп?

— Нет, Торн. Я удивлена, что ты до сих пор меня не простил. И... что не просишь прощения сам.

Торн вздрогнул от гнева. Начал поднимать руку...

— Да! — Вскрик Лой, чуть нарочито трагический, но главное было — остановить мага, и это удалось. — Да, я виновата! Когда слабая женщина обманом заставляет могущественного мужчину отказаться от своих планов — это обидно! Очень! И я понимаю, что ты оскорблен. Я признаю свою вину! Но ты, ты...

В глазах Кошки блеснули слезы.

— В кои-то веки Торн, владыка клана Воды, приходит на мой бал... — Она сделала шаг навстречу магу. — И зачем? Чтобы поболтать со мной... — Горькая улыбка. — Или... — в голосе дрогнуло снисходительное презрение, — глянуть на молоденьких Кошечек... Ладно, я бы все поняла. Но, оказывается, даже в стенах моего дома тебе было нужно лишь одно! Месть! Власть!

Разборки с Воздушными! Я, дура, дура самодовольная — решила, что симпатична тебе...

Торн слушал ее не прерывая. Лой подходила все ближе.

— А то, что Воздушные не раздумывали бы, кому мстить — тебе или клану, на чьей земле убили Ритора...

— Воздушным скоро будет не до мести...

— Да? Ты решил извести их под корень? Зачем? Ну, хватит у тебя сил, кто же спорит, но чем они тебе не угодили? Старый спор о граничных землях Ббхчи?

— Дело не в них, дело в их планах... — Торн и сам не заметил, как начали меняться роли. — Не считай меня за безумца, обуянного кровожадностью и местью!

— Хотела бы... — Лой вздохнула. Коснулась плеча мага. — Но тогда к чему было выбирать местом встречи мой бал?

— Случай, — неохотно сказал Торн. — Мы гнались за Ритором и не хотели его упускать. В конце концов я обеспечил бы вашу защиту от Воздушных... без Ритора они не многого стоят...

— Тогда почему ты не сказал мне сразу? Не спросил разрешения? Ты же знал, наши земли — территория мира!

— Слишком многое поставлено на карту... — Торн посмотрел на ее ладонь, нервно вцепившуюся в плечо. Повел взглядом по руке, до полуобнажившегося плеча, до выреза платья. — Я вовсе... вовсе не хотел причинять зло твоему клану... Но твой поступок!

Лой с испугом поняла, что в глазах Торна просыпается ярость. Ой, не надо! Сейчас уже не надо!

— Знаю! И я пришла к тебе — одна, без охраны. Пришла, чтобы ты... ты, маг Торн... мог наказать меня. Так, как будет угодно. — «Перебор! Слишком явно!» — Никто не знает, где я сейчас. Ты можешь убить меня, Торн, клан Кошки не будет мстить. Моя жизнь в твоих руках.

— Мне не нужна твоя жалкая жизнь! — Торн пытался разогреть свою обиду, не понимая, что миг уже ушел безвозвратно.

— А что тебе может быть нужно от меня? — горько спросила Лой. Отвернулась, глядя в сверкающий водяной полог над входом. Сейчас она даже не играла, она вполне убедила себя, что была просто отвергнутой женщиной. Торн почувствовал бы фальшь или попытку влияния.

— Что мне нужно от тебя? — задумчиво повторил Торн. — Я не знаю, Лой. Мне не нужна лояльность твоего клана. Сама понимаешь... мы сильнее. И жизнь твоя мне не нужна. И твою подлость я простил... может быть, и впрямь мы слишком опьянели от погони...

Лой беззвучно плакала. Потом махнула рукой и двинулась к выходу. Сейчас она уже могла уйти. По крайней мере перемирие заключено.

— Лой!

Женщина остановилась.

— Я очень сожалею, что все случилось так... так глупо.

Слова давались Торну нелегко.

— Мы можем сохранить взаимное уважение. Или даже симпатию. Я еще как-нибудь приду на ваш бал... когда все успокоится.

Лой рывком повернулась. Выкрикнула:

— Как же ты глуп, могущественный Торн! Ты считаешь, что женщина приходит к тебе, лишь чтобы заключить мир? Я, я — Лой Ивер, пришла к тебе! Кошка Ивер... а не глава клана и не маг, равный тебе по рангу!

Она взмахнула рукой — и оцепеневший Торн почувствовал, как плащ на его груди разорвали невидимые когти. Однако на коже не осталось ни царапины.

— Я вырвалась из клана. Пришла... и услышала... обещание как-нибудь заглянуть...

— Лой...

Торн с неожиданной быстротой подошел к ней. Схватил за плечи, запрокидывая голову, заглядывая в глаза.

— Что тебе нужно от усталого мага, который тщится сохранить наш хрупкий мир? — прошептал он. — Что ты себе придумываешь... глупая Кошка...

— Я сниму твою усталость, Торн... — Руки Лой коснулись его обнаженной груди. — Я... я не оцарапала тебя? Торн, хоть миг побудь просто мужчиной... не магом, не властелином клана... хоть со мной забудь обо всем... как забыла я...

Торн впился в ее губы — поцелуем, в котором было больше нетерпения, чем опыта. Сколько же он не был с женщиной? Лой и впрямь начала возбуждаться...

— Торн, делай со мной, что хочешь...

И Торн принял предложение.

Лой, счастливо смеясь, помогла ему раздеться. Выскользнула из платья — и несколько секунд заставила мага гоняться за собой. Особой нужды в этих издевательствах уже не было, но ей хотелось расплатиться за недавний страх.

Потом, уже не в силах ничего говорить, Торн поймал ее за руку, повалил, вошел — грубо и нетерпеливо, с энергией юнца и почти с таким же результатом.

Лой застонала, обнимая ослабшего мага и выгибаясь всем телом.

— О... Торн... Торн!

«А потолок у него в кабинете совсем никуда не годится. Это от постоянной сырости. Давно пора побелить».

Стоя у одной из стен — повинуясь небрежному жесту Торна, сочащаяся по ней вода помутнела и обрела зеркальность, — Лой расчесывала волосы. Сам маг отмокал в бассейне — в центре кабинета пол «подтаял» и образовал емкость. Стайка рыбешек, мгновенно оживших, резвилась вокруг мага. Краем глаза Лой следила за Торном — тот, как ребенок в ванночке, ловил рыб ладонью и глупо улыбался. Но в первую очередь Лой занимало собственное тело. Она потянулась, глядя, как переливаются под матово-белой кожей крепкие мускулы. Хороша. Еще очень хороша. Тяжело дается молодость, даже для мага, даже для мага клана Кошки. Но игра стоит свеч...

— Тебе было хорошо, Лой? — словно бы небрежно спросил Торн.

— Да, милый, — изучая складочку на животе, ответила Кошка. Неужели... неужели предательский жирок? Целлюлит?

Но Торн по-прежнему смотрел подозрительно, и Лой мимоходом добавила:

— Я так хотела тебя... это было поистине волшебно...

Маг успокоился.

— Я тоже очень хотел.

Лой мысленно улыбнулась. Бедный Торн. В этом вопросе его развитие, похоже, осталось на уровне подростка. Может, потому они все такие агрессивные и озабоченные судьбами мира, эти маги Стихийных? Потому что времени на полноценный секс не остается?

Размяв складочку, Лой решила, что ничего страшного нет. Просто лишнее пирожное в компании с подругами. Немножко физических упражнений — и пройдет.

— Я снова хочу тебя, милый! — закричала Лой. Разбежалась — и прыгнула в воду. В глазах Торна мелькнул ужас, но навыки Лой все же сделали свое дело — они снова сплелись в объятиях.

Минуту спустя... эх, Торн, Торн... Лой, игриво накручивая на палец жесткие волосы мага и мурлыча какой-то мотивчик, вымолвила:

— Если бы мы могли встречаться так каждый день, Торни... Маг окаменел.

— У нас появились бы чудесные водоплавающие котята, Торн. Девочки были бы похожи на меня, а мальчики... ну, тоже на меня.

Маг был близок к отчаянию. Не утопил бы в бассейне!

— Как жаль, что кланы не позволят нам этого.

Торн задышал ровнее и произнес:

— Дело не только в законах, Лой. Тяжелые времена наступают для Срединного Мира.

— Почему? — Лой всем своим видом изобразила удивление. — Разве народ бунтует? Или Серый Предел развеялся как дым? Или Прирожденные...

— Да.

— Готовят вторжение? — Лой попыталась не выдать своих истинных чувств. В голосе ее прозвучало волнение и ярость — чуть, в самую меру. — Клан Кошек готов к встрече! Мальчики застоялись...

Торн молчал. Ему хотелось что-то сказать, но осторожность брала верх.

— Милый...

Рука Лой шаловливо нырнула под воду, и маг испуганно вскричал:

— Все очень серьезно, Лой! Нам надо поговорить не как мужчине и женщине... а как ответственным за судьбу своих кланов, как магам!

— Так в чем же дело, Торн?

— Этот Ритор... этот сумасшедший Ритор... он уверен, что приходит Дракон.

Лой молчала очень долго. Надетая маска стала слишком тесна.

— Ты уверен, Торн?

— Да. Я тоже чувствую это. Слабее, чем Ритор, — ты знаешь сама, наша Сила была скорее пленником правителей, чем верной основой...

— Мы очень, очень мало общались с ними, — прошептала Лой. — Им не нужны были наши женщины... ты понимаешь...

— Почему это — не нужны?

Лой удивленно посмотрела на Торна. Ах и ах, могучий всезнающий маг...

— Однолюбы, — сообщила она. — Их отношение к жизни — совсем иное.

— Скоты... — прошептал Торн. — Эти... педерасты.

Лой не стала уточнять, серьезно ли он сделал такой вывод или просто не упустил возможности пнуть поверженных хозяев.

— В конце концов, Торн, как может прийти тот, чей клан стерт начисто?

— Не весь клан! Ритор, похоже, не выполнил долг до конца!

— Это уже серьезно, — помолчав, согласилась Лой. — Если он отпустил хоть одного Дракона... Вы потому вцепились друг другу в глотки?

— Нет, — на почве политических интриг маг вновь обрел утраченную было уверенность в своих силах. — Я давно допускал нечто подобное. Ничего, не беда, никто не мог гарантировать, что все Драконы полягут в борьбе. Плохо другое — Ритор готов оказать им поддержку. И весь его клан — тоже.

— А Огненные?

Торн нахмурился:

— Они тревожат меня больше всего. Затаились... огонь всегда затихает, перед тем как вспыхнуть ярче. Даже не снизошли до формального объявления войны.

— А до неформального?

— Три моих замка сгорели вчера, — неохотно признал маг. — Как свечки. Два дальних, в снежных краях, и один — в Зивашских болотах.

— И твоя магия не потушила огонь?

— Меня же там не было!

— Торн, ну какая беда в одном-единственном Драконе? Даже не создавая Убийцу, можно попробовать его победить! Тем более — пока он еще не осознал себя.

— Что советуешь?

— Во-первых — найти.

Торн загадочно улыбнулся.

— А во-вторых — подготовить Убийцу.

— Для этого нужны силы всех Стихийных... — Торн вздохнул. — Но... мы пытаемся. Мы делаем все, что возможно. В обоих направлениях.

— Тогда нет повода...

— Прирожденные.

— Ах да... А что с ними?

— Вторжение.

— Торн, хватит говорить загадками! Тебе будто деньги платят за каждое несказанное слово! Неужели не отобьемся?

— Они тоже творят Дракона.

Лой выбралась из ненавистной воды, села на краю бассейна, болтая голыми ногами.

— Тогда нам точно нужен Убийца. Или — пусть приходит Дракон. Как и хочет Ритор. Пусть он сцепится с Прирожденными. Пусть погибнет в борьбе — или ослабеет. А дальше мы решим, что следует делать.

— Есть разные варианты, Лой. — Торн провел рукой по воде. — Жизнь — словно течение. Скользит, то замедляя, то ускоряя свой бег. Падает ко дну, взмывает к поверхности. Что произойдет через миг — знает лишь тот, чья рука вызывает бег воды...

— Я слышала те же слова про ветер. А еще — про огонь. А клан Земли имеет свое мнение — о том, что жизнь вечна и неизменна. Не обижайся, Торн! Но лучше ничего не пускать на самотек! Какие есть варианты?

— Я и так сказал тебе больше, чем следовало. — Торн нахмурился. — Лой! Ты на моей стороне? Теперь — на моей?

— Клянусь, что сделаю все, чтобы отстоять наш мир!

Торн удовлетворенно кивнул.

И почему эти мужчины в любых словах в первую очередь ищут подтверждения своих желаний? А лишь потом — чужую волю и чужое мнение?

На нем живого места не осталось. Склонившись над заводью, Виктор рассматривал свое измочаленное тело и только качал головой. Либо ему повезло... как утопленнику — усмешка вышла кривая, но сама уцелевшая способность улыбаться радовала, либо... Виктор прикоснулся к расплывшейся на весь бицепс гематоме. С воплем отдернул руку. При такой силе удара кость должна, обязана была треснуть. Ан нет! Отделался синяками и ушибами!

Или он куда крепче, чем считал всю жизнь, или в Срединном Мире его выносливость чудесным образом повысилась.

Почему-то очень хотелось забраться в ледяную воду и лежать там, позволяя ласковым течениям массировать тело...

Виктор встряхнулся. Еще чего не хватало. Самая банальная пневмония... да что там пневмония, заурядный бронхит снизит его шансы на выживание раз в десять. Пусть тут и теплее, чем у Серого Предела, но рисковать не стоит.

Достав из куртки верную зажигалку, он запалил костерок. Странно — вроде бы и ветки, торопливо собранные вдоль берега, были сырые. И костер он сложил халтурно, неумело. А почему-то разгорелся огонь хорошо. Что там гномы советовали — к Огненным податься? Можно и к Огненным. Чего уж там...

Дрова исходили паром — вода испарялась мгновенно, оставляя на поживу огню почти сухие ветви. Налетевший ветерок услужливо раздувал пламя. Минут через десять костер разгорелся так, что Виктору пришлось отступить в сторону и перевесить подальше сохнущую одежду.

Хорошо. Можно согреться и передохнуть. Но прежде, морщась от боли, Виктор все же вскарабкался по косогору и осмотрелся. Вдали — лес... Хорошо в Срединном Мире с экологией, петляет между холмами река. До города... что там сейчас творится-то, после такого разгрома?.. далеко. И вряд ли сумасшедшая компания магов способна на погоню. А костер горит почти бездымно, и заметить его — не самое простое дело.

Спустившись вниз, Виктор выбрал местечко на траве, рядом с костром, но под защитой деревьев. Не хотелось бы, задремав, проснуться под безжалостно палящим солнцем. Пока еще холодно, но день обещал быть жарким.

Он и впрямь заснул легко, почти сразу найдя позу, при которой тело болело не сильно, скорее просто ныло, как после интенсивной тренировки. Легкий ветерок ласково гладил кожу, Виктор так и забылся, с ощущением чьей-то заботливой ласки...

И почти не удивился, обнаружив себя на белом песке, рядом с плещущей черной водой. Его сны все же имели внутреннюю логику — он был совершенно обнаженным, как и в реальности, и даже ушибы и кровоподтеки имелись.

Вслед за колючей полосой осоки... ох, ведь придется идти по ней босиком... виднелось пепелище. Два-три обугленных столба торчали из земли, виднелись горки почерневших, но не сгоревших предметов. Наверное, тех самых «моделей»...

Что там говорил кряжистый уродец? «В лесок сходи»? Воспользуемся приглашением.

Виктор двинулся по тропинке, так и не выпрямившейся с последнего раза. Ноги кололо, но он старался не обращать внимания на царапины. Это сон, только сон. Ничего страшного не случится. Лучше любоваться... нет, любоваться местностью не получается, уж слишком она неестественная. Будто написанная самыми яркими из имеющихся красок картина безумного сюрреалиста.

Одни полупрозрачные горы чего стоят. Если присмотреться, то можно уловить сквозь их мутную толщу очертания каких-то далеких просторов. Или это что-то иное? Рудные жилы, исполинские золотые самородки... Есть золото в серых горах.

А сине-фиолетовый лес приближался. Уже можно было разглядеть форму листьев — тонких, острых, неестественно одинаковых, будто не было для этих деревьев никаких сезонов, листопадов и обновлений.

— Хозяин! — крикнул Виктор. Поскольку толстяк так и не удосужился представиться, он решил соблюдать хотя бы внешнюю вежливость. — Гостя ждешь?

Никакого ответа. Но он не сомневался — коротышка объявится. Может, и сейчас уже наблюдает за ним. Ожидает чего-то, выбирает подходящий момент...

Осока кончилась, под ногами пошла нормальная, мягкая трава. Виктор ускорил шаг и вступил под фиолетовый покров леса.

Ничего необычного. Лес как лес. Только фиолетовый. А так... и воздух живой, свежий, и тишина...

Нет. Тишина какая-то нарочитая. Чрезмерная. В живом лесу всегда есть звуки, шорохи, движение. А этот будто спит.

Виктор двинулся дальше. Заблудиться он не боялся — смешно было бы это здесь, во сне. И все же... Что-то начинало давить. Еще незаметно, едва ощутимо. Будто бы не хватало какой-то малости, без которой мир тускнеет и становится декорациями кошмара — как в тех снах, когда рука нащупывает выключатель — и лампочка зажигается, но тускло-тускло, не разгоняя тьмы, а лишь делая ее гуще, непроглядее...

Он встряхнулся. Да что же это, в самом деле! Солнца тут нет, но светло же! И никаких монстров, никаких магов. Откуда берется тоскливый страх?

Несколько раз ему чудился шорох за спиной. Виктор оглядывался — но фиолетовый лес оставался безлюдным. Похоже, действительно чудится... И когда деревья расступились, открывая поляну, он не удержался от вздоха облегчения.

На поляне стоял домик. Не такой, как пакгауз на берегу, а нормальный деревянный домишко, с крытой шифером крышей, выкрашенной облупившейся зеленой краской верандой, беленькими занавесками на окнах.

Виктор даже засмеялся — так неуместен был домик в фиолетовом лесу, и в то же время таким облегчением отозвалось в сердце его присутствие. Вряд ли здесь может обитать коренастый алхимик. И слава Богу! Не надо никаких больше уродов! Сыт он ими по горло!

Подойдя к двери, Виктор тщательно вытер ноги о половичок. Постучал. Никакого ответа. Он толкнул незапертую дверь —

та тихонько заскрипела. Веранда была пуста, лишь покачивался растянутый между стенами гамак.

— Есть кто дома?

Похоже, это становится его любимым вопросом...

Тишина.

Похоже, это становится любимым ответом...

Виктор прошел на веранду. Открыл вторую дверь, заглянул. Большая, чистая комната. Растопленная печь — невысокая, такие на дачах ставят. Стол, покрытый цветастой клеенкой. На деревянной подставочке — сковорода, в ней дымящаяся жареная картошка с грибами. Кувшин, налитое в стаканы молоко. Крупными кусками нарезанный хлеб. Полное ощущение, что хозяева только что вышли.

Вот только куда? В доме обнаружилась еще одна комнатка — Виктор увидел там две аккуратно застеленные кровати, закрытое изнутри окно. На всякий случай он посмотрел под кроватями и даже заглянул в шкафы. Кроме нехитрой одежды и чистого белья, там ничего не нашлось.

— Где вы все? — спросил он, все еще надеясь получить ответ. — Эй! Я не бандит, не вор! Люди!

Тихо. Исходит паром еда на столе, качается гамак на веранде. Идиллия. Селись и живи. Никого уже нет.

И не будет.

Виктор вдруг почувствовал, что дом мертв. Убит. Пустая скорлупа, из которой небрежно выдрали жизнь. И в лесу — то же самое. И за стеклянными горами. Мир мертв, превратился в бескрайнюю пустыню. В место ссылки — для него одного. Он уже не проснется. Тело истлеет на берегу, а он будет жить здесь. Один — навсегда.

— Нет, — прошептал он. — Не хочу!

Бросился к двери — и едва не наткнулся на входящего «алхимика». Радость при виде красномордого урода была так велика, что Виктор едва удержался от нелепого желания — обнять его.

— Во, куда забрел-то, — цепким взглядом окидывая комнату, произнес тот. — Картофанчик горяченький... посторонись...

Отстранив Виктора, здоровяк протопал к столу. Уселся на жалобно скрипнувший стул и принялся загребать прямо из фырчащей сковородки, ссыпая грибы и картошку во вместительный рот.

— У... тафай... пфодиняй...

— Что?

— Давай! Присоединяйся! — прожевав, повторил «алхимик». Изо рта его валил пар. — Не жисть — а малина! Верно?

Виктор молчал.

— И чего вы, люди, так не любите одиночества? А?

Новая горсть отправилась в рот. Сковородка опустела.

— Как тебя звать? — спросил Виктор.

— А что тебе от имени моего сделается? Как хочешь, так и зови...

Припав к кувшину, толстяк жадно глотал молоко. Белые струйки стекали по покрытому венозной сеточкой лицу, пятнали и без того грязную рубаху.

— Я буду тебя звать Обжорой.

Толстяк довольно захохотал, забулькал остатками молока. Отшвырнул кувшин — тот каким-то чудом не разбился, но по полу разлилась лужица.

— Давай, зови. Пожрать я и вправду люблю.

— Почему здесь никого нет?

Обжора захохотал:

— Нет, не пойму! Не пойму я вас, людей!

— А ты-то кто тогда?

Но Обжора продолжал веселиться:

— Когда в жестяной банке на матушку-землю падаешь, это я понимаю. Это и впрямь — штаны напоследок намочишь. Когда в такой же коробке в другую въедешь и сгоришь — и впрямь приятного мало. Нет, я ведь и впрямь понятливый! Но вот тут-то чего бояться? А? Идешь по лесочку, листиками любуешься, пришел в домик, на все готовенькое... сядь, покушай, поспи... А ты чуть мне на шею не прыгнул! Странные, странные...

— Что все это значит?.

— Ты чего, ответа требовать вздумал?

— Что здесь происходит? — Виктор повысил голос. Толстяк, отбрасывая стул, поднялся. Мрачно уставился на Виктора. Но того уже накрыло волной ярости: — Я спрашиваю!

— А ты попроси! — приседая в издевательском поклоне, протянул Обжора. — Попроси...

— Паяц! — Виктор взмахнул рукой. И не удивился тому, что сверкающая голубая плеть вырвалась из ладони — подобно водным бичам. Только в отличие от бичей она била словно стрела — навылет пронзила Обжору и брызгами, уже кровавыми, разлетелась на стене.

— Ох... ох... — схватившись руками за пробитую грудь, застонал Обжора. — Убил... убил меня...

Голос его слабел, а сам он покачивался, готовый рухнуть то ли на стол, то ли в молочную лужу.

— Я не хотел... — Весь пыл Виктора куда-то делся. Ощущение, что Обжора сейчас умрет — и мир вновь превратится в неподвижную декорацию, — было слишком ярким. — Я...

Он бросился к коротышке, готовый не то что оказать помощь — умереть рядом, если...

— Ха-ха-ха! — зашелся Обжора приступом смеха. — Замечательно!

Уткнувшись в протянутые навстречу ему ладони, Виктор замер. На груди Обжоры не было никакой раны. Даже грязная рубашка была цела.

— Гад...

— Нет, как повеселились, а? — Ничуть не смущенный, коротышка был в полном восторге. — Ты меня не разочаровываешь, дружок!

Крепкая лапа похлопала Виктора по плечу, хоть для этого Обжоре и пришлось чуть привстать на цыпочки.

— Только идешь ты медленно, — сообщил толстяк. — Нет, я понимаю, тебе и там несладко, а глазки закрываешь — и здесь никакого отдыха... А все же учти. Время, оно не стоит. Варево — варится. Ты это... быстрее ногами шевели. В следующий раз...

Все подернулось пеленой. Впервые Виктор ощутил миг пробуждения не рывком, не стремительным переходом из снов в явь, а неким неспешным процессом. Будто его тянет... из мира в мир, сквозь тягучую патоку...

— Виктор...

Он открыл глаза.

Солнце стояло уже высоко. Но место он выбрал удачно — сквозь листву пробивался только рассеянный свет. Костер догорел, лишь тянуло дымком от углей. Тело совсем перестало болеть.

Рядом на корточках сидела Тэль. В короткой белой юбочке и белой блузке. Аккуратно причесанная. На ноготках блестел свежий золотистый лак. И где она успевает переодеваться и приводить себя в порядок?

Виктор молча потянулся, взял ее за руку. Он понимал, что ситуация предельно двусмысленная... или наоборот, однозначная, еще похлеще догонялок вокруг костра или притворных стонов в купе. Он был сейчас абсолютно голым. И все же в прикосновении к ее руке не было ни грана эротики. Просто хотелось ощутить рядом живое присутствие.

— Сильно тебе досталось? — тихо и с явным раскаянием спросила Тэль.

— Разве не видно?

— Нет.

Виктор посмотрел на плечо. Ни малейших следов синяка.

— Мне опять снился сон. Мерзкий.

Тэль кивнула, будто понимая.

— Отвернись, я оденусь, — попросил Виктор. Тэль послушно отвернулась. Виктор встал, с легким изумлением ощущая, что в теле не осталось усталости, а все ушибы и ссадины исчезли. Как полезен, оказывается, сон на свежем воздухе!

Натянув джинсы, Виктор почувствовал себя вправе прочитать очередную нотацию. Или хотя бы предъявить обиду.

— Это тоже было нужно?

— Что? — не поворачиваясь, спросила Тэль.

— Бросить меня на растерзание толпе сумасшедших магов? Вначале там, на реке... — Виктор начал накаляться. — Ты знаешь, что там было? Как я выбирался? Зачем ты все это закрутила, Тэль? Чтобы я сдох в экологически чистых условиях? Я бы лучше жил в грязном городе! Ты считаешь, что я —

игрушка? Плюшевый мишка с пружинным заводом? Хочу — поиграю, хочу — забуду посреди перекрестка? А? Что ты молчишь, девочка?

— Меня отнесло течением, Виктор. Я не справилась. Я отдала тебе все силы.

Виктор замолчал.

— Это этап. Инициация. Постижение сил. Если ты недостоин — он может стать смертельным. Но и для достойного опасность велика. Я помогла тебе, чем сумела...

Тэль рассеянно водила пальцем по песку, выписывая какие-то вензеля.

— Никогда плавать не боялась. А там чуть не утонула... Ты должен был успеть почувствовать силу Водных, принять ее в себя — и преломить. Не просто отразить обратно во врагов, это-то и я умею... ты должен был взять саму суть их магии. Основу основ. Стремительность потока, что рушится с горных высот, отчаянный лет капли дождя навстречу горячему песку, спокойную тяжесть глубин океана, силу штормовой волны... И ты сделал это, сделал это сам. Но вначале ты должен был устоять. Выдержать. Почти ничем не владея. И я дала тебе все свое... свою стойкость. Что смогла. Немного власти над Огнем...

Она замолчала.

— Извини. — Виктор присел рядом. — Тэль...

Девочка не плакала, нет. Смотрела перед собой пустыми глазами и рисовала на послушном песке причудливые руны.

— Мне тоже тяжело... — не то пожаловалась, не то призналась она. — Тебе не понять, как тяжело. У тебя-то есть по крайней мере право ничего не знать. Я верила, что ты устоишь. Там, после перехода... я же тебя проверяла. Ты ответил на все Силы, слабенько — но ответил. Значит, должен справиться. Только у меня все равно не получается не вмешиваться. Глупо так...

— Тэль... — Виктор взял ее лицо в ладони. Бережно — как стражи Пределов мертвый цветок. — Не сердись. Я глупый и растерянный житель Изнанки. Все, во что я не верил, оказалось правдой. Все, во что верил, — никому не нужной пустотой...

— Не говори так! — строго сказала Тэль. — Никогда так не говори! Ваш мир ничем не хуже нашего, а наш не лучше мира Прирожденных! Если ты... если ты начнешь так думать... тогда у тебя будет лишь один путь!

— Хорошо, хорошо. — Виктор прикрыл ладонью ее губы. — Я не буду. Не сердись. Я растерян, я устал, я напуган. Потому и несу всякий вздор. Ищу виноватого. Я не буду.

Он замолчал. Они с Тэль смотрели друг другу в глаза. Казалось, что надо сказать что-то еще... нет, не говорить... просто не отрывать взгляда... всмотреться в эту бездонную прозрачную синь...

— Ты, наверное, есть ужасно хочешь? — тихонько спросила Тэль, выскальзывая из-под руки. — Да? Я принесла еды... немного...

Наваждение прошло.

Виктор облегченно засмеялся:

— А ты предусмотрительная. Я сейчас готов съесть кого угодно!

— Я невкусная! — запротестовала Тэль, вскакивая. — Не надо! У меня полная корзина пирожков!

— Не вижу на тебе красной шапочки.

Кажется, Тэль не поняла. Наклонилась над корзинкой, стоящей у погасшего костра, — Виктор стал с интересом изучать противоположный берег реки.

— Тут с картошкой, с мясом, с капустой...

— Здорово. Я уже подумывал, рыбу половить или тину попробовать.

— Ну, говорят, один мужик два года илом питался... но мы такую гадость есть не будем... Кушать подано!

Виктор накинул рубашку и присел к корзинке. Тэль разложила пирожки на чистой белой тряпице, с гордым видом ожидая его реакции. Кроме самих пирожков нашлась еще бутылка вина, два маленьких бокала, кусок жареного мяса в плотной бумаге и несколько вареных яиц — как привет от любимого Министерства путей сообщений.

— Вино — это здорово, — согласился Виктор. — Ты умничка. А почему два бокала?

Тон строгого папаши не удался.

— Потому, что я тоже хочу выпить глоток.

— Ладно, разрешаю, — торопливо согласился Виктор, ощущая себя предусмотрительным королем из какой-то книжки. — Мне это явно необходимо. После этого вокзала...

— Какого вокзала?

— На меня набросилась еще одна свора убийц. На вокзале в городке Хорске. Сам не понимаю, как ушел...

Рука Тэль, уже потянувшаяся за бокалами, дрогнула.

— Расскажи.

— А ты не знаешь?

Виктор так привык, что Тэль находится в курсе всех событий, что даже растерялся.

— Ну... после реки...

— Что случилось там, я знаю. Я говорила с гномами.

— Потом я сел в поезд «Белый Орел»...

Виктор рассказывал, что случилось с ним за прошедшие сутки, а Тэль молча слушала, опуская глаза все ниже и ниже. Он описал безумие, охватившее вагон — и давшее ему шанс на спасение, и яростную схватку — когда маги Воды сцепились с новыми бандитами, наверное, не желая делиться добычей... им не желая делиться. И про то, как плыл под водой, внезапно обнаружив, что способен неограниченно задерживать дыхание, про то, как выбрался на берег... Только про сон он ничего говорить не стал.

— Здесь ты меня и нашла...

— Что же я наделала... что я наделала... — Виктор с удивлением и страхом понял, что девочка плачет. — Дура...

— Тэль!

Виктор обнял ее, прижал к груди:

— Ну, ну... что ты, девочка... не надо... я ведь живой! Все нормально!

Она всхлипывала, цепляясь за Виктора. Замотала головой:

— Нет... не в этом дело... У тебя теперь лишь один путь... наверное...

— О чем ты, Тэль?

— Говоришь — люди в вагоне словно взбесились?

— Да... Что это значит?

Тэль молчала.

— Не надо так, прошу тебя... — с отчаянием повторил Виктор. — Ты единственный близкий мне человек в этом мире!

— А ты уверен, что я — человек? — Тэль была уже на грани истерики.

— Я и в себе на этот счет не уверен. Тэль, не плачь...

Девочка помолчала.

— Хорошо. Я не буду, Виктор. Я что-нибудь придумаю...

Рывком отстранившись, она подошла к воде и стала умываться. Скомандовала:

— И налей мне вина! В конце концов!

ГЛАВА 12

Ритор расплачивался.

Было в этом что-то жуткое. Еще недавно люди рвали на себе волосы, заходились в криках отчаяния, рыдали над трупами близких или просто бродили с пустыми глазами — что казалось еще страшнее.

Теперь к кабинету начальника станции выстроилась мрачная, но оживленно переговаривающаяся очередь. Каждого выходящего жадно расспрашивали, выпытывая суммы и детали разговора. Некоторые отвечали, некоторые — нет, в зависимости от душевной скрытности и страха перед магами.

Ритор расплачивался.

— Кормильца, кормильца я потеряла... — Пожилая женщина комкала платок, утирая слезы. — Как жить теперь буду? Как детей поднимать?

— Муж? — тихо спросил Ритор.

Женщина замялась:

— Отец...

— Сколько лет ему было?

На этот вопрос пострадавшая тем более не хотела отвечать. Но выхода не было, а лгать магу она не рискнула:

— Восемьдесят... с небольшим.

Ритор вздохнул:

— И он содержал вашу семью?

— Мастер был хороший! Сапожник! — Женщина сразу пошла в атаку. — Ни дня без дела не сидел!

— А муж ваш?

— А, пьяница несчастный...

Ну что тут было делать? Ритор молча отсчитал золото, еще на небольшую сумму вручил женщине расписку. Та помолчала, явно раздумывая, не потребовать ли большего, но под ледяным взглядом Сандры стушевалась и быстро ушла.

— Жаба! — выпалила Сандра, едва закрылась дверь. — Барракуда... падалью ей питаться...

— Сандра, не надо, — попросил Ритор. — Да, они врут. Они торгуют кровью своих близких. Что мы можем сделать? Отказаться? Чтобы по всем землям клана пошли разговорчики — Воздух убивает своих слуг?

— Это гадко. — Как обычно в минуту сильного волнения, Сандра забыла о всяческом жаргоне. — Почему на улице сидят две женщины, плачут над мертвыми мужьями и даже не думают потребовать денег? А эти... трупоеды...

— Выйди и заплати им компенсацию. Большую. Скажи, что клан просит прощения у верных слуг.

— И так без денег остаемся...

— Сандра!

Женщина встала.

— Я попрошу заем у гномов. Что поделаешь. Заплати тем, кто не требует денег. А я разберусь с теми, кто выстроился в очередь.

— Там еще дети, — неохотно сказала Сандра. — Младенец и две маленькие девочки. Все их родные погибли.

— Возьми их под крыло клана. Отправь на Клык Ветров. Если есть способности, вырастим магами. Нет — все равно найдем место под солнцем.

— Может, лучше отправить в приют?

— Не надо. Там они вырастут с ненавистью в душе. А так — с благодарностью к нам. Зови следующего.

Следующим оказался крепкий, добротно одетый бородач. Не крестьянин, наверное — мельник или кузнец. Поклонившись Ритору, он уселся, не дожидаясь приглашения, и сказал:

— Значит, так. Жена. Средних лет, но еще симпатичная и в работе как огонь. Хозяйство, само собой, знала; какую скотину как кормить, где что лежит... Сотня монет, никак не меньше. Дочка, уже о свадьбе ей сговаривался... пятьдесят. Ну и за имущество потоптанное — монет тридцать, если не жалко.

Ритор в отчаянии прикрыл глаза. Он бы с большим удовольствием выплатил компенсацию родственникам этого человека.

Нельзя. Нельзя. Нельзя!

Значит, придется торговаться, сбавляя непомерную цену. Потом платить.

Разумеется, возвращаться в Хорск они не стали. Тэль считала, что преследователи — маги Воздушных, могут остаться там до прихода подкреплений или для восстановления сил. Это была их территория, и то, что Виктору удалось уйти, было несомненной удачей.

— Ленное владение, — с вернувшейся беззаботностью объясняла Тэль. — За него многие дрались, но последние годы владеют Воздушные. Так себе городок, но положение выгодное. Еще, говорят, раки там вкусные водятся. И мечи неплохие делают. Еще театр есть...

Они шли по степи, вдоль кромки леса, все дальше и дальше удаляясь от реки. Тэль считала нецелесообразным выходить на гномий Путь — во всяком случае, сейчас. Именно вдоль Пути будут искать Виктора поначалу. Вместо этого Тэль предложила выйти к каналу, по нему шли грузы на юг, и Виктор без расспросов согласился.

— Очень удачно, что меня не видели, — говорила Тэль. — Чудесно. Я такое придумаю, что тебе самому бы в голову не пришло. Мы всех обставим...

Оптимизма эта идея Виктору не прибавила. Он бы предпочел действовать по собственной инициативе. Но спорить с Тэль не хотелось.

— Ой, гляди, какая прелесть! — Взвизгнув от радости, девочка бросилась вперед. — Виктор!

У самого Виктора полоска бледно-голубых цветов особого восторга не вызвала. А уж тем более — желания валяться на них, по щенячьи повизгивая, раскидывая руки и колотя пятками по земле.

— Это твердник, — пояснила Тэль, успокоившись и с улыбкой наблюдая за Виктором. — Символ клана Земли. Говорят, если по ним поваляться, то сил прибавляется и идти легче.

— Правда? — Виктор с готовностью лег рядом.

— Конечно, неправда, — засмеялась Тэль. — Сказка такая. Но все равно здорово поваляться вот так, отдохнуть... И вообще — это знак.

— Какой еще знак?

— Ты выдержал удары двух стихийных кланов. Воды и Воздуха. Ты постиг их силу.

— Что-то не замечаю. Ноги ноют. Устал как собака.

— Постигнуть — не значит владеть. Но два клана пройдено...

— И предстоит пройти все остальные?

— Как захочешь, — ответила Тэль. — Можешь вообще домой вернуться. Тебе откроется Тропа, вот увидишь. Но в общем-то, впереди как раз владения Земных.

— Какая радость! Меня давно не убивали!

— Да, ты прав, — подозрительно легко согласилась Тэль. — Это самое сложное для тебя. А вот Огонь... ты даже без инициации умеешь им владеть.

— Само собой. — Виктор нашарил в кармане зажигалку, пощелкал. — Я — повелитель огня.

— Значит, Орос... Орос. Вот мне там... ладно.

Тэль села, поправила волосы, посмотрела на Виктора — с едва уловимой печальной улыбкой.

— Я очень рада, что встретилась с тобой. Тебя даже Изнанка не испортила. За это твоей бабушке надо спасибо сказать, но и ты молодец.

— Скажи, Тэль... когда баба Вера заставляла меня прыгать... лезть в воду... что это было?

— Испытание.

— Почему же она мне не сказала? Если догадывалась, куда я могу попасть?

— Потому что твоя судьба — это лишь твоя судьба. И свой выбор ты делаешь сам. Можно было воспитать тебя по-иному. Научить чему-то. Но зачем, если никто не знал, как сложится жизнь? Ты ведь мог и не попасть сюда. Например, я могла не дойти. Ты мог стать другим... крошечный шаг — и Изнанка поглотила бы тебя. Достаточно иметь что-то в Изнанке... ну — ниточку, корень, якорь, и ты бы не смог уйти.

— Может быть, я был бы счастлив, — прошептал Виктор.

— Да, конечно.

— Но мне здесь нравится. Правда. Несмотря ни на что.

Идти до канала пришлось долго. Солнце поднялось уже высоко, когда Виктор и Тэль оказались у места слияния.

Канал был хорош. Широченный, берега кое-где укреплены бревенчатыми откосами; по каналу неспешно ползли широкие плоты и пузатые баржи — без парусов и весел, их влекло течением.

— Тэль, — не удержался от вопроса Виктор, — а как это так... в обе стороны сами собой?

Девочка на канал даже не взглянула.

— Это прорыли вместе Водные и Земные, Виктор. Водные устроили в канале два течения. И вперед, и назад. Да еще и так, что тяжело груженную баржу тянет с той же силой, что и порожнюю. Их сила велика, что ни говори.

— И что мы теперь будем делать?

— Как что? Выйдем на берег и проголосуем. Они пассажиров берут охотно.

Девчонка решительно направилась к краю обрыва. Берег здесь был укреплен невысокой деревянной набережной. Остановилась, вытянула руку известным и в Изнанке жестом — кулак сжат, большой палец оттопырен, смотрит вверх.

— Кто-нибудь да остановится, — сказала Тэль.

Ждать пришлось не слишком долго. Прополз мимо длинный плот — похоже, на юг гнали строевой лес, — и первая же баржа, шедшая за ним, свернула к берегу. Поменьше прочих, ладная, свежевыкрашенная коричневой краской, на носу название алыми буквами: «Элберет».

Элберет, Элберет... что-то знакомое...

— Эй! — крикнули с баржи. — Запрыгивайте! Тут чалиться негде, не видите, что ли?!

Тэль грациозно перемахнула на борт. Виктор прыгнул следом — и поразился: воздух заботливо подхватил его под мышки, словно боясь — человек упадет, хотя между краем бревенчатого настила и баржей оставалось не больше полутора метров воды.

От невысокой дощатой рубки на корме шагал человек. Высокий и узкоплечий, слегка сутулящийся при ходьбе, с длинными волосами, перехваченными на лбу неширокой бисерной повязкой. Лицо загорелое, обветренное, на плечах — невесть зачем наброшенный длинный черный плащ.

— Привет! — Он протянул руку. — Вам куда?

— До самого края, капитан, — обворожительно улыбнулась Тэль. — Довезете?

— О чем базар? Конечно. Хавка у вас своя? Пенка, чтобы спать, у меня найдется...

— Еды у нас нет... — вздохнула Тэль.

— Три монеты в день с носа, — решил проблему капитан. — Будем знакомиться? Эленельдил.

— Какого ты рода, почтенный Эленельдил? — удивилась Тэль. — Ведь это нечеловеческое имя?

У Виктора странное имя капитана вызвало ассоциации с каким-нибудь знатным чукотским оленеводом, и он тихонько усмехнулся.

— Ну... пока сюда не пришел, Николаем был, — хохотнул капитан.

— Погоди, — вмешался Виктор. — «Сюда» пришел?

— Ну да. С Изнанки я. Слыхал? Да, впрочем, ты... — Николай-Эленельдил прищурился, — ты и сам, похоже, оттуда... Правда?

— Правда. — Виктор протянул руку, назвав себя.

— А ты откуда?

— Из Москвы.

— Из Москвы? — оживился капитан. — И я тоже! Ты где жил?

— На «Электрозаводской».

— А я на «ВДНХ». Слушай, Витя, мне и лицо-то твое вроде как знакомо. Ты у нас-то не бывал? Не захаживал?

— Куда? — не понял Виктор.

— Как куда? К нам, в Нескучник. Мы там каждый четверг тусовались.

Виктор непонимающе покачал головой.

— А, что было, то было... быльем поросло. — Капитан слегка смутился. — Раз земляк... в общем, сегодня угощаю. Идемте!

Похоже, что, кроме Эленельдила, на барже не было ни единого человека. Впрочем, движение в канале было слишком ровное и неторопливое, чтобы в этом возникала какая-то необходимость. Баржа сама собой отвернула от берега и вышла на стержень течения.

— Скучновато тут, — честно признал Эленельдил. — Зато работка непыльная, живешь в достатке... опять же, если провезешь чего запрещенного...

Он подмигнул Виктору и шепотом сказал:

— У меня в трюме целый тюк сушеной травки! Ты как, не любитель подымить?

Чувствуя себя случайным зрителем пьесы абсурда, Виктор покачал головой.

— Ну, блин, что ж ты такой правильный! Подружка, а тебя как звать?

— Тэль.

— А ты — местная?

— Вполне.

— Это правильно. Ты парня не бросай, помоги обвыкнуться поначалу...

Вслед за капитаном они вошли в рубку. Видно было, что обитает здесь только один человек, причем — мужчина и вдобавок — неряха.

На столе были перемешаны яблочные огрызки, какие-то заляпанные жиром карты, пустые тарелки, инструменты, чинарики, почему-то — пучки ваты и причудливой формы деревянные чурбачки, останки сушеной рыбы, липкие стаканы с мутными остатками пива на донце.

Перед окном, выходящим к носу, торчал из пола маленький штурвал. Сейчас он медленно и скрипуче вращался, отмечая покачивание носа баржи. Рукоятки штурвала, когда-то отлакированные, выглядели так, будто о них неоднократно тушили окурки.

В углу валялась горка одежды — что-то, похоже, чистое, а что-то грязное и скомканное. Поверх рубашек и носков лежал одинокий лифчик.

— Вчера одну компанию подвозил, — ничуть не смутившись, сказал Эленельдил. — С такой девчонкой познакомился... — Он подмигнул Виктору. — Даже жалко стало, что женат!

Рассказывая о своих любовных приключениях, он совершенно не стеснялся присутствия Тэль.

— Не то что вчера... Подсадил девчонку, думал — вечерок скоротаю. А эта, Рада... Пиво ей не понравилось, знаток в юбке... Сагу о древних битвах послушать не захотела... тоже мне воительница! — Эленельдил мрачно потер затылок, сморщился.

— Рада? — воскликнул Виктор.

— Да, Радой назвалась... Нет, чего красивым девушкам дома не сидится? Добывают откуда-то меч... здоровый!.. и шастают в поисках приключений.

Не усидела, значит, дочка Конама в уютном ресторане! Может, и сам Виктор был тому виной — разбередил душу.

— Давайте я порядок наведу? — предложила Тэль. Кажется, разговор о Раде ей сильно не понравился.

— Уважаю! — Капитан расцвел в улыбке. — Нет, это правильно! Тэль, ты лапочка! Если Виктор тебя обижать будет, приходи ко мне! А мы пока на палубе побудем, чтобы не мешать...

Подхватив с пола маленький деревянный бочонок, капитан попытался покинуть каюту.

— Вначале принесите мне два ведра воды, веник и тряпки, — скомандовала Тэль.

— Воду... сейчас... а вот тряпки...

Тэль молча нагнулась над кучей одежды.

— Собираешься это носить?

Капитан почесал подбородок, изучая прожженную во многих местах, испачканную в масляной краске, надорванную по подолу рубашку.

— Да нет, наверное... а, бери! Чем ради чистоты не пожертвуешь!

Лишь через десять минут — пришлось и принести воду, и отодвинуть стол на середину рубки, а узкий топчан от стены — Тэль позволила им выйти на палубу. Опасливо озираясь, капитан покачал головой:

— Нет, я, конечно, за всяческую гигиену... но уж слишком круто... Что, выпьем?

Они расположились ближе к носу баржи. Из рубки доносился такой шум, грохот и неодобрительное ворчание, будто там устроил гульбище взвод пьяных солдат, взявших штурмом женский монастырь, а не наводила порядок хрупкая девочка.

Виктор кивнул. Хотелось сполоснуть бокал, но не в забортной же воде, куда только что, на его глазах, помочился со встречной баржи интеллигентного вида пожилой гном.

По счастью, хоть пиво оказалось крепким, насыщенным и вкусным, даже несмотря на то, что было излишне теплым. Они сдвинули бокалы, выпили.

— Можно я буду звать тебя Николаем? — спросил Виктор.

— Зови, — легко согласился Эленельдил. — Только Ником не зови... ненавижу...

Он быстро налил по новой:

— Хорошо здесь. Верно?

— Да, неплохо, — осторожно согласился Виктор.

— Давно ты с Изнанки?

— Три дня.

— О! За это надо выпить.

Почему-то Виктору казалось, что и недельный, и месячный срок вызвали бы такую же реакцию. Они выпили снова.

— А ты, Коля?

— Три года почти... — Николай расстегнул плащ, и Виктор наконец-то сообразил, зачем тот его надел — под плащом не было ничего, кроме просторных семейных трусов. — Эх... никак позагорать не получается. Все в каюте да в каюте. Будешь?

Он извлек из кармана плаща пару грубо свернутых сигареток и протягивал одну Виктору.

— Нет, спасибо.

— Зря, зря... — Николай зажег сигарету, жадно затянулся. Потянуло сладким дымком марихуаны.

— И как ты... здесь? — спросил Виктор.

— Что — как?

— Как живешь? По дому не скучаешь?

— Вот еще. — Николай фыркнул. — Да я, если хочешь знать, о таком всю жизнь мечтал! Мне эта... Изнанка... комом поперек горла стояла! Веришь — я за то, чтобы в таком мире оказаться, жизнь был готов отдать!

— Серьезно?

— Дык! Ну что я там забыл? Работал программистом, глаза за компьютером портил. Только душой и отходил — фэнтези почитать или с ребятами в лесу ролевуху устроить... И знаешь... вот не сомневался я нисколечко — есть, есть такой мир! Настоящий! С эльфами, гномами, магами!

— Выходит, тебе повезло...

Николай разлил еще пива:

— А то! Что, скажешь, ты не мечтал здесь очутиться?

— Нет. И фэнтези я читал только по случаю. И в эльфов не верил, извини.

— Странно. — Николай покачал головой. — Обычно тут те оказываются, кому Изнанка не в дугу! Знаешь, ты, наверное, хотел сюда. Только сам своего счастья не понимал!

Виктор пожал плечами. Из рубки появилась Тэль, неодобрительно посмотрела на них и выплеснула за борт ведро с почти черной водой.

— Нет, я рад, очень рад, — продолжал Николай. — Мы тогда с приятелем моим, Степкой, травки хорошей прикупили... — Он снова подмигнул Виктору, как бы предлагая опомниться, передумать и присоединиться. — Свернули по косячку... умел Степка косяки крутить, целую философию под это подводил. И так понеслись... помню, Степка песенки пел, эти... эзо... экзо... экзотерические... забываю я что-то умные слова без тренировки... Потом еще по косяку забили и еще. Меня что-то на откровения потянуло, помню — все рассказывал, как хочу в Настоящем Мире очутиться! Потом домой побрел, по пути еле от ментов отмазался... в канаву залетел... ну, знаешь, с передозяка чего не бывает... на столб смотришь и столбу улыбаешься, потому как он тебе — лучший друг! И заплутал. В общем... вышел к деревушке... решил, что гонево у меня пошло. Ну, посуди, откуда в центре Москвы — деревня! А тут еще гном навстречу вышел...

Он замолчал, жадно посасывая окурок. Решительно закончил:

— Нет, повезло мне! Одно слово — повезло! Я первые дни думал, что глюки у меня. Ждал, что гном обернется доктором со шприцем и выдаст, как меня откачивали. Но ничего, старался вжиться. А потом понял — все это взаправду. Вот радости было!

— И что же ты делал? — полюбопытствовал Виктор.

— Ну, вначале к табору эльфийскому прибился. Они людей-то берут неохотно, но я так их упрашивал... объяснил, что всю жизнь об одном мечтал... Два месяца с ними провел... — В голосе Николая появилось раздражение. — А эти скоты перворожденные... всю черную работу на меня спихнули! Дрова колоть, в шатрах убираться, травы их сортировать, стирать... Нет, я долго терпел. Вечером, как возьмут эльфы лютни, как заведут свои песни — о горах, о морях, о том, как ветер звенит, а звезды перешептываются... Приляжешь в сторонке — близко-то нельзя, к костру меня не пускали, говорили — воняет... лежишь, мечтаешь... А потом... ну, стал я к одной эльфиечке клинья подбивать... прогнали меня, в общем. Скоты!

Виктор покивал, всем своим видом выражая сочувствие.

— Стал, значит, думать я, чем дальше заниматься. Хотел военным стать, или магом, или еще что, а тут подвернулась эта баржа... капитал у меня какой-никакой был... Точно сигаретку не будешь?

— Нет, не буду.

— Смотри, тогда я еще подымлю... Вот, капитал, говорю, был... эти скоты эльфийские все же за наглость поплатились. Вошел в долю, потом и вовсе баржу выкупил. Дело знакомое, я служил во флоте, а тут вовсе работать не надо. Год назад окончательно обстроился. Дом себе отгрохал! Пятистенок, крыша железом крыта, печка гномья, на мазуте. Корова у меня — полный отпад! Свиней пяток, куры, коза. Женился. Очень основательная женушка, правда, вдова и пацаненок у нее, но это ничего, детей я люблю. Зато хозяйство всегда в порядке. Пиво вот... сама варила. Хорошее пиво?

— Хорошее, — согласился Виктор. Пиво, наложившись на выпитое днем вино, уже давало о себе знать — шумом в голове, и не только. Он подошел к борту и последовал примеру недавнего гнома.

— Так что живем — не тужим! — резюмировал Николай. — Уже подумываю, не прикупить ли вторую баржу. Хочешь —

найму тебя капитаном? Как землячка, по протекции? Ты-то решил, чем займешься?

— А у меня, кажется, уже все определено, — не вдаваясь в подробности, ответил Виктор.

— Ну, если тебя девчоночка опекает... — Николай довольно прищурился. — Это правильно, это очень даже хорошо. Однако смотри — я всегда готов своим помочь.

Баржа медленно приближалась к мосту. То ли Путь тут проходил, то ли просто дорога — с воды не было видно. На берегу, как водится, стояли сторожки, возле одной высился оседлавший меланхоличного коня гном-охранник с арбалетом на плече. Виктор с невольной симпатией помахал ему рукой. А вот Николай почему-то его отношения к гному не разделил. Проводил его мрачным взглядом, зло трахнул кулаком по палубе, взвыл, видимо — отбив руку. Прошипел:

— Глаза б мои не смотрели...

Чем так досадили преуспевающему владельцу баржи гномы из охраны, Виктор не знал. Да и не стал допытываться. Может быть, поборы брали? Навстречу им тянулась целая вереница маленьких суденышек, заваленных вперемешку белыми мраморными глыбами и деревом. Жизнь кипела и бурлила, строились дворцы и сараи, жизни не было никакого дела до взаимоотношений Николая и гномов-конноарбалетчиков.

— Нет в мире совершенства, нет... — Вторая сигарета настроила капитана баржи на философский лад. — Эх... Феи прекрасные стонут под гнетом железных цветов...

Виктор насторожился. Если выпивший пивка Николай начнет сейчас читать стихи, так хоть убегай с баржи... К счастью, в этот момент из рубки вышла Тэль:

— Эй, пьяницы! Пойдемте! Хлев вычищен!

— Молодец она у тебя, — одобрительно сказал Николай. — Тощенькая, да и молода еще, а работящая. Нет, одобряю!

В рубке и впрямь царила чистота. Тэль даже стекла протерла, и клонящееся к горизонту солнце высвечивало отчищенный, выскобленный пол. На чистом столе в вымытой баночке стоял цветок твердника — и когда Тэль успела его сорвать?

— Ух... — Николай развел руками. Чистоту он, наверное, все же любил, робкой платонической любовью лентяя. — Дай я тебя поцелую, девочка!

К изумлению Виктора, Тэль с готовностью подставила щечку для не слишком-то отеческого поцелуя капитана баржи. Лукаво посмотрела на Виктора, и тот раздраженно отвернулся.

— Все, теперь с меня причитается! — заявил Николай. Открыл шкаф, присвистнул — видимо, и там был наведен порядок — и принялся доставать свертки. — Сальце... от своего кабанчика, между прочим! Огурчики-помидорчики... курочка... вчера в Хорске купил, вроде еще свежая, надо съесть... Ликеров не держу, извините, а вот пива и водочки — хватает..

Вместе с Тэль они сервировали стол, и вскоре все трое принялись за ужин. Виктор позволил себе еще один бокал пива — честно говоря, может, уже и лишний, и так отяжелел от жары и выпивки.

— Тебе, наверное, интересно, что дома делается? — спросил он у Николая.

— Дома? А что, все там нормально. Жена за хозяйством следит, малец, наверное, как раз поросят кормит...

— Я имею в виду Изнанку.

— А... Изнанку... — Николай хлопнул еще бокал пива. — Ну, не знаю. А чего мне, собственно? Возвращаться я не собираюсь, даже если б мог. Про родных моих ты все равно ничего не знаешь. Ну... войны-то хоть нет?

— Нет.

— А это... — капитан задумался, — ну... что-нибудь такое, интересное, случилось? Летающую тарелку поймали, или СПИД лечить научились, или...

Он тяжело задумался. Махнул рукой:

— Не хочу я ничего знать, Витя. И вспоминать даже про Изнанку не собираюсь! И тебе советую — наплюй и забудь! Вот наша жизнь! На Теплый Берег пшеницу и мясо возить, оттуда — рыбу и вино. Природа — благоухает! Девушки... — он подмигнул Тэль, и та улыбнулась в ответ, — игривы и прекрасны! Пиво медяки стоит! Заболел — так заплатишь магу, и поможет лучше любого доктора! Если цивилизации хочется — селись поближе к железке, от гномов и горячую воду можно протянуть, и даже электричество. Я вот теплый сортир собираюсь пристроить. Чем не рай? А?

— Насколько я знаю, тут бывают войны, — заметил Виктор.

— Ха! Войны! Куда меньше, чем у нас! И налоги, если разобраться, вполне человеческие. А уж чтобы мент... резиновой дубинкой... — Николай вздохнул. — Никогда! Даже эльфы... ну, пусть скотами оказались. Ничего. Зато теперь, как разбогател, частенько их нанимаю. Придут с лютнями да свирелями, рассядутся в саду и давай петь! А я устроюсь на веранде, пиво с салом трескаю и наслаждаюсь!

Они сидели еще с полчаса. Николай не забывал подливать себе пива, описывая Виктору все преимущества Срединного Мира. Тэль насмешливо улыбалась. Сам Виктор больше молчал.

Что-то грустное было в этом парне, его земляке.

Нет, если бы он и впрямь пристал к эльфам, или стал работать с гномами на «железке», или попытался стать магом... Наверное, Виктор мог бы только порадоваться за человека. Но в таком осуществлении мечты — нанять толпу эльфов и слушать их под пивко... Неужели все, приходящие в Срединный Мир с Изнанки, на поверку оказываются куда меньшими поклонниками чародейства и волшебства, чем им думалось? Одно дело — воображать себе мир магии, другое — попробовать в нем жить.

— Ладно, думаю, нам пора и отдыхать, — сказал Виктор. — Требуются какие-нибудь ночные вахты? Или как?

— Или как. — Николай похлопал бочонок с пивом. — Штурвал закрепить, а вода сама несет... вся работка — смотреть, чтобы течи не было. Давай еще?

Виктор покачал головой.

— Ну, тогда отдыхайте. Я вам пенку дам... — Нетвердо стоя на ногах, Николай извлек из шкафа туго скатанную соломенную циновку, поколебавшись, добавил еще и грязное шерстяное одеяло. — Чем богаты, как говорится... располагайтесь на палубе...

— Благодарю. — Честно говоря, Виктор боялся, что Николай начнет предлагать Тэль разделить с ним каюту. — Мы где-нибудь на носу, хорошо?

— Только в воду не свалитесь. Я тут посижу еще.

В дверях Николай все-таки окликнул их:

— Не будет спаться — так подходите...

Виктор так и не понял, кому в большей степени адресовано это предложение.

В сгущающихся сумерках он разложил на палубе «пенку». Циновка не обещала особой мягкости сна, но все-таки... Снял куртку и свитер, свернул их, положил на циновку:

— Вместо подушек.

— Угу. — Тэль присела на краешек циновки, вытянула ноги. Вздохнула. — А я и вправду устала. Спасибо. Я боялась, что ты до утра будешь сидеть с этим... Николаем...

Виктор усмехнулся:

— Что, не понравился он тебе?

— Неряха, — презрительно сказала Тэль. — И пьяница.

— А что ты с ним тогда целовалась? — не удержался Виктор.

Тэль усмехнулась. Ехидно спросила:

— Ревнуешь?

Виктор чуть не задохнулся от возмущения.

— Что? Тэль, ты... ты не в моем вкусе, это раз, и еще мала... это два.

— А почему не в твоем вкусе?

Предпочитаю блондинок!

— Фу... — Тэль покачала головой. — Как тривиально. Думала, у тебя вкус получше.

— Вот уж не тебе судить...

Виктор замолчал, озадаченно глядя на Тэль. Потом засмеялся.

— Ладно, пас! Сдаюсь. Тэль, мне и впрямь неприятно, что этот капитан так одобрительно на тебя поглядывал.

— Ревнивый, — вздохнула девочка. — Значит, у меня есть шансы? Когда подрасту и перекрашусь в блондинку?

— Посмотрим по поведению.

— Я буду очень стараться, — не внушающим особых надежд тоном сказала Тэль. Легла на циновку, подложив под голову свернутый свитер Виктора и ладошки.

Навстречу двигалась еще одна баржа — пузатая, с невысокой надстройкой на носу. Рядом с ней стояли двое — парень и девушка... наверное, чуть старше Тэль. Увидев их, парень помахал рукой.

Виктор хмыкнул, неуверенно помахал в ответ. Проводил баржу взглядом. Поразительно было, как четко разграничены течения в столь узком канале, они разошлись в каком-то метре, но парень не проявил ни малейшего беспокойства. Обнял девушку за плечи и протянул руку вверх, указывая на что-то.

Виктор тоже посмотрел в небо. Проглядывали первые звезды — уже по-южному крупные и яркие. Скользнул метеор...

— В общем, я и не настаиваю, чтобы ты перекрашивалась... — сказал Виктор. — Слышишь, Тэль?

Тэль мирно посапывала, уткнувшись лицом в импровизированную подушку. Виктор вздохнул, укрыл ее одеялом, постоял рядом. Наверное, девочка и впрямь вымоталась, раз отключилась так быстро. А он, дубина самодовольная, даже не расспросил ее — как она выбралась, как нашла его...

Он лег рядом на краешек циновки. Долго лежал с открытыми глазами — глядя на небо, набухающее звездным крошевом, на плещущие волны, тянущиеся вдоль канала деревья, редкие огоньки вдали. Что его тянет вперед? Зачем ему Орос, зачем кланы и маги? Неужели не найдется места в жизни? В конце концов, чем плох путь, выбранный Николаем? Завтра же он скажет Тэль, что не собирается никуда ехать. Сойдет вблизи первого же городка. Есть у него кое-какие силы, отобьется, если очередная толпа сумасшедших магов захочет его крови...

За этими успокаивающими размышлениями Виктор и заснул.

...Самое смешное было в том, что он уже перестал удивляться. Прозрачные горы, фиолетовый лес, обугленные остатки «лаборатории».

— Достали, — сказал Виктор. — Эй, урод, а ты меня достал...

Обвинять коренастого наглеца в повторяемости снов было, конечно, глупо. Во всяком случае, в первый раз он точно был ни при чем — и сам удивился приходу Виктора. Но сейчас Виктора не оставляла мысль о том, что любое его действие станет лишь развлечением для Обжоры.

— Эй! — крикнул он. — Уродец! Мне сейчас не до тебя!

Лес молчал, и посеревшие (дождь тут был, что ли?) развалины строения молчали, только волны ответили согласным гулом, и ветер подхватил слова Виктора, унося их вдаль.

— Спокойной ночи! — пожелал Виктор невидимым наблюдателям. Отошел чуть дальше от берега, на сухое. Лег — и уснул.

Второй раз подряд. Даже не удивляясь тому, что можно спать во сне.

Заклятие Ритор сотворил сам. Много сил не требовалось — Убийца не мог уйти далеко. Выбравшись на плоскую крышу вокзала, Маг сидел, прикрыв глаза, и чувствовал, как раскручивается незримая спираль ветров. Слабенькая, легкая, почти незаметная для других магов. В первую очередь его интересовала река, прибрежная полоса, а лишь потом Путь и степи.

След нашелся в двадцати километрах от города. Ритор даже скрипнул зубами от досады, обнаружив, как близко был Убийца. Какая наглость! Даже не потрудился далеко уйти... выбрался на берег и завалился спать.

Ощупывая землю, воду и небо незримым жгутиком покорного ветра, Ритор ждал. Убийца должен почувствовать... к сожалению, он, выдержав схватку с магами Воздуха, завершил теперь и это посвящение. Ровно половина пути позади. Остались Земля и Огонь. Ну, с Землей у него, очевидно, особых трудностей не возникнет, а вот с Огнем Убийце придется повозиться. Едва ли Огненные выпустят его так просто. Как только они почуют магию Воды... костьми лягут, но постараются убить. Хотя там, в Оросе, море тоже под боком. Кто знает, может, и ускользнет.

«Великие силы, как мне нужен сейчас клан Огня, — думал Ритор. — Если б нас было двое... еще хотя бы один Огненный маг, чтобы оттянуть на себя водную защиту... я бы достал негодяя».

В том, что скрывшийся Убийца — не просто несчастный, угодивший в жернова судьбы человек, а именно негодяй, Ритор уже не сомневался. Сошедший с ума вагон... несчастные поселяне, с голыми руками бросившиеся на лучших бойцов клана Воздуха, — такое под силу только истинному Убийце, Убийце прирожденному, быть может — даже совершившему подобное преступление там, у себя, в Изнанке...

Но запоздалыми сожалениями делу не поможешь. План Убийцы прост и эффективен — ему надо пройти посвящения еще в двух кланах, Земли и Огня, далеко на юге, на Теплом Берегу. Добраться до цели по Пути отняло бы у Убийцы день или два, не больше. Сейчас он наверняка поплывет по каналу — движение там оживленное, плотогоны и капитаны грузовых барж охотно берут пассажиров. Дня три — и Убийца у цели.

Послать весть в клан Земли? Едва ли это поможет, Крылатых Властителей они ненавидели. Огненные ослаблены недавним разгромом. Остается только одно — продолжать погоню, идти по следу, с надеждой настичь Убийцу прежде, чем тот доберется до владений клана Земли.

Взлететь, не жалея сил? Это можно... дождаться часа Силы и втроем, с Сандрой и Асмундом... ударить всей мощью. Но тогда Убийца просто нырнет в канал — власть же Ритора кончится на границе, разделяющей Воздух и Воду. Нет, это не решение. Остается только одно — опередить врага. Захватить его врасплох, уже на подступах к клану Земли. Заодно можно будет вызвать подкрепление из собственного клана и — кто знает? — привлечь кого-то из Огненных.

Резерв времени есть. «Стрела Грома» достигнет Теплого Берега за день. И останется самое меньшее два на подготовку. Более чем достаточно.

Отбрось сомнения, Ритор. Твой путь — единственно верный. Теперь у тебя есть самое главное — опыт. Ты опережаешь Убийцу на пару ходов. Второй неудачи просто не может быть. Как не может яблоко ни с того ни с сего полететь вверх без помощи магии.

Пора в обратный путь, и пусть Сандра возьмет с собой несчастных детишек, по вине Убийцы оставшихся без родителей. Толчок ужаса и ненависти вполне мог изменить ребят... особенно младенца, они более восприимчивы. Может получиться сильный маг — все-таки зачат и рожден во владениях Воздуха.

Ритор спустился с крыши.

Вокзал на скорую руку уже привели в порядок. Искалеченный вагон отогнали в тупик, мертвых убрали, раненых поместили в лечебницы, кровь на перроне засыпали свежим песком. Отряд Ритора, мрачный, точно плакальщики на похоронах, сидел в закрытом от других зале «только для магов».

Сандра держала на руках причмокивавшего во сне малыша. Асмунд уже успел развеселить чем-то девочек — кажется, показывал фокусы. Кан, смертельно бледный, сидел, откинувшись, беспрерывно потирая тонкие руки. Им сегодня хватило работы.

Даже Эрик и Кевин лишились всегдашних своих масок холодного равнодушия и презрения ко всему окружающему миру. Их мальчишки держались лучше — в двенадцать лет еще не так остро ощущение смерти. Особенно чужой. Особенно в бою.

— Мы возвращаемся, — без предисловий сказал Ритор. — Убийца уходит через канал. Там его не достать. Ему теперь один путь — на юг, в клан Земли, а от них — к Огненным. Нам надо опередить его. Иного выхода нет. Только засада. И... там, где нет людей.

Все молчали. Ждали его слов.

— Я вызову подмогу. И из нашего клана, и из числа Огненных. Это наш последний шанс, другого не представится. После трех посвящений... Убийце останется совсем немного. Мы положим половину клана, пытаясь его прикончить. Значит, неудачи не должно быть, все поняли? Кевин, Эрик! Второй раз вас ничто не должно отвлекать. Мы справимся с его защитой. Убить Убийцу придется вам.

Кевин дернул щекой. Глаз его был уже в порядке.

— Трудно будет достать эту сволочь. Нам с Эриком не справиться.

— Сколько нужно еще пар? — спокойно спросил Ритор, хотя на душе враз стало как-то неуютно. Если уж Кевин сказал: «Мы не справимся...»

— Самое меньшее четыре. Лучше пять, — неожиданно подхватил Эрик.

— Значит, пошлем за семью, — невозмутимо подытожил Ритор.

— Джонатан, Рандор, Бен, Жером, Берт, Авель, Блайд, — ровным голосом перечислил Эрик.

Да, все самые лучшие.

— А кто тогда в клане останется?

— Да эти двое молодых, что недавно прибились, — Данька со своим Младшим. Четверых стоят, только в магические дела им лезть еще рановато... — пояснил Кевин.

— Хорошо, — кивнул Ритор.

Дело будет кровавым. Не многие вернутся назад. Но это уже не важно. Старшие знают свой долг. И умеют объяснить его напарникам.

Лой Ивер размышляла. Сидела, положив подбородок на сцепленные пальцы рук; на столе перед ней лежала кучка разноцветных деревянных кругляшков-фишек.

Итак. Ритор ждет Дракона. Торн хочет его уничтожить... и даже не «его», а «их», и Дракона, и Ритора. Вдобавок ко всему — назревающее вторжение Прирожденных.

Что ж, все понятно. А если прибавить к этому еще и доставленное разведчиками...

О схватке на вокзале в Хорске Лой узнала спустя всего лишь двенадцать часов. И теперь сидела без сна, так и эдак толкуя услышанное.

А до этого пришла весть о стычке на вокзале в Луге. И о случившемся на мосту близ Рянска. Разведка работала неплохо...

Но все по порядку. Итак, Хорск. Сгребем вместе несколько фишек, отметим расклад. Ритор, Сандра и новый мальчик-маг (очень интересно, кстати, а где же старая гвардия — Солли, Эдулюс, братья Гай и Рой?) пытались убить некоего мужчину, судя по всему, недавно пришедшего с Изнанки. Вмешавшийся маг Воды Готор погиб вместе с одним Наказующим.

Известия более чем скупые. Но Лой Ивер выжала из них все, что могла.

Человек с Изнанки, ради которого Ритор собрал настоящую смерть-команду, бросив в такое время клан, мог быть только одним. Потенциальным Убийцей Дракона, еще не завершившим все свои посвящения. Понятно, почему вмешался несчастный Готор — пытался предотвратить убийство.

Но зачем тогда тем же Водным понадобилось нападать на этого человека в Рянске? Пытаться убить его в Луге? Если он — Убийца, тот же Готор должен был его защищать... что он, кстати, и делал... но — только перед лицом Ритора. А до этого, похоже, всерьез пытался убить.

Лой не выдержала — вскочила. Что-то важное крылось тут... что-то невероятно важное...

Самое простое объяснение — Готор напал, чтобы отвести глаза Ритору. Вполне возможно. Тем более что убить этого парня тогда было бы гораздо проще, чем сейчас, когда он, судя по всему, уже прошел два посвящения из четырех. Да, очень может быть. Ритор узнал об этих нападениях, уверился, подумал, что Торн хочет обмануть Воздушных, посмеялся над неуклюжей хитростью и сам бросился в бой.

Все получалось. И все-таки... что-то не давало Лой покоя, потому что слишком уж логично выстраивалось.

Конечно, даже она, глава клана Кошек, не знала секретов посвящения. Это злило, это раздражало — Лой не привыкла действовать вслепую. Но сейчас, похоже, иного выхода нет. Придется рисковать. Самой — клан вмешивать она не будет.

Серая фишка клана Кошки легла в сторонке от группы Воздушных. Такой вот расклад...

Торн оказался легкой добычей. Ритора Ивер ставила куда выше. С ним такие примитивные хитрости едва ли сработают. Собственно говоря, Лой еще и сама не решила, кого же поддержать в этой войне. Остаться в стороне, похоже, не удастся — можно как угодно относиться к Торну, но маг он очень сильный. И если он говорит о скором вторжении Прирожденных — то, значит, так оно и есть.

А если Прирожденных возглавит Сотворенный Дракон...

Лой зябко передернула плечами. Об этом ужасе даже и думать не хотелось. Тем более если Ритору удастся уничтожить Убийцу. Тогда у кланов Теплого Берега почти не будет шансов. Им останется только геройски умереть — или бежать на север. В тщетной надежде выиграть еще хотя бы несколько лет жизни...

Нет, подобной роскоши Прирожденные им не позволят. Они не остановятся ни на Теплом Берегу, ни в Поющем Лесу, ни в степях, ни в северных лесах, ни возле Серых Пределов — не остановятся, пока мир не будет полностью их, весь, вплоть до самой мелкой песчинки. И нечего утешать себя призрачными надеждами.

Неужели она, Лой Ивер, ошиблась, помешав Торну убить Ритора на своем балу? И сама открыла на Теплый Берег дорогу жуткому непобедимому чудовищу из-за Разлома Миров?

Нет, сказала она себе. Твоя интуиция еще не подводила тебя, Лой. Когда не хватает точных данных, опирайся на нее. Не подводила раньше — так почему же должна подвести сейчас? Ритор — не самоубийца. Он не станет уничтожать единственную надежду на победу.

Впрочем — он-то ведь имеет другую...

Возвращающийся Дракон.

Поместив в углу стола голубую фишку — пусть уж Торна отметит цвет воды — Лой бросила между ней и фишками-Воздушными еще одну. Большую, золотистую. Деревянный кругляш покатился — и встал на ребро.

Лой прикусила губу. Нельзя быть суеверной! Что она, гадать, что ли, собралась? По разноцветным фишкам, которыми Хор со своими котами отмечает суммы, стоящие на кону в карточной игре?

Да никогда! Пусть золотая фишка стоит ребром, покачивается из стороны в сторону, ей-то что?

Ритор не сомневается, что без этого Дракона вторжение не остановить. У Ритора огромный опыт — наверное, он самый опытный боевой маг на всем Берегу. И он готов рискнуть кланом, рискнуть сотнями и тысячами жизней, чтобы Дракон вернулся.

И чтобы его не ждал уже готовый к бою, прошедший посвящения Убийца.

Но что делать с Драконом потом, если вторжение удастся отбить? Ритор не может об этом не думать. Что же, снова Крылатые Властители? Ограничения на магию, свирепые законы, тяжкие дани-выходы?

Нет уж. Хватит. Сыты по горло. Не зря все кланы помога- ли тогда Ритору... единственному, кому оказалась по плечу тяжкая ноша Убийцы Драконов.

Не выдержав, Лой зашипела — точь-в-точь как рассержен- ная кошка. Нет выхода! И так плохо, и эдак нехорошо. Чем дальше в лес, тем своя рубашка ближе к телу. Не плюй в коло- дец, вылетит — не поймаешь...

Наверное, она впервые оказалась в положении, когда од- нозначного решения не существовало. Раньше Лой могла ду- мать лишь о том, чтобы сохранить клан. Не допустить между- усобицы. Теперь, похоже, именно ей предстояло решить, за кем останется поле — за Ритором или за Торном. Весы коле- бались в неустойчивом равновесии, малейшая прибавка на той или другой чаше окончательно собьет баланс. Вступит ли Лой Ивер в борьбу, или предоставит противникам выяснять отно- шения без нее?

Несомненно, еще недавно она поступила бы именно так — по принципу «двое дерутся, третий не встревай». Но не теперь. Опасениями Ритора пренебрегать нельзя.

Как, впрочем, и убежденностью Торна, что кланы выстоят и сами, без всяких там Драконов. Нужно лишь убить Дракона вражьего... а вдобавок и другого, если тому все-таки вздумает- ся объявиться у нас в Срединном Мире...

Лой чувствовала, что окончательно запутывается. Раньше в таких случаях хорошо помогал ненавязчивый, легкий секс. Сейчас об этом противно было даже и думать.

Убийца... как жаль, что она так мало знала о нем. Стихий- ные ревниво хранили свои тайны.

А отсюда следовал простой вывод. Она, Лой Ивер, должна отыскать Убийцу и поговорить с ним. Прощупать — как-ни- как она маг первой ступени, пусть даже и тотемного клана. Может быть, тогда она решит.

Ведь совсем не обязательно, чтобы Убийца убивал всех Дра- конов. Или убивал бы их сразу. Можно ведь и потом.

Хор будет очень недоволен, но тут уж ничего не поделаешь.

Сборы Лой были недолги.

Разыскать Убийцу труда не составит. Его наверняка ведут сейчас по каналу на юг. А это значит — она, Лой Ивер, перехватит его чуть раньше. На самом канале Ритор не решится на бой, канал — территория Воды. Но клану Кошек Вода сейчас не враждебна.

Выходя, Лой хлопнула дверью так раздраженно, что золотая фишка на столе дрогнула. Покатилась и, подрагивая, легла... только некому было уже посмотреть — куда.

— Вы останетесь здесь, — распорядился Ритор. — Я к Огненным. Нет времени на поезда, полечу. Сандра, Асмунд, вам главное — не пропустить Убийцу. Не нападайте, ничего не предпринимайте без меня, слышите, ничего! Только проследите, понятно? Дождитесь Джонатана и команду, я приведу Огненных. Все ясно? — Он оглядел свой примолкший отряд. — Сандра! Ты остаешься за главную. Отвечаешь головой... хоть и не люблю я таких слов.

— Не беспокойся, Ритор, ни один малек не пикнет, — мрачно пообещала волшебница.

Час Силы был близок, Ветер послушно наполнил невидимые крылья. Ритор оторвался от земли.

Владения клана Огненных помещались на самом крайнем юге Теплого Берега. Орос — небольшой городок, зажатый между горами и морем, куда даже трудолюбивые гномы не смогли дотянуть свой Путь, обрывавшийся возле границы клана Воздуха. Для верности Ритор сделал небольшой крюк, огибая окрестности Стополья.

Ласковое море лениво наползало на отлогий галечный берег, темная зелень вечнозеленых кипарисов, сплетение уже обнажившихся ветвей — Огненные любили зелень, их городок утопал в цветах, и даже зимой в оранжереях здесь цвели чудо-растения, вывезенные с далекой родины и заботливо сохраняемые по сей день.

Клан Огня владел самой мощной боевой магией. И потому гордо пренебрегал укреплениями. Никаких стен вокруг городка, никаких рвов и бастионов. Но за долгие годы, за многие войны никто так и не смог овладеть их оплотом. Случалось, они проигрывали битвы — однако защита их собственных владений ни разу не дала сбоя. Иногда Ритор чувствовал даже легкую зависть — Воздух не мог позволить себе подобной открытости.

Маг с высоты смотрел на чистые белые домики под черепичными крышами, аккуратные улочки; все магическое хозяйство Огненных скрывалось глубоко под землей. На поверхности оставалось лишь то, что не страшно потерять.

У Огненных не было даже торжища. Окрестные земли, с трудом отвоеванные у скал, были отданы красивым деревьям, садам, непроходимым зарослям; все потребное для жизни завозилось морем или узкой дорогой через перевал. Огненные были очень богаты, их ленные владения тянулись далеко на север, клан ни в чем не знал нужды. Правда, теперь, после понесенных потерь...

Единственной высокой постройкой у Огненных оставалась дозорная башня; все остальное, даже школа магов, прижималось к земле, пряталось среди деревьев, щедро питаемых сведенными с гор акведуками.

Ритор не скрывался, и Огненные, конечно, заметили его издали. На высоком шпиле маяка, где все время горел Пламень Неугасимый, появился сигнальщик. Длинный язык зеленого огня взметнулся высоко вверх, почти до самых туч — знак того, что путь открыт. Даже Ритор не стал бы без нужды связываться с защитными заклятиями Огненного клана.

Сейчас маг строго корил себя, что из-за вечной нехватки времени не наведался в клан Огненных раньше. Отношения между Огнем и Воздухом были далеки от идиллии, самые верные приверженцы Крылатых Властителей не простили Ритору гибели великого рода — вот почему понадобились долгие переговоры и встреча на ничейной земле, у старого замка — чем мастерски воспользовался Торн...

Проклятое недоверие. Сколько жизней уже потеряно из-за него и сколько еще будет потеряно!

Зеленый огонь означал категорический приказ опуститься. И никакой магии, как только твои ноги коснутся земли. Иначе ты считаешься врагом со всеми вытекающими.

Ритор, конечно же, подчинился.

Сергей Лукьяненко, Ник Перумов

Аккуратные домики Огненных все, как один, несли черные траурные флаги. Клан оплакивал своих, перебитых Торном.

Воздушный маг чувствовал самое меньшее полсотни нацеленных на него заклятий. Огненные готовы были бросить в бой все, что имели.

Небольшая площадь на краю городка, окруженная кипарисами, казалась пустынной. Ритор спокойно стоял, не делая попытки даже шагнуть. Огненным есть в чем подозревать его. Конечно, обычным порядком это пришлось бы разрешать долгими переговорами — через посредников, быть может, тех же Кошек — но времени на подобную роскошь сейчас нет.

— Стой и не двигайся, Ритор, — приказал голос из-за кипарисов.

— Разве вы не разобрались еще, Сивард? — ответил невидимому магу Ритор.

— Кое в чем разобрались. Ритор, — ответил волшебник Огненных, — Торн уже подсчитывает убытки, и, клянусь Вечным Пламенем, ему придется заниматься этим долгое время. Мы нашли тела. И наших, и ваших. Но в этом деле еще слишком много темного. Ты мог быть в сговоре с Торном... а потом он решил тебя обойти. Не знаю.

— Может быть, мы не станем обсуждать это на улице, Сивард?

— Навахо тоже не торопился преломить с тобой хлеб, Убийца Дракона.

— Это было давно, Сивард. Времена изменились. С Навахо мы хотели поговорить о другом. Но эти речи лучше вести под крышей.

Некоторое время за кипарисами молчали. Ритор легко мог бы сделать прячущихся видимыми — но сознательно не хотел пользоваться магией.

— Хорошо. Навахо и старшие погибли. Приходится решать за них, а всех подробностей нам, конечно, никто не озаботился сообщить, — наконец решился молодой волшебник.

— Скажи мне, куда идти, почтенный Сивард? — вежливо сказал Ритор.

Да, нелегко придется Огненным, если за старшего у них остался Сивард — хороший волшебник, но пока еще лишь второй ступени. Значит, для боя остаются третья и четвертая... не слишком обнадеживает. Навахо, Огастес, Рипли — все погибли... все волшебники первой ступени, на которых мог рассчитывать клан во время начавшейся войны с Торном. Без них Вода сотрет Огонь в порошок. Конечно, Водным придется повозиться, даже если в дело вступит Торн.

— Ты забыл дорогу, Ритор? — не удержался Сивард.

— Нет, Сивард. Я не хотел лишний раз давать тебе повод к раздражению.

— Оставь свои манеры, — сердито бросил Огненный. — Идем. Скажи, что ты от нас хочешь, — позволь мне думать, что ты явился сюда не для разговора о прошлом.

— Ты прав, Сивард.

От предложенных отдыха и трапезы Ритор отказался. Надо как можно скорее решить безотлагательное.

Совет клана Огненных изрядно поредел. Старшие маги погибли, а с ними — немало молодых, из свиты. И командир Наказующих, и лучший травник клана — все остались там, в устроенной Водными засаде.

Видно было, что Сивард — высокий черноглазый и черноволосый красавец, гроза девичьих сердец — немало растерян, хоть и пытается скрыть это за лихой бравадой. Поневоле ему пришлось взять ответственность на себя.

Зал совета Огненных нимало не походил на скромное помещение в клане Ритора. Огненные не пожалели сил, пробившись пламенными клинками глубоко в недра земли, дотянувшись до огненосных жил; даже Ритор не мог представить себе, как они поделили эти владения с кланом Земли. Но — как-то вот поделили.

Пещеры, конечно же, озаряло только темное подземное пламя. Алый камень стен, которых касались только огненные резцы. Грубые каменные сиденья. Здесь была чистая сила пламени; и, конечно же, ни капли воды, земля — только в виде переплавленного, прошедшего через подземное горнило камня. Даже Воздух — прокаленный, неживой, не повинующийся Ритору. Требовалась громадная сила, чтобы вот так выжечь из третьей стихии все, кроме мертвых атомов, растворяющихся в нашей крови и дающих нам возможность дышать. Ритор невольно вдохнул поглубже — дико было чувствовать не подвластный ему Воздух.

— Садись, почтенный Ритор, маг первой ступени, глава клана Воздуха, Убийца Дракона, — торжественно произнес Сивард. В чисто алом плаще, с багряной повязкой вокруг лба, маг должен был бы занять пустующее кресло главы совета — но, немного поколебавшись, Сивард сел рядом. Черно-багровый трон Навахо, старого мага, волшебника первой ступени, третьего по силе в Срединном Мире после Ритора и Торна, остался пустым. Мысленно Ритор одобрил юношу — умен, дипломатичен, понимает, что, сядь он даже на освободившееся место — это вызовет неудовольствие старших волшебников, пусть и не поднявшихся даже до третьей ступени.

Ритор оглядел совет. Многих он видел впервые, и это было плохо. Слишком важно то решение, что они должны принять.

— Что привело к нам достопочтенного гостя? — вежливо спросил Сивард.

Ритор сложил ладони перед лицом жестом просьбы.

— Почтенный Сивард и вы, почтенные члены совета! Дерзну предположить, что мысли ваши мне знакомы. Вы только что потеряли Навахо... и многих других, столь же достойных. Я и весь клан Воздуха оплакиваем их гибель так же, как и вы. Мы оказались перед угрозой и междоусобной войны, и вторжения Прирожденных.

Совет безмолвствовал — это уже не было ни для кого новостью.

— И более того... быть может, это порадует ваши сердца. Огненные... я хотел обсудить это с Навахо, но не успел. То, что делало нас врагами в прошлом, — возвращается, и это так же верно, как и то, что меня зовут Ритор.

Совет не проронил ни слова, но маг Воздуха увидел капельки пота на висках Сиварда.

— Ты хочешь сказать, почтенный Ритор, что... — Молодой волшебник не нашел в себе сил закончить.

— Приходит время Дракона, — кивнул Ритор. Какая злая ирония — ведь эти же самые слова он говорил скрывшемуся под чужой личиной Торну! Слова, предназначенные для Огня!.. — Крылатый Властитель должен вернуться. Именно для этого я звал Навахо. Мы слишком долго не доверяли друг другу — и вот что из этого получилось. Навахо мертв, а у нас на пороге самая, наверное, жестокая война со времен Исхода. И более того — Прирожденные готовят своего собственного Дракона, Дракона Сотворенного...

Ритору поневоле приходилось повторять уже говоренное.

Совет Огненных слушал внимательно, почтительно, не перебивая, как и положено, принимая столь высокого гостя. Но, похоже, в головах у них у всех осталось только одно — Дракон возвращается!

...И недаром. Клан Огненных дольше всех сохранял верность Крылатым Властителям. Ритор проходил посвящение Огня втайне, его поддерживала лишь небольшая группа сторонников. Сивард, увы, в их число не входил.

Конечно, здесь никто не стал спрашивать — а уверен ли ты? Если маг первой ступени, тем более — Ритор, говорит, что Дракон возвращается, значит, так оно и есть.

— Значит, ты изменил свое мнение, Ритор? — не удержался Сивард. До сих пор с магом Воздуха говорил только он один. Все прочие молчали, лишь жарче и жарче разгорался их Огонь в громадном черном очаге. — Теперь ты поддерживаешь Властителя? Ты понял, что твой поступок был гнусной изменой, Ритор?

...Не следует так говорить с магом, тем более первой ступени и тем более с Ритором. Воздушный маг ничем не выдал своего гнева; слишком уж важна его миссия, чтобы позволить себе роскошь раздражения.

— Не понимаю, какое отношение имеет это к нашей беседе, почтенный Сивард? — холодно осведомился Ритор. — Мы собрались здесь, чтобы обсуждать прошлое или говорить о будущем? Прошлое мертво и его не изменишь. Будущее же может смести нас всех. Понимаешь ли ты это, почтенный Сивард?

— Если бы не твое усердие, почтенный Ритор, перед нами не стоял бы подобный выбор, — в том же тоне возразил Сивард. — Крылатый Властитель остался бы надежной защитой

от Прирожденных, они никогда бы не рискнули сунуться вновь.
Не вспыхнула бы нынешняя междуусобица, мы не поссорились бы с Торном, Навахо остался бы жив. Понимаешь ли ты
это, Ритор? Понимаешь ли, что ты, именно ты — виновник
всех наших бед?

Неприлично прерывать мага, тем более — главу Стихийного клана, тем более — на совете. Ритор сдержался.

— Ждешь ли ты от меня оправданий, почтенный Сивард? —
спросил Ритор. — Твои вопросы обращены не ко мне. Что ты
хочешь от меня? Покаяния, ползания на коленях, посыпания
головы пеплом? Я не понимаю, прости меня, пожалуйста.

Подобного отпора Сивард не ожидал.

— А ты считаешь, что вправе просить нас о помощи, не
принеся покаяния?

— Если совет клана Огненных откажет мне в помощи, я
уйду, — теперь в голосе Ритора был настоящий холод. — Если
совет клана Огненных решит отомстить мне за... Крылатого
Властителя, я готов. Но тогда я потребую соблюдения всех
статей дуэльного кодекса. Вам придется или грязно убить меня,
или выставить своего поединщика. Но тогда, — Ритор нехорошо усмехнулся, — предупреждаю, ему не поздоровится. По
крайней мере с тобой, Сивард, я справлюсь. Конечно, если ты
будешь драться честно.

— А ты, ты дрался честно, когда убивал Последнего Дракона? — выкрикнул Сивард.

— Бросаешь ли ты мне вызов, маг второй ступени Сивард? —
прогремел Ритор, поднимаясь с места.

Сивард смутился. Он забылся, дал волю гневу и сейчас сам
загонял себя в ситуацию, из которой только один выход.

Дуэль с Ритором. Что почти равносильно самоубийству. И
это при готовой вот-вот вспыхнуть войне с Водными.

Ритор понимал, что отступить, не потеряв лицо, молодой
маг не может.

— Если совет клана Огненных настаивает, я готов принести извинения, — сказал Ритор. — Я сожалею о нашей ссоре.
Не стану произносить сейчас вдохновенных од свободе...

— Обернувшейся кровью и войнами! — выкрикнул чей-то
совсем молодой голос. Ритор взглянул — совсем молодая де-

вушка, лет, наверное, восемнадцати. Третья ступень — совсем неплохо для такого возраста.

— Я даю вам слово Ритора, что после... после того, как все кончится, я приду к вам и буду готов дать сатисфакцию всем, кто пожелает. На словах и на заклятиях. Кому как будет угодно. Сейчас же мне нужна ваша помощь, чтобы остановить Убийцу. Разве клан Огненных не заинтересован в том же самом?

Сивард промолчал. Неожиданно заговорил старший из Наказующих, крепкий мужчина лет сорока с наголо выбритой головой:

— Мы были верны Крылатым Властителям, это верно, потому что считаем — слово надо или держать, или уж не давать совсем. А кроме того... Ритор, мы не убеждены, что человек, против которого ты хочешь выступить, именно Убийца.

— Я готов представить все доказательства... — начал было Ритор.

— Погоди, погоди, почтенный. Я не подвергаю твои слова сомнению. Нет спора, ты сейчас считаешь его Убийцей... Или, что также не исключено, искусно притворяешься. Кто знает, может, Крылатый Властитель и в самом деле возвращается, ты не в силах справиться с ним и вот теперь хочешь обманом привлечь на свою сторону и нас? Единожды солгавши, кто тебе поверит? Вспомни, Ритор, ты ведь уже один раз солгал нам. Когда твои сторонники у нас помогали тебе пройти посвящение Огня...

Ритор не дрогнул, не опустил голову, не отвел взгляда — хотя слова воина били в самое яблочко.

— Я готов открыть память, — сказал он. Переломить ход спора можно было только сильнодействующими средствами. — Вы сами увидите, что явили нам крылья. Если же вы скажете, что и крылья тоже лгут... Тогда я сам вызову тебя на дуэль, почтенный Сивард.

Молодой волшебник поднялся.

— Похоже, ты и в самом деле готов на это, Ритор, — удивленно сказал он. — Готов, хотя и знаешь, чем это для тебя обернется. Господа совет, я думаю, наш почтенный гость не лжет.

— И потом, Ритор готов был отдать жизнь за те принципы, кои он посчитал достойными столь высокой цены, — неожиданно сказала еще одна девушка с длинными, до самого пола, распущенными волосами цвета танцующего пламени. — Он стал Убийцей Драконов, потому что этого требовала его совесть. Точно так же, как наша требовала, чтобы мы сохранили верность Крылатым Властителям. Нет смысла спорить, чьи принципы лучше, и тем более — лить сейчас из-за этого кровь или вызывать гостя на дуэль, попирая закон гостеприимства. Я верю Ритору и добровольно вызываюсь идти с ним. Убийце нет места в нашем мире... тем более если Властитель должен вернуться.

— Хорошая речь, Лиз. — Щека Сиварда нервно дернулась. — Ты и в самом деле готова идти? А что, если почтенный Клеарх прав и... и Убийца совсем не Убийца?

Ритор усмехнулся про себя. Кое-кто из Огненных слишком уж сильно жаждет возвращения Властителя. Настолько сильно, что любого пришедшего с Изнанки уже готов объявить возрожденным Драконом.

Такое порой случалось.

Ритор покачал головой. И рассказал о безумном вагоне.

Ответом было гробовое молчание. Против такого аргумента возразить нечего. На подобные фокусы Драконы не способны. Они никогда не унижались до манипулирования сознанием подданных. Предпочитали, чтобы их ненавидели — чем магией поддерживать любовь к себе.

Он видел, как напряглись лица Огненных. Ну что вы теперь сделаете, господа?

— Мне кажется, надо разрешить Лиз идти, — не слишком уверенно сказал Сивард.

Значит, огненноволосую зовут Лиз... Лиз? Елизавета? Элизабет? Человек с Изнанки?

— Но почему бы, если это Убийца, не поднять весь клан? — тотчас откликнулась девушка.

— Потому что мы воюем с Торном! — рявкнул Сивард. Брал реванш за недавнюю растерянность и нелепую стычку с Ритором. — Мы сожгли у него три крепости, надо ждать ответного удара! Я не могу оставить клан. Чтобы отпустить тебя и закрыть брешь, нам придется поставить в строй всех мальчишек и девчонок из старших классов!

Ритор дернул уголком губ. Даже десять волшебников пятой-шестой ступеней не заменят одного второй. Плохо, если Сивард этого не понимает...

— Я постараюсь вернуть Лиз как можно скорее, — пообещал Воздушный маг. — И гарантирую ее безопасность.

— Мы полетим? — спросила вдруг девушка. Вроде бы с чисто деловым интересом, но Ритор почувствовал и затаенное, детское ожидание удовольствия от чужой, неподвластной магии.

Ритор улыбнулся:

— Конечно. Вот только дождемся часа Силы.

ГЛАВА 13

— Ты чего... а... ты что удумал?

Виктор чувствовал, как тормошат его за плечо. Но так не хотелось просыпаться...

— Вставай! Вставай немедленно!

Он наконец открыл глаза. Обжора нависал над ним, суетливо всплескивая пухлыми руками. На лице было прямо-таки истинное страдание.

— Что творишь, что творишь! — затараторил он, увидев, что Виктор проснулся.

— А в чем дело?

— Ты ведь и так спишь!

Вздохнув, Виктор сел. Протер глаза.

— Ну и что? Надоело мне. Шуточки у тебя тупые, развлечений никаких. Я лучше на берегу поваляюсь.

Обжора похватал ртом воздух. Возмущенно развел руками:

— Это как — развлечений никаких? Ты думай, что говоришь!

— За базар отвечу, — мрачно отозвался Виктор.

Как ни странно, Обжора явно был рад такому повороту беседы:

— В натуре?

Что-то в Викторе надломилось. И он с удовольствием загнул такую фразочку, от которой в нормальном расположении духа покраснел бы сам.

Обжора просиял:

— Вот таким тебя люблю я!

Прежде чем Виктор успел опомниться, коротышка удостоил его снисходительным похлопыванием по плечу.

— Вот таким тебя хвалю я!

Виктор поднялся. Угрожающе спросил:

— Что тебе надо от меня?

— Мне? Да ничего... — Обжора мигом смутился. — Нравишься ты мне... и понимаю, что не след со своей любовью лезть... а нравишься — и все тут! Ну, что тут поделаешь? Хочу тебе показать побольше, жизни научить...

— Спасибо, дорогой. Не нуждаюсь.

— Уверен? — Обжора хитро подмигнул. — Знания — они того... лишними не бывают. Чем бока отлеживать — прогулялся бы по лесу...

— Все равно ведь не успею ничего увидеть. Знаю я твои фокусы.

— А чего ж ты пешком ломишься? — поразился Обжора. — Понимаю, понимаю, так и за неделю не дойдешь...

— Предлагаешь транспорт?

— Тебе? — В напускном ужасе Обжора замахал руками. — Как можно! Тебе! Ты ведь и сам теперь...

Раскинув руки, он загудел, неуклюже затоптался на месте. Напоминало это перегруженный транспортный самолет, пытающийся-таки взлететь. Подмигнул:

— Давай... лети. Над леском, пока не увидишь белый дым. А там садись... смотри.

— Я уже не мальчик, чтобы летать во сне.

— А ты попробуй! — подбодрил Обжора. — Воздушных выдержал, а на крыло стать боишься?

Сейчас он вел себя как сержант из американских военных фильмов. Вроде бы и злой, но вообще-то — очень даже добродушный. Такой прекрасно знает, что мыть всю ночь казарму или отжиматься на раскаленном от солнца плацу — только во благо.

Испытующе глядя на Обжору, Виктор вдруг почувствовал искушение. Полететь? В конце концов, почему бы и нет? Во сне-то... К нему уже приходило это ощущение полета — в безумии чужих воспоминаний, в ожогах чужой памяти. Пусть и перемешанное со страхом — ибо следом неслось огнедышащее чудовище...

Виктор медленно раскинул руки. И успел поймать ухмылку Обжоры.

Не так!

Не изображая из себя обколовшегося ЛСД летчика, не воображая себя самолетом!

Просто — лететь!

Он потянулся к низкому, слабо мерцающему небу. К мутной дымке, накрывшей куполом мир.

И позволил воздуху поднять себя.

Обжора выругался — далеко внизу. По его лицу пробежала гримаса ярости.

Виктор летел.

Тело легло на невидимую опору. На бесконечную опору — протянувшуюся над берегом и лесом, окутавшую горы и накрывшую море. На воздушный мост, встававший от Серых Гор до Теплого Берега, на безумную мощь стихии.

Он чувствовал каждое движение воздуха. Ураган, бушующий над морем, рвущий в клочья паруса незадачливому корвету... Смерч, жадным хоботом дробящий хрупкие домишки... Самум, раскаленным саваном укрывающий караван...

Воздух баюкал его, нес над лесом. Послушный, скованный, готовый на все.

Виктор засмеялся — так легок и сказочен был полет. Он стал одним целым с воздушным океаном. Пусть лишь во сне. Пусть лишь на миг.

Обжора, продолжавший бесноваться, остался на берегу. Теперь он топал ногами, будто балованный ребенок, потом, в припадке ярости, схватил полузасыпанный песком валун и швырнул в море. Ого, вот это силища...

Виктор даже не успел подумать, как он это делает. Потянулся к морю, уже принимающему в себя камень. Почувствовал бегущую к берегу волну — тугую, бьющуюся на месте силу. И встретил валун ударом.

Камень, ныряющий в воду, вздрогнул и вылетел обратно. Плюхнулся под ноги Обжоре, смешно отпрыгнувшему в сторону. Вот так-то...

Воздух нес его все дальше. Мелькнула затерянная в лесу полянка с покинутым домом. Секундное искушение — снизиться, войти, вдруг хозяева вернулись — отозвалось немедленной потерей высоты.

Нет. Вперед. Что там говорил Обжора?

Белый дым?

А вдали, у подножия гор, и впрямь дымилось. Вот только не белым — дымы шли черные, серые, сизые — будто догорала свалка.

Виктор ускорил полет. Это оказалось неожиданно просто — и даже не было ощущения встречного ветра. Воздух расходился перед ним, воздух нес его к дымным столбам...

...к веселым раскаленным сквознякам, раздувающим пламя...

Он почувствовал боль. Резкий, пронзающий тело укол. Так замирает сердце, окатывая волной ужаса и отвращения, при взгляде на что-то... что-то невыносимое для глаз...

Дымное марево колыхалось совсем рядом. И видно уже было, что горит.

Город.

Закопченные, чуть скособоченные дома. Не такие, как в Срединном Мире, скорее Изнаночные. Бетонные иглы, которые и на улицах американского мегаполиса выглядели бы уместно. Кварталы коттеджиков, вылизанные огнем до фундамента. Геометрически выверенный микрорайон чисто российского обличья — невысокие здания, раскинувшиеся вширь, а не ввысь. Мятый, искореженный асфальт. Озерцо пылающего битума на месте чего-то, напоминающего остатки бензоколонки. Город не вызывал каких-то конкретных ассоциаций и в то же время казался знакомым. Некий усредненный город...

Виктор опустился посреди улицы. Асфальт под ногами был мягкий и липкий, его пересекали рубчатые полосы, подозри-

тельно похожие на следы танковых гусениц. Полосы оканчи-
вались в накренившемся здании, в стеклянных осколках вит-
рины.

Господи, да что тут происходит?

Он сделал шаг — чувствуя, как вокруг напрягается воздушный кокон. Будто невидимая броня, хранящая от жара и
копоти... Трещали в домах последние очажки пожаров — видимо, все, что могло сгореть, уже сгорело. Из стены совсем уж
развалившейся пятиэтажки торчала скрученная, оплавленная
труба. Чахлый венчик голубого пламени трепетал в последних
судорогах — остатки газа уже не в силах были поддерживать
огонь.

Виктор как зачарованный двинулся вперед.

В развалинах пятиэтажки что-то хрустнуло — звук был слаб
и не страшен, так ломаются пластмассовые игрушки под ногой
взрослого человека, так хрустят сухие ветки в лесу. Обращен-
ная к Виктору стена задрожала и ссыпалась внутрь здания —
обнажая пустое, выбитое взрывом или просто выгоревшее нутро. На остатках перекрытий, на высоте третьего этажа, открылась комната, ободранная, заваленная горелой щепой и горами
мусора. Уцелевший потолок выгнулся внутрь бетонными со-
сульками. Словно в насмешку, сохранилась в углу кровать —
древняя металлическая кровать с панцирной сеткой, вся вы-
черненная огнем.

Непроизвольным жестом Виктор вскинул руку — что-то
уцелевшее в этих руинах казалось насмешкой, вызовом. Тугой
кулак ветра ударил в комнату, и та будто вскипела — накален-
ный металл кровати вспыхнул будто в кузнечном горне, прошел цветами побежалости и оплыл огненной лужей.

За спиной раздался негромкий звук. Он обернулся.

Посреди улицы стояла собака. Здоровая, не то доберман,
не то ротвейлер, оскалившаяся, с окровавленным хребтом.
Когда-то, наверное, откормленная и могучая, псина пребыва-
ла в ужасном состоянии. Даже оскал пасти был жалким и мо-
лящим, пес не угрожал, а скорее пытался обратить на себя
внимание.

Виктор присел на корточки. Протянул руку, глядя собаке
в глаза.

Пес неуверенно шагнул вперед. Попытался завилять обрубком хвоста.

— Плохо? — тихонько сказал Виктор. — Иди сюда. Хорошая собака. Хорошая собака...

Собака тихонько заскулила. Повернулась и бросилась бежать.

— Не доверяешь? — сказал вслед Виктор. — Я бы на твоем месте никому не доверял...

Обрушилось еще одно здание. На этот раз — гораздо громче, расплескав по улице волну пыли, мусора, копоти. Виктора удар не коснулся, обтек по границам воздушной брони.

— Насмотрелся?

Обжора стоял за спиной. Тяжело дыша, утирая пот с лоснящейся физиономии. Нелегко ему далось, похоже, догнать Виктора.

— На что? — спросил Виктор, поднимаясь.

— И впрямь... — Обжора деланно зевнул. — На что тут смотреть-то? Вряд ли кто остался... ой!

Он покачал головой:

— Вру, однако... вру...

Виктор проследил за его взглядом. Он не боялся сейчас удара исподтишка — не в том была цель Обжоры, да и в нежданно появившуюся Силу Виктор верил.

По улице брел паренек. Лет девятнадцати-двадцати. Тощий, близоруко щурящийся. В форме защитного цвета, перемазанной так, что и не поймешь — реальной армии солдат или такой же усредненной, как город вокруг. Автомат на груди был обычным «Калашниковым», но слишком уж популярен в мире этот предмет. На плечах у парня горбился самодельный рюкзак — точнее, что-то вроде мешка, с прорезями для ног — потому что в «мешке» обмякло человеческое тело. Такой же молодой парень... только мертвый. Голова безвольно раскачивалась, темные пятна пропитали форму.

— Дойдем... — бормотал солдат. Он был еще далеко, но услужливый ветер доносил до Виктора каждое слово. — Хрен ли не дойти... а?

Похоже, что он не видел ни Виктора, ни Обжоры.

— Еще посчитаемся... ты не сомневайся...

Голос был хриплый, словно парень давно не пил, кричал, срывая голос, и сказал уже все, что только можно было сказать.

— И за ребят, и за нас... посчитаемся... дойти только... тут рядом...

Он прошел совсем близко, Виктор даже посторонился, но, похоже, это было излишне — солдат прошел сквозь скалящегося Обжору, не заметив того. И в то же время парень не был призраком — Виктор слышал не только голос, но и шаркающий звук шагов, и звяканье автомата, цепляющего рожком пряжку ремня, чувствовал запах гари и пота.

— С кем он хочет посчитаться? — сквозь зубы спросил Виктор.

— Откуда мне знать, — поразился Обжора. Небрежно облокотившись о стену здания, он выковыривал кривым пальцем из оспины-вмятины смятую пулю. — Разве важно, кого бояться и ненавидеть?

Сорвался еще один кусок стены, обрушился совсем рядом с Обжорой. Тот и ухом не повел.

— Фантазия незатейливая, — глядя вслед солдату, посетовал он. — Города горят, дома рушатся; дети плачут, женщин насилуют, мужчин убивают...

— Фантазия?

Обжора подумал, разминая в руках пулю. Свинцовый комочек выправлялся, обретая прежние очертания.

— Ну... не совсем фантазия... — неохотно признал он. — Ты прав, наверное...

Глаза у него вспыхнули.

— А что, — с жадным любопытством спросил он, — доводилось?

Описав руками круг, он словно предъявил Виктору окружающий пейзаж.

— Нет, — ответил Виктор. — Нет.

Обжора понимающе покивал.

— Он — дойдет? — кивая вслед удаляющемуся солдату, спросил Виктор. Парень как раз упал и томительно медленно пытался подняться. Мертвый груз мешал...

— А какая разница-то? — вновь завелся Обжора. — Чем тебя трогают приключения этого тела? А? Что, полагаешь его правым?

— Не знаю.

— То-то и оно! Стал тут... глазеешь... эх! А я тебе что говорил? Говорил — лети на белый дым. Это дальше!

— Мне и тут интересно.

Виктор сказал — и сам почувствовал неуместность слова. Интересно? Да что он несет...

Зато Обжора заметно подобрел:

— Ну... смотри тогда... изучай. Неволить не стану...

Он повернулся и неуклюже заковылял прямо в дымящее нутро здания.

— Не сгоришь? — окликнул его Виктор.

Обжора лишь тихо захихикал, погружаясь в чад все дальше и дальше:

— Не бойся... Лучше о себе озаботься...

Виктор сплюнул под ноги, проклиная себя за неуместные хлопоты. Не этому обитателю страшных снов советовать, как и где поступать.

Может быть, и впрямь поискать «белый дым»?

Но что-то ему не хотелось продолжать путешествие по вымороченному миру. Будто последние слова Обжоры имели под собой серьезную основу...

Тревога накатывала все сильнее и сильнее. Ничем не оправданная, но от этого еще более неприятная.

Он обернулся — и поймал чужой взгляд. На усыпанном стеклом асфальте, под разбитой витриной, сидела кошка. Рыжая кошка с пронзительно-синими глазами. Смотрела так задумчиво-изучающе, как умеют лишь люди... и кошки.

— Брысь! — в легкой растерянности от собственной реакции сказал Виктор. Казалось бы, бродячий пес был куда более непредсказуемым соседом, а вот не вызвал никакого страха...

Кошка подняла лапку — то ли готовясь шагнуть, то ли приветствуя его. Померещится же такое!

И Виктор понял, мгновенно, разом, что пора просыпаться.

Наверное, помог страх. Помогло тошнотворное ощущение, которое навевал мертвый город.

Он вынырнул из сна, как тощий купальщик выскакивает из ледяной воды. Ощутил себя лежащим на жесткой палубе, почувствовал грубую циновку под собой, колючее одеяло, тепло прижавшейся Тэль. И вскинулся, садясь. Сна не было и в помине.

Метрах в пяти стояла молодая женщина. Очень привлекательная, даже в неподвижности ее была немыслимая грация. Золотистые волосы, очень нежная матовая кожа, глаза большие, внимательные, выпытывающие. Прямо кошка из сна, но даже это неожиданное сравнение не развеселило Виктора.

В ней было что-то от магов-убийц... пусть не столь кровожадное, но не менее могучее. Сила! Именно — Сила. Превосходящая ту, что дается человеку.

Лой сидела на краю канала. Она устала, она выбилась из сил, но зато была уверена, что опережает всех Стихийных. Едва ли Ритор устроит засаду где-нибудь здесь. Нет, опытнейший маг скорее всего будет ждать свою жертву на пути к твердыне клана Земли. Разумное решение — Убийце некуда деться. Дорога у него только одна.

Но Ритор ничего не знал о ней, Лой Ивер, и это приятно щекотало самолюбие. Она ловкой ящеркой проскользнула среди чужих планов и замыслов, никем не замеченная, всеми сброшенная со счетов — чтобы в нужное время начать свою собственную игру.

Пропустить требующегося ей человека Лой не боялась. Силу, пусть даже и дремлющую, она чувствовала безошибочно. Заклятие выматывало, высасывало остатки сил, но упрямая Кошка держалась. Отдыхать будем потом. Сейчас пришло время отдавать все без остатка.

Мимо нее сплошным потоком ползли плоты и баржи. Лой окликали, спрашивали — не подбросить ли? Оно и неудивительно — молодая девчонка, одна, на краю канала — ежу понятно, чем тут занимается. Подрабатывает скорее всего. А если и нет — то не дура же, знает, какую благодарность пожелают морячки за провоз...

Раньше Лой, наверное, подумала бы над рядом предложений; а пару наверняка бы приняла. Но, конечно, не сейчас.

Пусто... пусто... и здесь тоже пусто... Здесь пьют, здесь... занимаются любовью, да так сладко... здесь спят... играют в кости... не то, не то, не то!

...А потом ее словно обожгло. Ничем не примечательная баржа с гордым названием «Элберет» неспешно проплывала мимо; и на ней, на ней, на ней...

Послав к воронам осторожность, Лой одним прыжком, точно пантера, перемахнула через отделявшую ее от баржи воду. Прыжок вышел отменный — метров десять, не меньше. И притом с места.

Стоявший на руле высокий тощий парень изумленно вытаращился на нее. Миг, другой... да, сообразил, что простому человеку такой прыжок не по силам. Поспешно поклонился, засуетился... Нет смысла *таиться* сейчас и *перед ним*.

— Исчезни, — негромко приказала Лой. — И головы не высовывай, покуда не разрешу.

— Уже, уже, моя госпожа...

Лой запечатала люк несложным заклятием, чтобы хозяину баржи не пришло в голову подслушивать. Мельком прощупала баржу, уловила тонкую струйку запаха «дури», брезгливо поморщилась, но решила не обращать внимания. Она смотрела на нос баржи, где на соломенной циновке под тонким одеяльцем спали двое — совсем молоденькая девчонка лет, наверное, четырнадцати и внешне ничем не примечательный черноволосый мужчина «немного за тридцать». Спали они рядом, но не похоже, что у них что-то было, — это Лой почувствовала бы в первую очередь.

Странная какая-то девчонка...

А ее спутник еще страннее. Лой едва не обожглась, только-только потянувшись вперед даже самым легоньким и безвредным заклятием. Барьер Силы был такой, что впору было пускать в ход тяжелую артиллерию, имей она целью завязать бой.

Впрочем, это-то как раз в намерения Лой никак не входило. Мужчина и девочка продолжали спать... и это было хорошо.

Однако стоило Ивер сделать один совсем-совсем крошечный шажок к спящим, как мужчина рывком сел. Смотревшие на Лой глаза лишены были и малейшего следа сна, словно он и не спал вовсе, а все это время поджидал ее, Лой.

Волшебница тотчас остановилась. Внутри ее визави был предельно собран и готов к бою.

Плохо. Очень плохо. Стареешь, Лой?

Или наткнулась наконец на того, кто и тебе не по зубам?

Она постаралась улыбнуться как можно естественнее.

— Привет. Как спалось?

— Ты кто такая? — резко спросил он. — И откуда здесь взялась?

— Отвечать на вопрос вопросом?.. — усмехнулась Лой. Однако лицо мужчины осталось непроницаемым. Похоже, даже бедро Лой, как бы невзначай проглянувшее в разрезе узкой юбки, оставило его равнодушным.

А вот за это ответишь!..

— Просто взяла и села, — Ивер пожала плечами. — Перепрыгнула с берега. Вы слишком близко подошли. Ты не беспокойся, хозяин разрешил. Как тебя зовут? Меня — Лой Ивер.

И тотчас почувствовала исполненный жгучей ревности девчоночий взгляд. Проснулась, значит. Ну, это ничего. Сейчас мы тебя аккуратненько... ты повернешься на другой бок и сладко-сладко уснешь...

— Не стоит этого делать, Лой, — твердо и тоже совсем не сонно сказала девочка.

— Ох!.. — вырвалось у Ивер.

Холодный гранит. Ледяная стена. Сталь и хрусталь, который не разобьют никакие молоты. Скользит золотисто-белая тень, несется бешенным галопом — прямо на нее. Большие глаза девочки впились в Лой, легко отбрасывая поспешно возводимые защитные барьеры.

— Не надо, — вдруг попросила девочка. — Не будем ссориться, Лой. Нам с тобой нечего делить.

— Неведомая... — Горло Ивер отказывалось произнести это слово. — Неведомый клан...

— Что? — Мужчина растерянно уставился на свою спутницу. — Какой такой клан, Тэль?

«Тэль? Что ж, будем знакомы, достойная соперница...»

— Ты его привела? — спросила Лой.

Тэль кивнула.

— И ведешь дальше?

Снова кивок.

— Может, теперь и ты скажешь мне, как тебя зовут? — обратилась Ивер к мужчине.

— Виктор, — нехотя буркнул тот.

— Чего ты хочешь, Виктор?

При виде их ошарашенных лиц Лой мысленно себе поаплодировала.

— Ну да, да, ты! Не твоя спутница... Тэль.

Назвавший себя Виктором задумался. Думал он красиво. Собранно. Сосредоточенно. Без показного напряжения. Мысли катились мягкой лавиной; Сила дремала, готовая в любой момент пробудиться. Лой напряглась в ожидании ответа, в ожидании откровения.

— Не знаю, — пришел он к неожиданному выводу. — Мне тут нравится. Если б не маги-психопаты...

Тэль строго посмотрела на волшебницу-Кошку.

— А тебе не кажется, что лучше рассказать Виктору все начистоту? — невинным голоском пропела Лой, усаживаясь так, чтобы Виктору было видно побольше.

Ах, как она любила такие фразы! Какой же мужчина не мечтает узнать все — каким бы печальным ни был для него итог!

Однако Виктор словно ее и не слышал. И полуоткрытых безукоризненных ног он не видел тоже. Сидел, замерев, точно готовый к прыжку зверь.

И Сила его готовилась к прыжку тоже. Он чего-то боялся... или нет, скорее чего-то ожидал. Чего-то очень неприятного. А ей, Лой Ивер, не верил ни на грош. Печальная новость.

— Лой! — нахмурилась девочка. Глава Кошек не обиделась на фамильярность. Эта Тэль могла многое... очень многое. Наверное, с ней справился бы только Ритор. Да и то изрядно попотев.

Неведомый клан. Этим все сказано.

— Что «Лой»? Тебе не кажется, что использовать Виктора не слишком-то честно?

Ну же, парень, что ты молчишь! Встрянь, возмутись, хотя бы удивись — и полдела сделано.

Однако Виктор лишь переводил взгляд с Лой на свою спутницу. И больше ничего. И ноги Ивер его, похоже, не интересовали.

Тэль же в ответ на открытую провокацию Кошки только пожала плечами.

— Это его судьба. И тут уже ничего не изменишь. Мы шли вместе с Изнанки...

— И ты, конечно, уже продумала всю его судьбу до самого конца? — осмелев, Лой перешла в наступление. — Продумала за него? Разумеется, ничего не спрашивая и его собственным желанием не интересуясь? Какое самомнение, Неведомые. Брать — и ничего не отдавать взамен...

— Не все были такого мнения, — невозмутимо отпарировала Тэль. Чисто женское возражение... — Даже в той сфере, где вам нет равных... я имею в виду — в постели, мы в чем-то были получше...

Удар попал в цель. Тэль намекала на то, в чем клан Кошки никогда не мог обставить их. Несмотря на все старания. Ах ты, маленькая гадина! Тебе ли хвалиться в этом вопросе? Сама вот даже не постаралась Виктору ночь скрасить!

Лой с трудом удержалась от ответа вроде: «Как это «получше»?! Я тебе покажу «получше», недоросток!»

Даже у лучшей Кошки есть предел терпения!

— Ну и прекрасно, ну и здорово, ну и будьте себе на здоровье, — ангельским голоском пропела Ивер. — А вот только что же с Виктором?

— Ты взялась следить за моим благонравием, Лой? Стала моей ходячей совестью? Или ищешь, как всегда, выгоды для своих котят? — Ивер не без удовольствия отметила — Тэль растеряна. Небось рассчитывала, что она вцепится в приманку дешевой подначки; но Лой еще не сексуальная маньячка и не страдает нимфоманией.

— У нас сегодня утро Безответных Вопросов, — промурлыкала Лой. — Все спрашивают, никто не отвечает. А кое-кто, — быстрый взгляд на Виктора, — кое-кто и вовсе молчит. Словно язык проглотил.

— Бесполезно говорить, — нахмурилась Тэль. — Лой Ивер, глава клана Кошек, ты намерена стать на нашем пути?

Это была первая фраза формального вызова. Лой увидела, как глаза девчонки зло и нетерпеливо блеснули.

Ну, что? Будем драться с одной из Неведомого клана?

— Да разве я вам мешаю? — деланно удивилась Лой. — Баржа себе плывет... никто ее не останавливает. Я одна. Хотя, приведи сюда побольше своих мальчиков...

— Да, может, ты бы и справилась тогда со мной, — согласилась Тэль. — Но не с ним. — Кивок в сторону Виктора.

А он по-прежнему молчал. И это было самое лучшее, что он мог сейчас сделать. Правда, до определенного предела. Потому что если они с этой Тэль и вправду сцепятся... Еще неизвестно, кому достанется победа. Девчонка, похоже, и сама-то не слишком уверена в себе; это хорошо, но странно. Неведомые послали в бой почти ребенка? Не нашлось никого посильнее? Хотя кто же их знает, этих Неведомых...

— А мне нет нужды справляться с ним, — легко возразила Лой. — Мне и моему клану он не враг.

— Ты так уверена? — Тэль иронично подняла бровь и стала вдруг похожа отнюдь не на девчонку — а на умудренную годами, много пожившую и повидавшую наставницу, перед которой мытая во всех щелоках Лой предстала наивной школьницей. Однако игры Кошка отнюдь не прекратила. Напротив.

— Конечно. Убийца Драконов — благо для Срединного Мира. Никогда не любила Властителей... в отличие от твоего клана, милочка.

— Мы их не любили тоже, — сухо отпарировала Тэль. — Не тебе судить...

Лой отчаянно пыталась вызвать в Викторе хоть какой-то отклик. Не такой, так этакий, начиная с самого простого, плотского. Тогда она смогла бы прочитать хоть что-то... А так — стена! Глухая стена! Непробиваемая! Виктор никак не отозвался даже на «Убийцу», хотя на это Ивер возлагала немалые надежды.

— Ну, любили, не любили — дело давнее... А теперь вот у нас есть герой. Убийца, который сразит Дракона, вздумай они вновь сунуть к нам нос. Только почему же ты ведешь Убийцу, Тэль? Тебе-то с этого какая польза?

— Ты все равно не поймешь, Лой Ивер, — сварливо ответила Тэль.

— Ты уверена? А может, все-таки стоит попробовать?

— Ты допрашиваешь меня, Лой Ивер, маг первой ступени?

— О! Малышка, не теряйте самообладания — когда вы раскраснеетесь, то становитесь совсем дурнушечкой.

— Лой перешла на «вы» — значит, дело плохо, — вдруг беззаботно рассмеялась Тэль. — Кошка решила царапаться. Смотри, как бы коготки не пообломать.

— Что тебе надо... Лой Ивер? — вдруг спокойно спросил мужчина. — Что ты хочешь узнать? Да, я — Убийца... наверное. Ты это хотела узнать? Или пределы отпущенной мне Силы? А зачем тебе это знание, Лой Ивер?

Он хорошо говорил. Негромко. Уверенно. Для только-только пришедшего с Изнанки человека — он держался просто превосходно.

— Я хочу понять, что делать моему клану, — глядя ему в глаза, намеренно игнорируя напрягшуюся Тэль, со всей искренностью, на которую способна, сказала Лой. — Мой долг — охранять своих. Не превращать их в пушечное мясо. В орудие интриг Стихийных кланов... знаешь уже, что это такое? Ты знаешь, Виктор, что за тобой охотится клан Воздуха и что его маги пойдут на все, лишь бы убить тебя? А клан Воды, напротив, тебя защищает...

Краем глаза она заметила едва уловимую усмешку Тэль. Что такое? Почему?

— Так что же ты хочешь узнать? — снова спросил Виктор.

Лой замешкалась. Да, этот человек был Убийцей. Она чувствовала это. Уже прошедшим два посвящения, но не опьянившимся обретенной Силой. Еще более редкая вещь для обитателя Изнанки.

Она почувствовала сладкое тепло внизу живота. Она его хочет, этого Виктора? Ой, пожалуй, что да...

— Я хочу узнать, — медленно сказала она, — против кого ты намереваешься выступить.

— Он не может этого знать, Лой! — резко вмешалась Тэль, глаза потемнели от гнева. — Не загоняй его еще глубже, чем он есть!

Ивер повернулась к девочке. Увидела пылающие яростью глаза, почувствовала готовое к удару заклятие...

Неведомый клан испокон веку умел приводить с Изнанки людей. Любых, на кого только падет их выбор. Могла ли она вести сюда Убийцу? Могла... что там говорил Тори насчет Сотворенного Дракона?

Тогда зачем Ритору его убивать? ЗАЧЕМ? Не понимаю... Лой Ивер опустилась на корточки, расслабилась, всем видом демонстрируя нежелание драться. Не время сейчас ссориться с этой гордячкой. Пусть попытается понять — боится она или игнорирует угрозы.

— Убирайся! — сжимая кулачки, сказала Тэль. — Брысь!

Вот это уж совсем... Лой почувствовала, как вскипает кровь. Обращаясь к ней как к обычной глупой кошке, прогоняя такими словечками, Тэль наносила оскорбление всему клану! Все равно что при Водных плеснуть водой в огонь или при Огненных — затушить пламя. Все равно что явиться в клан Волка в шубе из волчьих шкур. Пусть маги клана Кошки не могли перекинуться, превратиться в настоящего зверя — уж слишком мал был их тотемный покровитель. Связь была не столь прямой, как у других звериных кланов.

Но оскорблять...

— Ты забываешься, девочка... — прошипела Лой.

— Убирайся! Ты из дикого леса, дикая тварь! Иди лови мышей...

Это стало последней каплей.

Лой прыгнула, мгновенно переходя от мирной расслабленности к безумной энергии боя. Выцарапать глаза, разорвать шею, окропить палубу кровью!

Еще в воздухе она нанесла удар — знаменитый удар клана, Невидимый Коготь. Даже Торн не успел уклониться от него — притом что его Лой била вполсилы, лишь отмечая удар!

А девчонка попыталась — но что-то помешало ей, заклятие, висящее на кончиках пальцев, не сорвалось, и, подминая под себя хрупкое тело, Лой с восторгом поняла: успела!

Вот только... где же раны? Где смертельные раны от удара четырех невидимых магических когтей? Раны, которые должны были пропороть девчонку насквозь, вырвать сердце и перебить позвоночник?

Замерев над Тэль, Лой ударила еще раз. Уже совсем сблизи, вкладывая припасенные резервы энергии в невидимую «кошачью лапу». Сдавить сердце, заставить его замереть навсегда...

Но Тэль явно не собиралась умирать.

Более того — вскинула руку, прижимая ладонь к лицу Лой. Пространство в разжавшемся кулачке звенело от силы. Это же... это тот самый удар Неведомого клана... бабка говорила...

Лой приготовилась умереть.

Ничего.

Заклятие Тэль тоже остановилось на полпути. Будто пуля, вылетевшая из ствола, зависла в воздухе. Будто Сила, перед которой все искусство Тэль и все мастерство Лой были ничтожны, одним легким дуновением заморозила магию...

Она когда-то слышала об этом!

Но не было времени думать, слишком уж близко лицо ненавистной паршивки, и плевать, что магия отказывается подчиняться, она ее сейчас... без всякой магии... как в разборках между своими...

— А-а! — взвыла Лой, вцепляясь девчонке в короткие волосы.

Та не осталась в долгу — замолотила по лицу, царапаясь не хуже настоящей кошки, стараясь попасть в глаза. Женщина и девочка покатились по палубе орущим, визжащим, шипящим комом. Обе рыжеволосые, Лой слишком стройная для своих лет, девочка слишком крупная для своих — они казались сейчас сиамскими близнецами, предпринявшими отчаянную попытку разъединиться.

— Я тебе патлы повыдергаю! — с упоением кричала Лой.

— Кошка драная! — наматывая ее волосы на руку, ответила Тэль. — Ой, как больно...

Лой замолотила девчонку по лицу, пытаясь расквасить нос. Может, ты маг и сильный, девочка, а как насчет обычной драки... Ой!

Они с визгом отлепились друг от друга, разлетелись в стороны, когда струя холодной забортной воды ударила между их телами.

— Хватит!

Валяясь на палубе, опираясь на ободранные локти, Лой Ивер с ужасом глядела на Виктора.

Мужчина стоял между ними. Раскинув руки — и Сила, безумная, яростная Сила, кипела в небе. Он сейчас был острием копья, горловиной смерча — через него била такая энергия, что никогда ничего не боящейся Лой захотелось зажмуриться. Ее собственная магия не угасла, нет, все-таки на такое не хватило бы силы у одного... кем бы он ни был. Магия Кошки постыдно бежала, поджала хвост, спряталась в глубину души хозяйки. Вода вокруг баржи бурлила, суденышко тряслось, порывы нежданного ветра сбили бы с ног любого... кроме Виктора.

— Запрещаю...

Взгляд Виктора обжег Лой. Короткий взгляд на Тэль — и девчонка, уже готовая вновь кинуться в схватку, обмякла.

— Первую, кто зашипит, кину за борт остудиться, — холодно сказал Виктор. — Ну?

Лой не собиралась отправляться за борт. Смотрела на Виктора широко раскрытыми глазами, и безумный восторг, густо замешенный на страхе, изумлении и желании, вскипал в душе. Вот оно что!

Вот как!

Глупый Торн, глупый Ритор, глупая Тэль... Или Тэль все знает?

Она посмотрела в глаза девочки — но в них было слишком много ярости. Ничего не понять.

— Я приношу свои извинения... Виктор.

Лой медленно поднялась, склонила голову. Выдержала короткую паузу и добавила:

— Я прощаю Тэль ее поведение. Она еще совсем ребенок...

Тэль вспыхнула, и Лой с надеждой впилась в нее взглядом. Ну, сорвись на новое небрежное оскорбление! Искупайся в холодной водичке!

— Я прощаю Лой Ивер ее нападение, — вежливым голоском сказала Тэль. Всхлипнула, провела рукой по царапинам на лице.

— Тебе больно, Тэль? — Виктор шагнул к девочке. В голосе его была тревога. Водоворот Силы, бушующий вокруг, стал затихать.

Достойная противница. Что ей эти несчастные царапины? А ведь использовала... и вот уже хнычет, уткнувшись в плечо Виктору... и злобно поглядывая на Лой.

— Бедная девочка. — Лой пришлось призвать на помощь всю гамму голоса. — Давай я залечу твои ранки...

Виктор одобрительно посмотрел на волшебницу, потрепал Тэль по плечу:

— Хорошо. Я рад, что вы успокоились. Так что тебе нужно от меня?

— Я хочу помочь тебе... — Лой даже вздохнула, но выхода не было. — Тебе и Тэль.

— Мы не нуждаемся в помощи.

Лой покачала головой:

— Не отказывайся не подумав, Виктор. Впереди вас ждет засада. И на этот раз Ритор не даст тебе ни единого шанса.

Она говорила, понимая, что все ее спасение сейчас — да и не только ее спасение, а и будущая судьба клана зависят от искренности. Полной и безоговорочной. Если она не ошиблась... Нет, она не должна ошибиться.

И пусть Тэль из кожи вон лезет — Лой Ивер не упустит блага своего клана... и, быть может, — своего личного. Неужели у нее появился шанс стать подлинной героиней клана Кошки?

Совершить то, что не удавалось ни одной предводительнице клана со времен Исхода?

ГЛАВА 14

— Друзья, это Лиз из клана Огня, маг третьей ступени.

— Уже почти что второй, — быстро поправила девушка. — Я прошла испытания... Но мэтр Навахо погиб, и...

Сандра кивнула.

— Отлично, Лиз. Я — Сандра... первая ступень. А это — Асмунд. Он получил пока еще только седьмую... авансом.

— Тебя только что открыли? — с великолепной непосредственностью поинтересовалась Лиз, протягивая зардевшемуся

Асмунду руку для поцелуя. Сандра ревниво поджала губы, но при одном взгляде на Ритора поспешила прикусить язык.

— Угу, — кивнул мальчишка. — Мэтр Ритор...

— Потом, Асмунд, — оборвал его волшебник. — Лиз, это наши маги. Мэтр Солли... Мэтр Болетус... воины... все отличные ребята. А это — мой брат Кан с учеником...

Когда польщенная неприкрытым мужским вниманием Лиз наконец поздоровалась со всеми, Ритор поднял руку, призывая к тишине.

— Друзья. У нас последний шанс взять Убийцу. Неудачи не должно быть, я не устаю это повторять. Он сейчас направляется как раз к нам. Плывет по каналу. Едва ли у него есть проводник, скорее всего он идет, подчиняясь простому инстинкту. Его должна притягивать сейчас Земля... или Огонь. Но в Орос нет иной дороги, кроме как через владения клана Земли. И потому мы здесь. Я держу его своим заклятием. Атаковать мы не станем до самого последнего момента. Пока он не появится в пределах прямой видимости. Волшебники обезвреживают его защиту — бьем все вместе, по моей команде, — и потом вступаете вы, ребята. Нам нужна его голова, понятно?

Эрик и Кевин дружно кивнули. Остальные семеро Старших — следом.

— Ждать его появления будем здесь, в этой долинке. Когда он сойдет на берег — пойдем следом. Помните, ребята, он способен на многое. Лучше всего расстрелять его издали... но в такую удачу я боюсь даже и верить. Ладно, не мне вас учить, что и как делать в бою. Мы прикроем вас на подходе... а дальше уж дело ваше.

— Не подведем, — негромко сказал Эрик. — Как, Кевин?

— Не подведем, — согласился тот. — Или мы не понимаем, с кем дело имеем?

Лагерь Ритора располагался в укромной ложбине. По склонам густо поднялся лес. Впрочем, маг не слишком заботился об удобных подходах к укрытию. Главное — засечь Убийцу, когда он окажется на берегу, и сила Ритора возрастет многократно. Потом девять Старших со своими мальчишками сделают дело.

Началось ожидание. По расчетам Ритора, у них в запасе было лишь несколько часов — день вот-вот вступит в полную силу. Баржа или там плот — смотря что выбрал Убийца — вскоре причалит. Выходить на берег раньше ему нет резона. Он ведь не знает, что за ним следят. По торной дороге он двинется к границам клана Земли. И вот тут мы его возьмем. Вместе с Лиз... устоять сразу против двух Стихий он не сможет. Как бы ни была хороша его защита, пользоваться ею в полную силу он, конечно же, не умеет. Пятеро магов Воздуха, один — маг Огня; Убийце не устоять.

«Я положу здесь всех воинов, — холодно подумал Ритор, — но Убийца будет уничтожен. Во что бы то ни стало. Я уже ощущаю вибрацию незримых струн... приметы, видимые одному мне, предрекают скорый приход Дракона... И если его встретит Убийца — катастрофа неминуема. Потому что этот Дракон будет и в самом деле последним. Может, Торн и сумеет отбить первый натиск Прирожденных — хотя я сам в это не верю и не представляю себе, как он может это сделать, за счет чего, — но второго уже точно не выдержит. Потому что, обороняясь от Дракона, погибнут, наверное, две трети воинов-магов; а на оставшуюся треть хватит одного корабля с орлиной головой на носу».

Взошедшее солнце безжалостно гнало прочь последние клочья ночи, упрямо карабкалось по небосводу, и Ритор невольно вспомнил, как боялся в детстве — вдруг золотистый шар не удержится на страшной крутизне хрустально-голубого купола, соскользнет вниз, рухнув на мир испепеляющей пламенной бурей?

Эрик с Кевином без устали гоняли свою команду, отрабатывая какие-то им одним ведомые приемы; мальчишки-«подхваты» сновали по кустам, растворяясь в зарослях, точно быстрые змейки. Сандра и Асмунд о чем-то шептались в сторонке; Солли и Болетус беседовали с Лиз. Раскрасневшись, девушка что-то быстро говорила; тонкие пальцы так и мелькали, между ними то и дело вспыхивали бледные язычки бездымного пламени — Лиз показывала какие-то детали своего атакующего заклятия.

Все в порядке. Команда готова. Еще немного — и они двинутся по следу.

Ритор посидел немного на старом сухом пне, наслаждаясь краткими мгновениями бездумного покоя — слишком редко выпадало ему такое удовольствие. «Бой будет завтра, а пока...» — припомнились слова. Не так давно пришел в клан Воздуха человек с Изнанки, у которого не было ни малейшего таланта волшбы. Зато он помнил эти стихи и еще много, много других...

Маг Воздуха осторожно проверил дозорное заклятие: напряжено, насторожено... цель в захвате, продолжаю слежение. Ага! Исчезла мерцающая составляющая Воды; Убийца сошел на берег. И, судя по всему, только что.

Ритор молча поднял руку. И весь лагерь тотчас же замер.

Волшебнику потребовалось несколько секунд, чтобы понять — где и как идет Убийца. Так... все ясно. Как и предвидел Ритор, ничего не подозревающий Убийца идет по торному тракту от пристани к владениям Земли. Именно этого от него и ждал Ритор.

Теперь дело за малым. Окружить и... закончить начатое.

— Пошли, — негромко скомандовал Воздушный маг. Он увидел закушенную от напряжения губу Асмунда, сведенные брови Сандры, побелевшие, сцепленные пальцы Лиз; только Солли и Болетус оставались спокойны. Кому довелось умирать под напором сорвавшейся с узды силы Крыльев, уже не станет бояться какого-то там Убийцы.

До тракта — часа два ходу. Осеннее солнце неярко, идти легко. Команда Ритора шагала, растянувшись длинной цепочкой. Кевин с Эриком выдвинули вперед Блайда, Жером с Беном прикрывали фланги. На всякий случай. Нападения никто не ожидал, но... кто его знает, этого Торна.

— Привал, — скомандовал Ритор, когда впереди между деревьями замаячила светлая лента наезженной дороги. Для боя ему нужна свежая команда. Убийцу они опередили, и это хорошо — будет время засесть как следует.

...Тракт перед ними мгновенно пустел. Перепуганные поселяне, едущие на рынок, купеческие фуры, принявшие грузы с барж на пристани, просто странники — словом, все, что обычно движется по большой дороге, торопилось убраться с пути боевого отряда двух Стихийных кланов. И даже тотемные, не исключая и гордых Пантер, после краткого колебания сочли за лучшее не мозолить лишний раз глаза Ритору. Впрочем, маг и не собирался надолго затягивать этот спектакль. Там, где тракт поворачивал, огибая расплывшийся пологий холм, весь поросший лесом, Ритор приказал остановиться.

— Здесь.

Место для засады — почти идеальное. Ложбина с крутыми склонами. Густой подлесок, на два шага от дороги — не видно уже ничего. Убийце просто некуда деться.

Кевин и Эрик энергично командовали, расставляя своих. Бойцы и их «подхваты» таяли в зарослях; несколько мгновений — и на тракте остались только маги.

— Лиз, мы с Солли сминаем первый слой защиты. Почти наверняка это будет что-то Водное. Затем Сандра и Асмунд давят второй слой — я ожидаю чего-то из нашего собственного арсенала. После этого в дело вступаешь ты. Болетус тебя прикрывает от возможного контрудара. Полагаю, твою атаку он тоже отобьет... но ты не переживай. Помни, наша задача — раскрыть его. Пусть он израсходует все силы, отражая наш натиск. Эрик и Кевин знают свое дело... если мы свяжем Убийцу боем, они его прикончат. Но мы должны заставить его выложиться до конца, понимаешь? И потому я прошу тебя — не экономь силы. Я даю тебе слово Ритора — никто не станет выпытывать секреты твоих боевых заклятий.

Лиз зарделась и кивнула.

— По местам, друзья, — сказал маг. — Он уже недалеко.

Мало-помалу дорога ожила. Вновь потянулись телеги и арбы, пешие и верховые путники; скрип колес, усталые окрики погонщиков, блеянье овец в перегоняемых отарах — все как обычно.

Ритор лежал, совершенно скрытый густыми ветвями вечнозеленой магнолии. Чародеям клана Земли пришлось немало потрудиться, прежде чем эта нежная гостья из-за Горячего Моря прижилась на сухих известковых почвах Теплого Берега...

Волшебник ждал. Ну, ну, что же ты? Из опасений спугнуть «жертву» Ритор ослабил нить своего дозорного заклятия, не рискуя даже проверять его сейчас. Судя по всему, идти Убийце осталось недолго.

Стоп, а это кто еще?!

Одетая в простое запыленное платье, босая, с растрепавшимися волосами, по дороге быстро шагала Лой Ивер собственной персоной.

Наверное, Ритор не удивился бы, заметив здесь Торна. Но Лой? Что она здесь делает?..

Женщина остановилась. Внимательным взглядом скользнула по зарослям.

— Позволь мне приблизиться, почтенный Ритор, — негромко окликнула она. — У меня важные вести. Они касаются Убийцы. Мне кажется, ты его пропускаешь.

— Иди сюда, почтенная Лой, — по возможности спокойно отозвался маг. — Иди сюда и объясни, что происходит.

Рассказ Лой не занял много времени.

— ...Я была у Торна. Я добилась от него правдивого рассказа.

— Ты была у Торна? И он не убил тебя на месте? — искренне удивился Ритор.

Лой улыбнулась с легким презрением.

— Меня — нет. Мы... пришли к соглашению. Я уплатила виру за его обиды. — Лукавая улыбка, от которой у Ритора внезапно прилила к щекам кровь. Понятно, что это была за «вира»... Ох, Лой, Лой, кошка блудливая... Впрочем, ты спасла мне жизнь, и не мне тебя судить.

— ... А потом я выследила Убийцу. Это было нелегко, Ритор. Он прошел уже два посвящения, он очень опасен. Он не доверяет никому, даже собственной тени. Сейчас идет к клану Земли — однако он, похоже, догадывается о засаде.

— Каким образом? — нахмурился Ритор.

— Нужно быть глупцом, чтобы думать — после провала первой попытки не последует вторая, — с известным пренебрежением сказала Лой. — Мне кажется... я не уверена, но... Он, похоже, сумел избавиться от твоего поводка.

— Как?! — поразился Ритор.

— Ох, достопочтенный маг, даже я почувствовала на нем твою нить... а поскольку он уже прошел посвящение Воздуха, то, похоже, смог перебросить твой поводок на другой.

— Не может быть, — зарычал Ритор. — Ивер, мне... я... этого не может быть...

— Я так спешила сказать тебе это... — Лой обиженно отвернулась. — Все пятки сбила... торопилась... и что в ответ?

— Ну-ну... — Ритор ощутил раскаяние. В самом деле, зачем Лой врать? Тем более если она спасла ему жизнь...

— Или ты думаешь, меня перетянул на свою сторону Торн? — понимающе шепнула женщина. — Но сам посуди, какой мне в этом резон? Да, я была у него... и была с ним... Кошкам нужен мир, а не война со Стихийными кланами. Да и, больше того, ты ведь знаешь, как мы относились к Драконам...

«Это верно, — подумал Ритор. — Крылатые Властители пренебрегали Кошками, но зато не мешали их интригам. Пожалуй, при Драконах Кошки занимали даже более высокое положение среди тотемных, чем сейчас».

— К тому же мои слова легко проверить, — шептала Лой. — Проведи новый поиск — и ты убедишься сам. И, если я вру, можешь меня убить. Или, — она игриво подмигнула ему, — можешь отдать меня твоим воинам. Всем сразу. Думаю, им понравится.

— Все шутишь, Лой, — укоризненно сказал Ритор. — А своих мальчиков я пожалею. Я же знаю — тебе и сотни будет мало... Хорошо, я проверю твои слова.

— И убедишься, что я сказала правду, — обиженным тоном заявила Лой.

Легким усилием Ритор оживил заклятие. Незримая нить задрожала, слабый, чуть заметный ветерок помчался к цели... отразился от нагой человечьей души и помчался назад.

Ритор едва сумел подавить крик. Это был НЕ Убийца! Просто молодой парень, толкавший перед собой тележку с арбузами, да молоденькая девчонка в бедном платье, придерживавшая зелено-черные полосатые шары слева, где треснули старые доски низкого борта.

И не было в этом типе ровным счетом ничего подозрительного. И абсолютно никакой Силы. Так... внешне слегка похож, но не больше.

— Хитер, гад! — простонал Ритор, сжимая кулаки от ярости. — Но погоди, от меня все равно не уйдешь! Сандра, Асмунд, Солли! Болетус! Все — сюда!.. Помогайте!

Если уж Ритор просит помощи...

Особенно старался Асмунд. И, как водится — новичкам всегда везет! — именно мальчишка засек Убийцу.

Ну конечно! Как же мог он, Ритор, так недооценить врага! Разумеется, тот сделал выводы из случившегося в Хорске. И свернул с тракта, пробираясь мелкими боковыми проселками, от одного хутора к другому, полевыми тропинками, опустевшими полями, пустыми садами... Конечно!

Правда, в одном Убийца ошибся. Слишком близко подошел к дороге.

— За мной! — скомандовал Ритор.

Как будто это не слишком далеко.

— Ну что, теперь ты веришь мне, Ритор? — услыхал он голос Лой.

— Второй раз ты помогаешь мне, Лой Ивер. — Маг взял женщину за обе руки. — Я не забуду этого. Когда все кончится... мне хотелось бы отплатить тебе за добро. Я твой должник, но не думаю, что задержусь в этой ипостаси.

— Я подожду, — легко улыбнулась Лой.

— Все, мы спешим. Ты с нами?

— Конечно, почтенный Ритор. — Кошка слегка пожала идеальными плечами. — Разве я могу остаться в стороне?..

...Они бежали сквозь густой лес. Долго, трудно, выбиваясь из сил. Казалось, ветки специально опустились, преграждая им дорогу, а тропинки нарочно уводят в стороны. Ритор, уже не скрываясь, держал заклятия — с каждым мгновением чувствуя приближающуюся Силу. Убийца даже не слишком скрывался. Самоуверен... решил, что избавился от поводка — и все?

Нет, мой дорогой, сейчас ты убедишься, что дважды никто не может обыграть клан Воздуха.

Впереди изредка мелькала растянутая цепь воинов. Мальчишки же, похоже, обрели невидимость — заметить их не мог даже глаз Ритора.

И где-то рядом вспыхивали золотом волосы Лой.

Лес кончился внезапно и резко, словно обрубленный громадным мечом. Впереди тянулись поля, перемежающиеся с садами; и вилась тонкая нитка проселка. А по нему быстрым, напряженным шагом шел, почти бежал молодой мужчина в черной куртке с недлинным мечом у пояса.

Сила Убийцы плеснула Ритору в лицо волной ядовитых брызг.

— Атака! — не скрываясь, закричал Ритор. И сам бросил первое заклятие. Вой ветра, пылевой смерч на пашне... огненное кольцо, раскручивающееся над головой Лиз...

Человек на дороге уронил меч в пыль. Присел, хватаясь за штаны; на лице — животный ужас. А, ты дрожишь, тварь? Вспомни тех, что умерли из-за тебя на вокзале в Хорске! Попроси у них прощения, пока еще есть время!

Или сражайся, умри, как полагается Убийце! Я знаю, я помню — это гордое упоение Силой, осознание обреченности и утрат, этот высокий полет духа; ты же должен чувствовать то же самое — так почему же на твоем лице такой ужас?

Человек упал на колени. Боевое заклятие Ритора, невидимая коса ветра отвесно рухнула на защиту Убийцы, сминая ее и обращая в прах.

«Ну, что же ты, — мельком подумал Ритор. — Ты ведь еще можешь сопротивляться, у тебя полно сил — почему же не сражаешься?»

Однако Убийца, похоже, не допускал и мысли о сопротивлении. Штаны его стремительно темнели. Он упал на колени, пополз к окружившим его воинам, заламывая руки и завывая от страха.

— Ой, лышенько... ой, сироту обиделы... ой, рятуй-те, люды добри... вот же ж крест, ни сном ни духом... Не повинэн противу вашего магичного достоинству, як есть не повинен!..

Мужчина плакал крупными слезами. Ползал в пыли, заламывал руки, лепетал что-то бессвязное. От него уже ощутимо воняло.

Воины стояли вокруг, держа человека на прицеле. Никто, разумеется, не попался в столь простую ловушку. Ждали команды Ритора.

— И это — Убийца, почтенный Ритор? — Лиз сморщила аристократический носик. — По-моему, это просто обделавшийся от страха мелкий воришка, укравший у кого-то меч!

Воздушный маг осторожно подошел ближе.

Где же, во имя Великих Ветров, где же Сила у этого и впрямь жалкого на вид создания? Или это — хитроумная ловушка, и Убийца просто ждет, когда они утратят бдительность, когда расслабятся, — и уже тогда нанесет удар?

— Не вздумай бежать или колдовать! — предупредил человека Ритор.

— Ни, ни, дядечку, ни в жисть, не буду, не стану, лягу, молчу, пожалей, дядечку, сироту горемычного, пожалей, я уложения ни в чем не нарушал...

— А меч откуда? — строго спросил Ритор.

— Меч? Какой меч? Это ж палка просто... — пролепетал несчастный.

Ритор встряхнул головой. Почему ему показалось, что этот тип — при оружии? И в самом деле, простая палка... с чуть напоминающим гарду сучком...

— Прощупываем его, быстро! — приказал он.

...Душонка мелкая и дешевая. Немного жадности, страха, похоти и глупости. Конкретно сейчас — сплошной страх. Больше — ничего. Ничего! Совсем, совершенно, абсолютно ничего!

Как такое может быть? Ведь заклятие же четко указало...

— Это не Убийца, мэтр Ритор, — презрительно бросила Лиз. — Нам просто отвели глаза.

Все, что девчонка-Огненная не решилась сказать вслух, читалось в ее глазах.

«Лой. Лой Ивер. Которая спасла мне жизнь. Которая была так убедительна. Которая так спешила помочь нам».

И которой больше нет рядом.

Вроде бы только что — бежала вместе со всеми, встряхивала рукой, разминая пальцы для своих подленьких кошачьих заклятий, даже встретилась взглядом с Ритором — и улыбнулась. А сейчас исчезла. Быстро и незаметно, как умеют лишь Кошки.

«Продажная тварь! Ну конечно, она кинулась к Торну, вымаливая у него прощение... и вымолила его. Конечно, она действовала по его указке. Обвела нас вокруг пальца. Именно потому, что до этого спасла меня... да, Торн, хороший ход, ничего не могу сказать».

Человек застыл, оцепенел и лишь слабо скулил.

— Это не он, — негромко сказал Ритор. — Друзья, нас предали! Нас предала Лой Ивер. Она помогла Убийце проскользнуть. И наверняка именно она научила его, как избавиться от дозорного заклятия. Несложный прием, если тебе помогает опытный наставник. А Лой Ивер как-никак маг первой ступени. Пусть даже и тотемного клана. Да, конечно. Конечно...

Ритор говорил неспешно и обстоятельно, словно на лекции в школе. Маги и воины смотрели на него со всевозрастающим страхом: нельзя останавливаться, нужен новый поиск, можно еще успеть...

Однако Ритор все говорил и говорил. И, видя его остекленевший взор, никто не дерзал прервать Воздушного мага.

— Есть такой прием. Убийца инкапсулирует Силу в себе, сворачивает в тугой клубок, так, что заметить можно только вблизи. А подставному, вот этому несчастному... ему на время привешивается Плащ Силы... маскировка, камуфляж, как говорят в Изнанке. И мы попались на этот трюк... потому что Убийца в нашем мире всего несколько дней, у него нет проводника, у него нет... то есть не было наставника... где он мог бы научиться такому. А оказалось — у Лой Ивер! Ах, Торн, молодец Торн, умница Торн...

— Ритор! — решилась Сандра. — Ритор, остановись, пожалуйста! Ритор, нам надо думать о том, как взять Убийцу. Надо прочесать...

— Во владения Земли ведет много дорог. Вдобавок, если он закрылся... — Ритор безнадежно махнул рукой. — Ты понимаешь, что она натворила, эта Кошка?.. Она научила его закрываться. Теперь мы распознаем его, только если окажемся лицом к лицу.

— А где сама Лой? — прорычала Сандра. — Где эта стерва драная? Сейчас я ее...

— Поздно, — Ритор махнул рукой. — Кошки этим и знамениты. Сейчас она уже далеко. И никакое прочесывание не поможет.

— Ты отчаялся, Ритор! — вскричал Болетус. — Ритор, так нельзя, Ритор, ты не можешь сломаться!

Забывшись, Болетус сгреб Ритора за лацканы.

— Ритор, Ритор, приди в себя! Мы должны их взять! И Убийцу, и предательницу! У нас хватит людей, очнись, Ритор!

Маг поднял голову. Взор медленно прояснялся. Пелена отчаяния отступала.

— Ритор. Мы должны найти его, — словно маленькому ребенку, втолковывала ему Сандра. — Объедини наши силы, ведь ты наверняка видел его! Будем искать по лицам... — Она сама понимала, что говорит пустые слова. Если бы все было так просто...

— Он не сможет долго нести Силу свернутой, как дорожный мешок, — вмешалась Лиз. — Рано или поздно ему придется раскрыться. Надо идти в ближайшую крепость клана Земли. И ждать там.

Ритор с трудом поднял взгляд на обступивших его спутников.

— Хорошо, — еле слышно проговорил маг. — Идемте...

Арбузный ломоть истекал соком, ронял в дорожную пыль крупитчатые сахарные брызги сока. Виктор стряхнул черную россыпь семечек и слопал ломоть в один присест. Вкусно. И ведь никаких химикатов... может, чуть-чуть магии? А магия может считаться экологически вредным фактором? «Налетай, люд честной, у меня арбузы без всяких заклятий, сам растил!» Нет, безумно вкусно. Даже жалко будет бросать сослужившую службу тележку. А была ли в ней нужда? По словам Лой — да. А на самом деле? Может, зря они тащились по жаре, катя перед собой немалый груз? Вот Тэль, например, считает, что зря.

Виктор вытер перемазанный в соке подбородок, достал меч и рассек очередной арбуз на половинки. Тэль немедленно ухватила одну и принялась выгребать мякоть — «петушки», как говорили в детстве...

А пришло бы ему в голову еще три дня назад, что он будет нарезать арбуз эльфийским мечом... мечом, которым он убил человека! — и есть сочные, сладкие красные ломти?

Виктор попытался почувствовать отвращение, брезгливость или хотя бы презрение к самому себе. Как можно быть таким?

Оказывается — очень легко.

— Нет, хватит, — отбрасывая темно-зеленую корку, сказал Виктор. — Если я съем еще хоть кусочек, то ночью точно... хм... описаюсь.

Тэль фыркнула. Покосилась на него:

— Ты весь перемазался.

Они бросили тележку, чуть свернув с дороги и остановившись у мелкой речушки. Почва была каменистой, пыльной, даже у воды ничего не росло, и вездесущая пыль мгновенно садилась на липкую от сока кожу.

— И ты не лучше, — заметил Виктор. Подошел к речушке, умылся холодной водой. Живот стал тяжелым и надутым, как барабан, а сам он чувствовал себя удавом, слопавшим и слона, и шляпу, и Экзюпери в придачу. — А хочешь...

Идея была соблазнительная!

— Хочешь, я попробую заставить воздух отгонять от нас пыль...

— И не вздумай! — вскинулась Тэль. — Ты что! Не проявляй Силу!

Виктор помолчал.

— Тэль, ты же сама недавно говорила, что все опасения Лой...

— Может, и чушь! Да! Скорее всего! А если нет?

Да, против такого аргумента не поспоришь. Всегда лучше подстраховаться. Вот только странно, что раньше у Тэль особой осторожности не было замечено...

— Я не буду, — покорно сказал Виктор. Показанные ему Лой приемы помнились соблазнительно ярко. Все было очень просто. Неужели так легко овладевать магией?

Нет, наверное, это не для всех. Ему помогают способности Убийцы, те самые, из-за которых Тэль притащила его с Изнанки...

— Хорошо, — похвалила Тэль. — А я тоже умоюсь...

Виктор понял, что она имеет в виду, лишь когда Тэль стянула платьице и спокойно пошла к воде.

Нет, до чего же незакомплексованная девчонка! Он не стал глупо отворачиваться или высказываться о приличии, наоборот, проводил ее взглядом. Незакомплексованная. И хорошенькая, что уж греха таить.

312 Сергей Лукьяненко, Ник Перумов

Так ведь она его просто соблазняет!

Мысль была обидной и тревожной. Влюбленности девчонок во взрослого мужчину никогда не обретают таких открыто провоцирующих форм.

Тэль уже плескалась за спиной, взвизгивала от холодной воды, а Виктор все обкатывал в сознании это запоздалое подозрение. Может в безумной игре волшебников и волшебниц участвовать девочка-подросток — девочка из Неведомого клана?

Может.

Впрочем, уж если бы Тэль и впрямь решила его соблазнить и посадить на самый прочный в природе поводок из влюбленности, желания и чувства вины — давно бы это сделала. В первую же ночь в гостинице, например, когда он был растерян и даже не соображал толком, реально ли происходящее. Этой ночью на барже, в конце концов. Куда бы он делся, под снисходительным пологом ночи, чуть опьяневший и измотанный — не физически, а душевно...

Виктор крякнул.

Нет уж, этой ночью, пусть только Тэль уснет, он предложит Лой прогуляться при луне. При девственно-чистой луне, не запятнанной шагами астронавтов, по нежной, юной травке, которая так и тянет присесть. А Лой, что уж тут говорить, женщина свободного нрава. Настолько свободного, что язык не повернется назвать ее распутницей. Лой живет этим, секс для нее такое же бесхитростное занятие, как мимолетный разговор или предложение испить стакан воды...

— А ты не хочешь вымыться? — спросила Тэль.

— Вода холодная, — отозвался Виктор.

— Тогда пойдем. — Тэль появилась уже одетая в прежний свой наряд, уродливым платьицем она без колебаний вытерла ноги. — Немножко пройдем по тракту, дальше путь будет оживленнее. Может, кто подвезет. Деньги ведь еще есть?

— А как же Лой?

— Ты что, собираешься ее ждать?

— Лой просила до вечера не уходить.

— Виктор! — Тэль села перед ним, встряхнула мокрыми волосами — Виктор невольно улыбнулся этому жесту. Блин, да неужели она уже подметила, какие движения вызывают у него приязнь? — Почему ты ведешь себя как маленький? Почему я должна отдуваться за двоих?

— А в чем дело?

— Я Лой не верю, — твердо сказала Тэль. — Ни на грош. Она, во-первых, темнит. Недоговаривает.

— Возможно.

— А во-вторых, если маги ее действительно схватят, то ничего утаить Лой не сумеет! Опытный волшебник вытянет правду даже из мертвого.

— Из мертвого волшебника?

— Мертвые беззащитны... — тоном, заставившим Виктора вспомнить стражей Пределов, сказала Тэль. — Для мертвых не остается магической силы... Виктор! Дурочка я, да?

Весь ее вид выражал раскаяние и смущение.

— Ты о чем?

— Ну... Лой красивая женщина... — Тэль смущенно отвела глаза. — И опытная ужасно, как сто тысяч женщин, наверное... Тебе ее хочется, да? Ну... как это у взрослых бывает...

Она смущенно захлопала ресницами.

Ни малейших сомнений, что Тэль играет, у Виктора не было. Вот только и крыть тоже было нечем. Взгляд девочки был самим простодушием и невинностью, даже щеки покраснели.

— Ей ведь лет, наверное, сто, — задумчиво добавила Тэль. — А может, и двести. Маги первой ступени от старости не умирают... Тебе с ней хорошо бы было, а я тут мешаюсь...

— Иди в баню! — Виктор вскочил. — Что за чушь ты несешь?

— О возрасте?

— Обо мне! Мне тут не до интрижек с престарелыми кокетками! Пошли!

До более людного участка тракта и впрямь было недалеко. Дошли за полчаса, и Виктор успел трижды проклясть собственную глупость на пару с хитростью Тэль.

Все-таки надо было подождать Лой Ивер...

— Не дуйся, — сказала вдруг Тэль, будто прочитав его мысли. — Пожалуйста. Если с Лой ничего не случилось, она нас легко найдет.

— Наложила свое заклятие? — сухо спросил Виктор.

— Ну не злись... — Тэль взяла его за руку. — Что ты... А заклятия Лой не нужны, она ведь из клана Кошки. Выслеживать, таиться, убегать, обманывать — все это часть их Силы.

— Угу, ясно. По следу пойдет, нижним чутьем...

Представив обольстительную Лой, бредущую по дороге на четвереньках, Виктор невольно улыбнулся. Если еще поверить Тэль и допустить, что Лой за сотню лет...

— Но если с ней случится беда, из-за того что мы ушли... — с угрожающей ноткой сказал Виктор.

— Знаю, знаю. Ты мне этого не простишь, обидишься, сдашь в сиротский приют или в монастырь... Не бойся ты за Лой! Знаешь, что у кошки девять жизней?

— Утешила...

— Я очень рада, что ты за нее волнуешься, — неожиданно сказала Тэль. — Очень! Хоть за кого-то...

— За тебя волноваться — все равно что рыбу от дождя зонтиком укрывать...

Так, в легкой пикировке они и простояли на обочине дороги полчаса. А потом еще с полчаса просидели на травке в стороне. За это время проехало, наверное, десятка полтора телег и подвод. Но при виде одних Тэль презрительно кривила нос — да и Виктора не прельщало путешествие вместе с пятеркой толстых, дружелюбно похрюкивающих, веселых свиней или, например, перспектива проехаться в здоровенной, будто железнодорожный вагон, подводе, полной пьяных и веселых гномов. В отличие от земель вокруг Серых Пределов здесь совсем не было эльфов — может быть, они не любили селиться вдали от лесов, а может, изгнанные в свое время натиском магов, так и не захотели возвращаться.

— Знаешь, что меня тут поражает? — задал он Тэль риторический вопрос. — Как вы все уживаетесь.

— Кто — все? Кланы?

— Да сдались мне кланы! Сколько магов в каждом из них? Сотня, тысяча? Выхода нет иного, кроме как уживаться.

— Не скажи.

— С жиру беситесь, — отверг Виктор любые возражения. — Нет, меня поражает, как не перегрызли друг друга эльфы, гномы...

— Кое-кто и перегрызся, — небрежно бросила Тэль. — Многих тут уже нет. В горах, например, иногда встречают троллей, но уже очень редко. Кто не смог сжиться между собой — вымерли.

Виктор вспомнил капитана баржи и поинтересовался:

— А хоббиты остались?

— Кто?

Он объяснил как мог.

Тэль покачала головой, и в ее голосе впервые прорезалась неуверенность:

— Никогда не слыхала. И не встречала. Это уже ваша выдумка.

Наконец на дороге показалась повозка, вызвавшая одобрительный кивок Тэль. Скорее и не повозка, а тарантас, с круглыми арками, сейчас, правда, не закрытыми пологом. Впряженной лошадью правил молодой парень, ухитряющийся одновременно держать поводья, лузгать семечки и перелистывать страницы замызганной книжонки. При виде книги Виктор испытал почти ту же безумную жажду, что и от газеты на вокзале. Что ни говори, а вот отсутствие возможности что-нибудь почитать сказывалось.

— Эгей! — Парень дружелюбно махнул им рукой. — Подвезти?

— Подвези! — Тэль потянула Виктора за собой. — Давай быстрее...

Остановить лошадь парень и не подумал, впрочем, неспешный шаг флегматичной старой кобылы помехой не был. Тэль запрыгнула в тарантас так легко, что возница издал одобрительный возглас. Виктор позорно побежал вслед повозке и забрался через открытый задок. Вдоль «бортов» повозки стояли две деревянные скамьи, между валялись горки сухого сена.

— Далеко едете? — щерясь в улыбке, спросил парень. Он бы выглядел самым обычным юношей из глубинки, если бы на его телегу вместо деревянных колес, обтянутых металлическими ободьями, поставить старые покрышки от «ГАЗа». Телега как телега, и сам он — парень как парень. Коротко стриженные черные волосы, загорелое грубоватое лицо, сутулые плечи, одежда чистая, но простая — ничего необычного.

— До Фероса, — улыбаясь в ответ, сказала Тэль. — Вот, хотим с братом к Земным магам податься...

«С братом? С чего бы вдруг...»

— Весь путь не провезу, а до княжеских дворов — рад буду...

Виктор кашлянул, пытаясь обратить на себя внимание девочки, но та вовсю кокетничала с возницей.

— Способности, говорят, у меня есть. Вдруг да стану магом? Ты подумай!

— Фиг ли думать! Пробуй! — Паренек отложил книгу, бросил поводья, на что послушная лошадь никакого внимания не обратила, протянул Тэль открытую ладонь. — На, полузгай. Братан, Сашка, нажарил...

— Спасибочки... — Тэль уселась с ним рядом. — А тебя как звать?

— Вася.

— А меня — Тэль. Красиво, да?

Виктор с некоторым ошалением смотрел на это дитя Срединного Мира. Что изменится, если перебросить его в Изнанку? Да ничего, наверное.

Парень обратил внимание и на него.

— Бери, не бойся... — И горсть семечек перекочевала в руки Виктора. Меньше, чем семечки, он любил разве что жареную саранчу, но выхода не было. — Тебя как кличут, молчун?

— Виктор.

— Ага. Да ты щелкай, Витек, наши семечки — чистый сахар!

— А можно... — Виктор указал на книжку.

— Грамотный? — Голос парня сразу стал из просто дружелюбного — приятельским. — Люблю я это дело! Бери, только руки протри.

На взгляд Виктора, бедной книге уже ничего бы не повредило. Бумажная обложка была вытерта до полной потери цвета. Даже название не читалось. И все же Виктор послушно вытер ладони о джинсы и открыл пухлый томик на заложенном соломинкой месте.

«Сюда шли прямо с ячейковых собраний, после краткого извещения, шли, не разговаривая, в одиночку и парами, но не больше трех человек, в карманах которых обязательно лежала книжечка с заголовком «Коммунистическая партия большевиков» или «Коммунистический союз молодежи Украины». За чугунные ворота можно было войти, лишь показав такую книжечку.

В актовом зале уже много людей. Здесь светло. Окна завешены брезентовыми палатками. Собранные здесь большевики, подшучивая над этими условностями тревоги, спокойно раскуривали козьи ножки».

С ощущением нахлынувшего безумия Виктор посмотрел на Васю. Парень кивнул:

— Ага! Забрало? Лихо излагает!

— Ты... откуда это?

— Книга такая, — терпеливо пояснил парень. — Фэнтези. Слыхал? Это когда врут, но складно.

— Книжка-то с Изнанки, — мельком глянув, заметила Тэль. — Как добыл?

Вася гордо улыбнулся, оставив вопрос без ответа.

— И тебе тут... все понятно? — Виктор не смог удержаться от допроса с пристрастием.

— Ну... не совсем. Как ноги козьи можно курить — хоть убей, не пойму. И еще, эти... большевики и комсомольцы. То они вроде гномов — все железку строят. То вроде магов — порядок держат и оброк собирают.

Виктор, пожалуй, готов был ответить... но Васю явно куда больше занимала Тэль, чем вопросы большевизма. Одобрительно хлопнув Виктора по плечу, он развернулся к девочке:

— А в чем твоя Сила-то?

— Траву растить умею быстро — раз, воду чую — два...

— Славное дело!

— Я в том даже гномам на Пути помогала! А еще дважды жилу рудную нашла...

— Серьезно? — Парень присвистнул. Он явно был высокого мнения о себе, даже выражение лица давало понять — на возке с сеном случайно восседает, в жизни пойдет куда как выше! Но сказанное вызвало у него уважение. — Эй, друг, а хороша твоя сестрица!

Виктор мрачно кивнул. Зачем Тэль понадобилось морочить голову случайному, в общем-то, попутчику — он никак не мог понять.

Однако же зачем-то понадобилось...

Поддакивать лжи Тэль не было необходимости, вступать в их разговоры не хотелось, читать про Павку Корчагина тем более.

Он лег на дно возка. Растянулся, глядя в чистое небо. Ни облачка, ни дымка. Скрипят колеса, чуть потряхивает — но несильно, слишком наезжен тракт, земля сбита в плотную колею. Тэль с Васей перемывают косточки магам. Но почтительно так, осторожно.

Зачем он едет в Ферос?

Не пора ли перестать послушно следовать замыслам Тэль? Да, да, конечно, девочка помогает ему. Но ведь и своих целей не упускает из виду. Все равно что столкнула в воду не умеющего плавать, а теперь гордо бросает ему спасательные круги. Надо поговорить с ней начистоту...

Внезапно Виктор понял, что в раздраженных мыслях неизменно присутствует Лой Ивер, грациозно вытягивающая длинные стройные ноги и улыбающаяся совершенно недвусмысленно. Блин! Ну что за притягательность у этой женщины? Если ей и впрямь сотня лет, как говорит Тэль...

А сколько лет может быть самой Тэль?

Вскинув голову, он посмотрел на девчонку. В самый подходящий момент — Вася как раз приобнял ее. Получил легкий шлепок и без всякой обиды убрал руку.

Она ухитряется быть очень разной. Когда — серьезной наставницей, когда перепуганным ребенком, когда безжалостной и холодной женщиной. Как она о Предельнике с сыновьями... «они умерли счастливыми». И все. Небрежно и мимолетно. Это не подростковый цинизм, как ему показалось вначале. А если еще вспомнить слова Лой о Неведомом клане...

Тэль повернулась, показала ему язык и игриво потрепала возницу по затылку. Виктор смущенно отвел взгляд.

Нет, сколько ни строй догадок, выводы делать рано. Эх, если бы рядом была Лой! Она, хоть и ведет свою игру, гораздо откровеннее с ним. Где же она сейчас, волшебница Лой Ивер?

ГЛАВА 15

Вытянувшись на камнях, приятно холодящих усталое тело, Лой Ивер лакала воду из ручья. Со стороны это выглядело глупо. Красивая женщина в изодранной одежде лежит в странной, неудобной для человека позе, подбородок покачивается над быстрыми струями воды, мелькает розовый язычок, мимолетные взгляды по сторонам — и снова женщина приникает к ручью...

Но никто не видел Лой Ивер со стороны. Никому не нужна была заросшая леском ложбинка, где она укрылась передохнуть после бегства от Ритора и его отряда. Лишь любопытная синица прыгала по веткам, косясь на редкого гостя. Лой, прищурившись, посмотрела на нее и тихонько сказала:

— Мяу-у-у!

Синица никак не отреагировала.

Лой засмеялась, сбрасывая все еще бурлящее в крови напряжение. Умненький, благородный Ритор! Как я тебя! Ох и зол же ты, наверное! Ну не сердись, не сердись, ты еще поймешь, что я была права. Не сорвал бы злость на бедолаге-крестьянине... Впрочем, нет. Ритор не такой. Он убедится, прежде чем убивать. И не тронет невинного. Даже отсыплет ему щедрой рукой из казны Воздушного клана. А как все было красиво! Как взвыл ветер, призванный волей мага, скрученный в тугую удавку! Как выхватил серебристый меч Кевин... ох, хорош мужчина! Как полыхнула сила девушки-Огненной! Надо ее запомнить, надо. Не ровен час, она еще станет во главе клана...

— Отдыхаешь, Лой?

Вода в ручье забурлила, вспухла холмиком. Белая пена обозначила волосы Торна, густые брови, два крошечных водоворота — глаза. Карикатурное, стеклянистое, текучее лицо мага Водных смотрело на Лой Ивер с поверхности ручья.

— Осел! — Лой едва успела задавить визг. — Ты... ты напугал меня!

Прозрачная маска засмеялась, забулькала. Две крошечные волны — губы мага, раскатились — и Торн выпустил прямо в лицо Лой тонкую струйку воды.

— Кретин! — Она уже владела собой, но продолжала возмущаться. Пусть Торн потешит свое тщеславие. Впрочем, у мага есть повод гордиться — он сумел разыскать ее и дотянулся до слабенькой ниточки Силы, питавшей ручей.

— Ну ладно, не сердись, — примиряюще сказал Торн. — Уж очень забавно ты испугалась... Не все же тебе смеяться над бедным, старым магом...

— Когда я смеялась над тобой? — возмутилась Лой. Села у ручья, легким движением взбаламутила воду — так что по лицу Торна пробежала рябь морщинок. — Нехорошо с твоей стороны обижать слабую женщину...

— Обидишь тебя... — Лицо Торна закружилось, поплыло по поверхности. Высунулся длинный тонкий язык, мимолетно лизнул лодыжку Лой, рассыпался хрустальными брызгами. — Ты лучше подумай о Риторе. Наш разлюбезный приятель вне себя и грозится содрать с тебя шкурку...

Значит, Торн следит за всем происходящим!

В испуге Лой едва не отпрянула от ручья.

— Что с тобой? — ехидно спросил Торн. — Ты так ловко провела Воздушного... Я восхищен! Нет, правда, спасибо огромное! Ритор чуть было не смешал все планы.

Похоже, он говорил искренне, и Лой кивнула, принимая благодарность. Поколебавшись, спросила:

— Торн, зачем твои Наказующие преследовали Виктора? Пытались убить его в Луге...

— Ага, все уже знаешь, — удовлетворенно забулькал Торн. — Всегда поражался, как клан Кошки ухитряется быть в курсе событий...

— Это для отвода глаз? — Лой не дала ему уйти от вопроса. — Чтобы запутать Ритора?

— Не только, Лой, не только... — Торн задумался, прозрачная маска то погружалась на самое дно, то вновь выныривала. В ручейке явно прибывало воды — магия тянула все соки из источника. — Ладно. Кое-что ты вправе знать. Убийца постигает Силу в схватке, в поединке. Ненависть боя — вот что питает его, дает власть над стихиями. Бедный Готор... он сам пошел на это. Дразнил Убийцу. Заводил Убийцу. Уничтожал тех, кто шел рядом с ним. Пока — пока Убийца не принял силу Воды.

— Значит, Ритор сам себе помешал? — воскликнула Лой. — Ударил по Виктору и помог ему осознать Силу Воздуха?

Губы Торна расплылись в улыбке.

— Ты аккуратно играешь, Торн. — Лой покачала головой. — Смотришь далеко вперед...

На языке у нее вертелось, что при таких способностях не грех было бы и назад порой оборачиваться, но Кошка благоразумно промолчала. Она узнала многое, что хотела знать. И ухитрилась ничего не сказать магу Воды.

— Теперь ты будешь гадать, в чем состоят остальные детали посвящения Убийцы... — Торн наморщил брови. — Не мучайся загадками, Лой. Ты не из Стихийного клана, и тебе ни к чему лишние знания.

— Да? А чем же ты предлагаешь мне заниматься? — ехидно спросила Лой.

— Любовью, например. — Торн захохотал.

Как он осмелел на расстоянии! Лой расплылась в улыбке:

— Милый! Ты бы знал, как я хочу тебя! Воспоминания — только они и греют...

— Ну, согреть не обещаю. А вот все остальное...

Вода в ручье вспучилась, обнажая дно. Запрыгали по песку перепуганные мальки. Водяная статуя — точь-в-точь Торн, встала перед Лой. В прозрачном теле кружились быстрые водовороты, мчались тягучие струйки течений. Случайно попавшая в ожившую воду рыбка испуганно крутилась в груди, будто пародируя биение сердца.

Торн — двойник Торна — был обнажен. Прекрасная копия! Вот только в одном маг пошел против суровой правды жизни...

— Ого... — только и вымолвила Лой, оглядывая Торна.

— Ага, — самодовольно подтвердил Торн. Протянул руку — и стал грубо стягивать с Лой обрывки платья.

— Слушай, я крайне тебя ценю, но вот в плане гидрофилии... — попыталась протестовать Кошка. Но возбужденный маг не слушал возражений, срывал одежду с восторгом дорвавшегося до женщины подростка.

В конце концов, может быть, это будет забавно?

Лой заставила себя ответить на поцелуй холодных и мокрых губ, опустилась на траву. Прозрачная статуя с мужскими достоинствами неимоверных размеров нависла над ней.

— Я могуч! — выкрикнул маг.

Ой...

Ошарашенная Лой отчаянно пыталась понять, нравится ли ей это. Может быть, если подогреть воду... а так — все равно что воспользоваться садовым шлангом...

— Развратница... — сладко и томно выдохнул маг. — О, Лой!

Вода внутри него забурлила, рыбка заметалась, уносимая потоком.

— Лой... — простонал маг.

Прозрачное лицо глупо улыбнулось, глаза-водовороты сузились. Торн слишком поздно сообразил, что не сможет контролировать Силу.

— Изви... — булькнул он, когда избавившаяся от магических пут вода хлынула на Лой.

Мокрая насквозь, покрывшаяся от холода пупырышками, Лой Ивер каталась по траве в приступе истерического хохота.

Торн, Торн...

Сколько надо объяснять, что не в размерах дело! Нет, нельзя сказать, что ей совсем не понравилось. Если вода будет из теплой ванны да после тяжелого трудового дня... Приятное с полезным: и секс, и душ.

Но хватит смеяться. Надо спасать бедную рыбку.

Виктор с удовольствием предался бы сну. Повозка катилась, стучали копыта лошади, поскрипывали деревянные колеса, Тэль шепталась с возницей — временами они начинали тихонько смеяться. Порой навстречу проезжали другие повозки — Вася обменивался с их возницами сдержанно-вежливыми приветствиями. Один раз их обогнала несущаяся во весь опор карета, запряженная четвериком. Карету эскортировали четверо солдат в форме, почему-то напоминающей мушкетер-

скую. Да и вооружены они были не только длинными шпагами, но и массивными тяжелыми мушкетами.

— Во как Земные чешут! — восхищенно сказал вслед Вася. —
Станешь волшебницей — тоже так носиться будешь, с гвардей-
цами, с шумом-гамом.

Виктор даже присел, вглядываясь вслед карете. Ничего особенного. Окна наглухо закрыты, а гвардейцы ничем не напо-
минают магов.

— Молочка хошь? — спросил возница. — Допить надо,
пока не скисло.

Выпив без всякого удовольствия жирного теплого молока,
Виктор снова прилег. Нет, хорошо бы уснуть...

И проснуться на берегу, под небом, в котором нет солнца?
На радость Обжоре?

Он уже думал о постоянном участнике своих снов как о
живом человеке. Неприятном, злобном, циничном — но все
же вызывающем определенное уважение. Кашевар фигов... что
же значат все его недомолвки и намеки? Задремать и устроить
разборку? Да нет, ничего не получится, в мире Обжоры все
идет по его законам...

В мире Обжоры — в Мире Прирожденных?

Ничего необычного в этой мысли не было. Если уж видения не случайны — а в такие случайности Виктор не верил, то
источник снов стоит искать именно среди Прирожденных.
Среди тех, кого боятся даже могучие маги...

— В общем — уроды! — вдруг воскликнул Вася. Похоже,
они с Тэль ссорились. И уже давно.

— А ты сам — видел Драконов? — Виктор вскинулся на
слова Тэль. Но девчонка не обернулась. Ее голос звенел от
ярости: — Ты, мальчик!

Вася даже дернулся:

— Ты что? Припадочная? Будто ты видела!

— Я — знаю!

— Откуда? — Возница нервно засмеялся. — Да тебе-то откуда знать? Эй, Витек, чего твоя сестра...

— Я — знаю! — Голос Тэль взвился. — Земля еще помнит
шаги, сминавшие скалы! Ей трудно было держать Драконов —
горы легче их сердца! Воздух выл от боли, когда Драконы рас-

правляли крылья! Ураганы меняли путь — лишь бы не встретиться с ними! Моря вскипали от их дыхания! Реки иссыхали, если Драконы утоляли из них жажду! В жерлах вулканов грелись они! Чешуя их горела ярче солнца!

Повисла тишина. Заржала — и перешла на рысь лошадь. Обалдевший Вася смотрел на Тэль, медленно отползая по облучку подальше. Потом воскликнул:

— Так я же и говорю — сволочи они все были! И слава магам, что избавили нас от Властителей!

Тэль нехорошо засмеялась.

— Ты что, мальчик. — Голос ее был ласков, но резал подобно бритве. — Ты решил — я ругаю Драконов? О, ты не прав. Совсем не прав. Они были плотью земли и дыханием неба. Душа их текла в каждом роднике, а свет их разгонял ночь. Враг не смел подступить к Срединному Миру — пока Драконы хранили его. Если бы ты видел полет Дракона в ночном небе, мальчик... Ты упал бы на колени, ты окаменел бы, не в силах отвести взгляд! А когда Дракон истаял в небе — уже не остался бы прежним. И если хватило бы сил... если бы только хватило духа...

Она рассмеялась.

Если бы хватило сил?

Виктор почувствовал, как наползает на глаза алый туман. Терялись в нем Тэль и возница, исчезала дорога и ползущая навстречу повозка.

— Да, страшна была их ярость, мальчик! Но и любовь была ярче молнии! Она-то их и сгубила. Не смогли Драконы стать сильнее Убийцы... чья сила в одном — ненавидеть!

Алый, алый, алый туман...

Ваша власть была над миром. И горели города, забывшие страх перед Крылатыми Владыками. Алым, алым, алым пламенем... Ваша власть была над людьми. И истекали кровью вышедшие навстречу с мечом в руках. Алой, алой, алой кровью.

Пришел час расплаты.

Это не кровь, не огонь, это темнеет в глазах. От сияния черных лат, от блеска меча. Он силен — последний Дракон. Тот, кто станет воистину последним. Он очень силен — каждый удар его — смерть. Но Убийца не чувствует ран — что раны для того, чья плоть — камень, чья душа — ледяная вьюга, чьи движения — быстрее текучей воды, чья сила — обжигающий пламень.

Кто это подкрался сзади? Твоя подруга, Последний Дракон? Как смешно — она рискует вступить в наш поединок! Удар — плашмя, лишь бы не мешалась, и девушка падает, оглушенная. Мужчина в черных латах кричит от ярости — но у него не остается сил, слишком многое кипит в его душе — любовь, страх, отчаяние и лишь потом — ненависть. Мужчина кричит — и на мгновение отводит взгляд, смотрит на упавшую женщину...

Ты отходил свое по Земле, Дракон!

Удар — и сабля белого металла подрубает ноги рыцаря в черном.

Тебе не расправить крыла, Дракон!

Удар — и кровь вскипает на клинке, и тонкий меч падает в липкую грязь.

Я забираю твою жизнь, Дракон!

Удар — и черные латы трескаются, кожурой сползая с тела.

Свет померк для тебя, Дракон!

Удар — светлые волосы темнеют, и он видит глаза Дракона.

Совсем еще молодые глаза.

Убийца Драконов опустил клинок. Последний из Драконов стоял перед ним на коленях — у него не осталось сил стоять. Жизнь покидала его, с каждым биением сердца, с каждым вздохом.

И все же он еще мог говорить.

— Ты рад, Убийца? Моя смерть — греет твою душу?

Убийца не двигался. Драконы коварны.

— Неужели ты думаешь... что можно убить Дракона? Убить — навсегда?

Как долго он умирает. Сколько сил в его теле — даже когда он стал человеком.

— Придет час, Ритор. Придет час, Убийца Драконов!

Пламя в его глазах — золотые всполохи, сверкающий путь в ничто, туннель, по которому несется душа Дракона. Мчится — далеко-далеко, не догнать, не прервать этого полета. И не поможет ни меч, ни Сила четырех стихий.

— Придет час — ты проклянешь этот миг. Ты будешь искать Дракона — чтобы защитить. Ты будешь убивать сам себя, Ритор. Убивать, не понимая, что творишь. Ты снова сделаешь зло во имя добра, Ритор...

Взмах — серебристая сталь пронзает воздух — как он смеет пророчествовать — жалкая умирающая тварь — не слушай слова убитого Дракона!

Но Воздух — послушный Воздух — стал предателем. И Дракон успевает улыбнуться сквозь кровь.

Алую, алую, алую кровь...

Последний Дракон ушел из Срединного Мира.

Ритор, прошедший посвящение, вобравший четыре стихии, опустил клинок. И белая сталь, выпившая жизнь Крылатых Властителей, рассыпалась пылью.

Ведь так было решено.

Убийца теряет Силу, когда умирает последняя жертва.

Остается лишь ненависть.

Женщина, что была с Драконом, встала с земли. Шагнула — упала — поползла к последнему из поверженных Властителей. Она была еще жива — ибо не была Драконом.

Нет женщин-Драконов!

Ритор закричал, понимая, что все же ошибся. Надо было убить ее первой! Что он может теперь — безоружный, теряющий Силу, для которого вновь стал холодным дождь и обжигающим — пламя. Что он может сделать с женщиной, сидящей у тела убитого им Дракона?

Он сжал пальцы на тонкой шее. Навалился всем телом, прижимая женщину к земле. А она даже не сопротивлялась. Вздрагивала от рыданий, задыхалась — глотая воздух, глядя в глаза бывшего Убийцы.

Ритор сам не понял, как это случилось.

Ненависть, кипящая в крови, ненависть — ты была виновата. Он овладел женщиной прямо у трупа Властителя.

Дождь хлестал по их телам, клубы белого дыма потянулись от сгоревшего леса, когда Ритор нашел в себе силы посмотреть в ее глаза. В ровное желтое пламя — так похожее на драконий огонь.

«Убей!» — молча просила она.

«Уходи...»

«Мне некуда больше идти. И незачем жить — Ритор, Убийца Драконов».

Им не нужны были слова — ненависть соединила их крепче любви.

«Теперь — не могу. Уходи. Я отпускаю тебя. Ты не страшна Срединному Миру. Не страшна — и не нужна. Уходи. Изнанка примет тебя — и довершит начатое мной».

Огонь в ее глазах разгорелся ярче.

«Так ли, Ритор? Уверен ли ты, Убийца?»

«Наши свары эхом отзываются в мире лишенных Силы. Огонь и смерть встретят тебя в конце тропы. Тебе все равно не выжить. Уходи».

«Не знаю, добро ты творишь или зло. Но в любом случае совершаешь ошибку, Убийца...»

Женщина поднялась, и Тропа открылась у ее ног. Ритор, Убийца Драконов, встал с земли, оскверненной насилием и смертью, и Срединный Мир, лишенный Крылатых Властителей, лег перед ним.

Сила покинула Убийцу первой. Сейчас уходила ненависть.

Он даже обернулся, пытаясь увидеть сквозь дождь женщину последнего Дракона. Но только золото рыжих волос сверкнуло сквозь тьму.

Алую, алую, алую тьму...

Она навсегда поселится в твоих глазах, Ритор...

— По голове его, по голове! — Голос Васи был испуган и возбужден. — Палкой по голове, чтоб дурь вылетела! Очухается — сам спасибо скажет! Только на пользу пойдет!

— Вот только попробуй... — Виктор заставил себя открыть глаза. Еще плыла кровавая дымка, но ненависти — той, что сжигала душу Убийцы, не оставалось. Качались над ним испуганные лица Тэль и возницы.

-- А что? — удивился Вася. — Меня самого сколько раз палкой охаживали, чтобы дурь не нес! Известное дело... Очухался? Орать не будешь, руками-ногами драться не станешь?

Руки еще тряслись — от тяжести сабли белого металла, от страха и отвращения, от поединка на краю мира. Оттолкнув

Тэль, Виктор дополз до края повозки, перегнулся, и его стошнило в дорожную пыль.

— Молочком траванулся, — решил Вася. — Точное дело. На жаре разморило. А потом еще твоих сказок наслушался!

Тэль не ответила. Ждала, пока Виктор вытер губы пучком соломы и снова обессиленно лег.

— Говорили мне — нельзя Драконов лишний раз поминать! — воскликнул Вася. — А я не верил! Вот сгоню с повозки — такие спутники беду накличут!

Не дождавшись никакой реакции, Вася, не прекращая бурчать, полез на козлы. Тряхнул вожжами, подгоняя лошадь.

— Что ты видел? — шепотом спросила Тэль. — Что?

Виктор лежал, обливаясь липким потом. Тело еще приходило в себя, тело не верило, что вокруг — солнечный, погожий денек, а не серая мгла, в которой он — Убийца Драконов, навсегда покончил с владыками Срединного Мира.

— Я был Убийцей...

— Снова?

— Я... я убил последнего Дракона. Это было легко. Его разрывало на части... от жажды боя, от страха за свою женщину, от желания отомстить и надежды выжить. Слишком много эмоций, слишком много желаний. А я хотел одного — уничтожить.

— И ты справился.

В голосе Тэль не было насмешки, только сухая констатация факта.

— Да, — в тон ей ответил Виктор. — Почти...

— Почему — почти?

— Я отпустил женщину, что шла с ним. Она не была Драконом... я мог так поступить. Но вначале...

Виктор скривился от воспоминания.

— Говори! — потребовала Тэль.

— Я изнасиловал ее. Без всякой... всякой похоти. Ненависть искала выхода.

Их взгляды встретились. Тэль покачала головой:

— Не укоряй себя. Это был не ты.

— Да. Это был Ритор. Маг Воздуха, избранный и прошедший посвящение. Ритор — Убийца Драконов. Но... —

Виктор перевел дыхание: — Но я — такой же. Моя душа — душа Убийцы.

Тэль молчала.

— Ты... ты хвалила Драконов...

— Нет! Я лишь говорила — какими они были.

— Все равно. Человек не вправе убить Дракона.

— Вправе — когда станет равен ему. Ритор стал. Бросил вызов. И победил. Ложью будет обвинять его в подлости. Он был не прав в другом — что отпустил женщину.

— Почему? Я помню... я помню его мысли. Она не Дракон.

— Она — женщина Дракона. И могла... могла стать матерью Дракона.

Виктор закрыл глаза:

— Нет, Тэль... нет. Не могла. У нее не было этой возможности... понимаешь? У нее никого не было — до Ритора.

ГЛАВА 16

Не велось больше веселых разговоров с молодым возницей. То ли обидели его упреки Тэль, то ли напугало случившееся с Виктором. К вечеру, когда вдали показались низкие серые стены, Вася стал энергичнее подстегивать лошадь. Та, чуя отдых, и сама ускорила шаг.

Городишко явно делился на две части.

Меньшая — за крепостной стеной, большая — домики там казались победнее, — протянулась дальше, вдоль холмистой гряды. Дорога изгибалась, проходя на приличном расстоянии от стены.

— За стену войдете, там княжий замок, — бросил Вася через плечо. — Мне туда не след соваться... пока еще... Я на постоялый двор двинусь.

— Ну и мы туда же, — предложил Виктор.

— Вам-то как раз князю показаться надо! — Вася обернулся. — Я Земле верен, порядки знаю! К магам в Ферос следуете — значит, всем встречным вассалам поклониться должны! Может, и вам чего обломится... с проездом помогут или подарят чего...

Виктор глянул на Тэль — та кивнула.

— Что ж, спасибо тебе, Василий, друг мой, — сказал Виктор. — За подвоз, за молочко.

— Землей тверды, ее и благодарите, — пробормотал Вася. — Что, придержать кобылу?

Они слезли с повозки. Вася подстегнул лошадь и взял в руки книжку.

— Напугала ты его своими Драконами, Тэль.

— А ничего. — Девчонка брезгливо поморщилась. — Пусть не плюет во Владык, если сам крыльев лишен. Пойдем, до темноты бы добраться до города.

Свернув с дороги, они двинулись напрямик. Обнесенная стеной часть города на самом деле оказалась немалой, но какой-то приплюснутой, низкой, будто расплывшейся по земле. Даже выглядывающие из-за стен башни, словно стесняясь своей высоты, были безобразно распухшими. Зато пейзаж вокруг раскинулся незатейливо пасторальный: луга покрывала густая, казавшаяся старательно высеянной трава; редкие деревца — как на подбор крепкие, ни одного сухого или гнутого ветром; даже холмики сглажены.

— Зачем ты назвала меня братом? — спросил Виктор. — Мы и не похожи-то ничуть.

— Почему? Если я волосы перекрашу — вполне родичами покажемся... Легенда получается складная, Виктор. У меня — Сила нашлась, такое частенько бывает. Ты пошел меня к магам провожать, тоже правильно. И от опасностей в дороге девчонку уберечь, и самому, если случится, возле магов пристроиться... Никто не удивится.

— А если потребуют показать Силу?

— Ну и покажу. — Тэль засмеялась. — Что, думаешь, не смогу в земле руду или воду найти? Запросто. Все, что самоучка знать может, я без труда сделаю.

— А то, что самоучке не дано?

— Если постараться, — уклонилась Тэль от ответа. — Ты только свою Силу держи. Ритор сейчас с ума сходит, пространство щупает...

— Почему он так преследует меня?

— Себя он преследует, Виктор. Он проклял день, когда стал Убийцей. Считает, что наш мир спасет лишь Дракон.

— Ты с ним не согласна?

— Все может случиться.

— Но он прав — Дракон действительно приходит?

— Да. И ты должен быть готов к его появлению.

Они наконец добрели до города. Двинулись вдоль каменной стены, к воротам, куда втягивались с дороги последние запоздавшие повозки. Десяток солдат, в пыльных темных плащах, со шпагами на боку, а некоторые — и с ружьями за плечами, провожали каждую телегу ехидными репликами.

Досталось и седобородому старичку, что вез полную арбу дынь, — неужто он, дурачина, не понимает, что у верных вассалов Земли хватает своих фруктов-овощей? Отсыпали порцию ехидных замечаний деревенскому увальню, с открытым ртом взиравшему на могучие стены и крепкие ворота. Стайке девиц в крытом фургоне, которым правила безобразная сухонькая старуха, сообщили кое-что совсем уж соленое и непотребное. Впрочем, лишь, на взгляд Виктора, непотребное — девицы ответили дружным хохотом, а бабка выдала такое, что впору было покраснеть и доблестным гвардейцам. Одинокого всадника — совсем юного парня на дряхлой кляче желтого окраса, разобрали по косточкам — от нелепой шляпы и до древней шпаги. Хорошо хоть, что засмотревшийся на встающие за стенами башни парень не услышал насмешек.

Настал черед и Виктора с Тэль.

— Куда спешишь, крошка? — Разумеется, мысли у застоявшихся солдат шли лишь в одном направлении. — Мы куда веселее твоего кавалера!

Виктор машинально взялся за рукоять меча, что вызвало приступ гомерического хохота. Солдаты явно собирались ограничиться только словесными предложениями, но и подраться были готовы.

— Не смейте обижать мою сестру! — принимая предложенную Тэль игру, выкрикнул Виктор. — Она идет к магам в Ферос, постигать Силу!

Некоторое уважение на лицах гвардейцев и впрямь появилось. Старший над ними, в расшитом золотыми позументами плаще, кивнул товарищам:

— Эй, Рамес, проводи их к замку князя!

— Как угодно, сержант, — высокий горбоносый мужчина, напоминавший лицом грека или болгарина, слегка раскланялся перед Тэль. — Девушка ощутила в себе Силу?

— Да уж ощутила! — задорным голосом воскликнула Тэль. Солдаты заржали. Рамес улыбнулся в усы, но все же сохранил серьезность.

— Тогда я буду счастлив служить вашим провожатым... хотя бы на первых порах.

Он хитро подмигнул Виктору. Явно считалось, что любой штатский должен быть горд таким уважением, проявленным к его сестре.

По узким, выложенным брусчаткой улицам они двинулись к центру городка. Против ожиданий Виктора, на улицах было довольно-таки чисто, и той вони, которая, по мнению историков, окутывала средневековые города, он не почувствовал. Может быть, у подданных клана Земли существовала нормальная канализация? Или ее роль исполняла магия?

Представив себе волшебный унитаз, Виктор лишь головой покачал. Со Срединного Мира станется. Когда магия входит в реальный обиход, ей находятся настолько не возвышенные применения...

Впрочем, на улицах магией и не пахло. Ходили люди — и ничего в них удивительного не было. Разве что помордастее, поплотнее, чем в других городках. Видно, сытно жилось вассалам Земли.

— Не самое плохое дело быть магом... — высоким, мелодичным голосом произнес Рамес. У него был легкий, но заметный акцент, казалось, что хоть русский язык для него и привычен, но он не родной. — Впрочем, не быть магом — тоже достойное занятие. Особенно для юной и красивой девушки...

Тэль зарделась и улыбнулась с простодушием наивной девочки.

— Лучшие годы будут отданы скучным занятиям в подземных храмах и мрачных пещерах... — продолжал рассуждать Рамес. — Унылые, погруженные в постижение тайн природы маги даже не заметят, как раскроется прекрасный розовый бутон, как будет он источать свой аромат в постылой тьме подземелий... И когда Сила, постигнутая такими великими лишениями, окрепнет — уже не останется применения ей...

— Но я хочу быть магом! — капризно воскликнула Тэль. — Хочу, чтобы меня все любили и боялись! Хочу мчаться по дороге в открытой карете красного цвета, в белом платье и в бриллиантах, а на облучке чтобы стоял мальчик-эльф и расчесывал мне волосы!

Рамес вздохнул и посмотрел на Виктора:

— Что скажешь, а?

— Ну, раз хочет девчонка, почему бы и нет?

— Почему бы и нет... — согласился гвардеец. — Да и родственникам польза...

Виктор на выпад не ответил. В молчании они дошли до замка. Мрачноватый, такой же приземленный, как и весь город, замок казался покинутым. В редких окнах теплился свет. Кованые ворота из темного металла были полуоткрыты, за ними виднелись неподвижные фигуры.

— Повезло твоей сестре, — бросил Рамес. — Пару часов назад в город приехал господин Анджей. Маг первой ступени! Такой насквозь Силу видит — сразу скажет, надо ли вам в Ферос тащиться... Ну что ж, рад был услужить!

Прищелкнув каблуками, Рамес повернулся и двинулся по улице. Виктор, схватив Тэль за руку, остановил ее:

— Ты куда, дурочка? Зачем нарываться?

Болтовня Тэль с гвардейцем была так убедительна, что Виктор и впрямь начал смотреть на нее как на взбалмошную девчонку. Красная карета и паж-эльф... ха...

— Поздно теперь планы менять! — Тэль вырвала руку. — Ну ты что, пошли!

Вслед за Тэль, проклиная все на свете — от вывалившихся когда-то пробок и до сволочных Драконов, — Виктор двинулся в ворота.

Вход, как оказалось, тоже охраняли гвардейцы. Только форма у них была поаккуратнее, почище, да и сами как на подбор — рослые, словно петровские гренадеры, с сытыми откормленными мордами.

— Мы пришли поклониться великому князю! — звонко сказала Тэль. — Я следую в Ферос, чтобы начать обучение в школе магов, и хочу встретиться с будущим вассалом!

У Виктора сердце в пятки ухнуло от такой наглости. Похоже, сейчас придется плевать на маскировку и призывать Силу...

Но то ли подобное поведение было обычным для самодовольных адептов магии, то ли гвардейцы предпочитали оставаться вне колдовских разборок.

— Входите, — отступая с прохода, предложил один из гвардейцев.

Правили почтовой каретой два брата. Сажать попутчиков им, конечно же, не полагалось.

Но разве могли два зрелых мужика удержаться и не подсадить голосующую на обочине Лой Ивер?

Увы, ничего им так и не обломилось. Лой была уж слишком не в духе.

Виктор и Тэль не дождались ее в условленном месте! Нет, она и впрямь опоздала против срока — но всего на четверть часа. А следы сказали ей, что девчонка из Неведомого клана увела подопечного больше трех часов назад.

Вот мерзавка!

Виктор бы ее дождался. И она бы рассказала, как ловко провела его врагов. И, возможно, добилась бы, чего хотела...

— Красавица, а винца с нами не примешь? — Старший брат решил пустить в ход проверенное средство. На свет появилась огромная, литра на четыре, бутыль с мутноватым красным вином. Лой мысленно усмехнулась.

— А почему бы и нет?

Зажатая на козлах между двумя потными, взбудораженными мужчинами, она смело хлопнула полстакана вина. Вино было теплым, сладким и крепленым. Братья обменялись радостными взглядами и тоже приложились к бутыли.

— Я первый, — беря бутыль, сказал старший. Таким многозначительным голосом, что Лой едва не съездила ему по морде.

— Хорошо, — покорно согласился младший.

— Еще по одной? — предложила Лой.

Братья просияли. Дальнейшее им виделось в самых радужных тонах — перепить их молоденькая девица никак не сможет, вскоре уже начнет глупо смеяться и отвечать на шутливые пока объятия и поцелуи. А потом старший брат сгребет в охапку одуревшую девку, поможет перебраться в фургон — где так много мягких мешков с почтой, тюков с гномьими и человеческими газетами, пакетов, которые нужно передать по адресам в Феросе...

— Что-то отстаете, ребята! — поразилась Лой.

Братья поднажали. То, что Лой пьет по-настоящему, они видели. Ну не может, никак не может такая юница выпить больше вина, чем они!

Держались братья почти час. Потом начали глупо смеяться, обнимать друг друга поверх головы пригибающейся Лой и горланить песни. Лой по очереди перетащила возниц в фургон, уложила на грузы и сама взяла поводья. Голова чуть кружилась от выпивки.

— Йо-х-хо! — крикнула она, и кнут просвистел над запряженной парой вороных. Вы уж не обижайтесь, лошадки, придется поднажать...

Если бы лошади были приучены ходить под седлом, Лой предпочла бы позаимствовать одну и догонять Виктора верхом. Но бросаться в погоню на упряжной скотине было глупо.

— Йо-х-хо!

Почтовый фургон, трясясь и раскачиваясь, мчался по дороге. «Гадина Тэль, что она себе позволяет! Намерена все совершить сама, без дружеской помощи? Да разве у нее хватило бы сноровки — ну, например, на такой фокус, что Лой провернула с возчиками?»

Стол тянулся метров на двадцать, и пустого места за ним не было. Гвардеец с яркими офицерскими нашивками на рукаве ввел Виктора и Тэль в пиршественный зал, порыскал по

столу взглядом, потом отдал команду стоявшим у двери солда-
там. Из-за стола вытащили двух упившихся гостей, крепень-
кая девица торопливо убрала грязные приборы и протерла за-
пачканную скатерть подолом.

— Садитесь, — бросил офицер и двинулся к началу стола.

Освещение было скудным — чадящие факелы на стенах и
свечи на столе. То ли вассалы Земли не дружили с гномами, то
ли слишком далеко были от «железки», то ли не пользовались
электричеством по каким-то «идеологическим мотивам».

Зато Виктор наконец-то ощутил себя в истинно средневе-
ковой среде.

Гости — и мужчины, и женщины, и даже несколько детей,
громко чавкали, жрали многочисленные блюда с энергией пре-
рвавших диету толстяков. Кормили жареной кабаниной — три
огромных блюда, на которых лежали лишь кости, еще оставa-
лись на столе. В изобилии были какие-то мясные закуски,
колбасы, паштеты, салаты. Не было ни рыбы, ни птицы — и
такая гастрономическая показуха со стороны клана Земли вызвала у Виктора невольную улыбку. Запивалось все это безоб-
разие огромным количеством вин — белых, красных, розовых.

Гобелены, которыми были завешаны все стены, тоже в основном изображали сцены пиршеств. Имелось, правда, несколько полотнищ, на которых колосились золотые нивы, бре-
ли тучные стада, а смеющиеся девицы собирали плоды
неимоверных размеров — виноградина с детский кулачок, яблоко — с футбольный мяч. Немедленно вспомнились мозаич-
ные панно на ВДНХ, сохранившиеся с давних времен.

На Виктора поглядывали с любопытством, Тэль едва удо-
стоили беглым взглядом. Не во вкусах этой толпы была не-
оформившаяся худенькая девочка.

Гвардеец тем временем добрался до почетных мест. Там
восседали хозяева пиршества — плотный пожилой мужчина,
наверное, тот самый князь, которому принадлежал город, и
щуплый, лысоватый, закутанный в плащ человечек.

Неужели это и есть маг Земли? Маг первой ступени?

Да нет, чушь, это, видимо, князь...

Но гвардеец, склонился к уху пожилого и что-то стал торопливо ему нашептывать. Покачав головой, князь слегка

улыбнулся. Поднял руку. Стол сразу затих, захлопнулись набитые рты, застыли у губ поднесенные бокалы. В наступившей тишине раздался утробный звук — кто-то героическим усилием проглотил огромный кусок.

— У нас гости, — добродушно сказал князь. — Девочка, зовут ее Тэль, почувствовала в себе Силу Земной магии...

Щуплый маг по-птичьи дернул головкой и уставился на Тэль через стол.

— Держит путь в Ферос. Но удостоила нас визитом по пути, решила посмотреть на будущих вассалов...

Нависла тишина.

Виктор почувствовал, как по спине ползет ниточка холодного пота.

Но громовых воплей негодования или не менее опасного хохота пока не было.

— Приятно встретить будущую коллегу, — проскрипел маг. — Подойди, девочка.

Тэль, невозмутимо пригубив бокал с белым вином, поднялась из-за стола. Виктор тоже двинулся за ней.

— Юноша может остаться... — обронил маг.

— Я в ответе за нее!

Больше возражений не последовало. Под пристальными взглядами сотни пар глаз они подошли к князю и магу.

Вблизи Земной выглядел отталкивающе. Глаза — холодные, мертвые. Кожа желтовато-серая, будто от постоянного пребывания в темноте. Казалось поразительным, как представитель клана, чья магия привлекала столь жизнерадостную, пусть и несколько животного вида, публику, ухитряется быть столь изможденным.

— Можешь звать меня господином Анджеем, девочка, — скрипнул маг. Впился в Тэль взглядом, разочарованно покачал головой: — Я не чувствую в тебе Силы.

Зал вздохнул. И Виктор обреченно понял, что все еще будет — и возмущенные вопли, и смех, и, например, порка плетьми на площади перед замком.

И ярость — огненная ярость Убийцы шевельнулась в душе.

— Я не выставляю Силу напоказ! — резко ответила Тэль.

— Это хорошо, — согласился Анджей. — Но мне ты можешь ее показать. И даже должна.

В голосе была насмешка. В голосе была издевка. Ничего он не ждал от глупой и наглой девчонки, этот сутулый, лысый, близоруко щурящийся маг. Он просто соблюдал ритуал.

Тэль взмахнула рукой. Виктор успел заметить, как пальцы ее сплелись в сложной фигуре, и — будто пыль взвилась над кистью, окутала на мгновение всю фигуру девочки.

Стена напротив Тэль затряслась. Покатилась по ней тяжелая волна — вспучивая камни, осыпая сухую известку, срывая гобелены. Слетел и гулко ударил об пол огромный треугольный щит.

Анджей вскочил.

Волна утихала. Камни еще тряслись, и на миг Виктору показалось, что из стены проступают смутные очертания чудовищного, угловатого тела... Но Тэль обессиленно опустила руку, и все кончилось.

Только булькало выливающееся вино из опрокинутой кем-то бутылки.

Маг Земли уставился на Тэль пылающими, вмиг сбросившими пыльный налет, глазами.

— Как минимум — вторая ступень... — прошептал он. — Девочка... кто твой учитель?

— Никто!

— Ты пыталась вызвать духа камня! Ты понимаешь это?

Тэль потупилась, заковыряла носком пол:

— Я... я его не так называю... Я его зову Каменюшкой... Мне дома было скучно, я была маленькая и одна сидела... все ушли, даже Вите-е-ек...

Казалось, что она сейчас разревется. Контраст с прежней наглостью был разителен, к счастью, всех слишком потрясло недавнее локальное землетрясение.

— Я придумала, что в стене человечек живет, каменный... стала с ним говорить...

Сияющий Анджей вскинул руку:

— Запомните этот миг, все! Перед нами — будущая великая волшебница клана Земли! И это — моя находка!

— Это моя добыча, — буркнул Виктор, передразнивая Анджея голосом Шерхана. Хорошо, что маг был слишком счастлив сейчас и не слышал никого, кроме себя, любимого.

— Склоните головы!

Толпа едоков дружно прижалась к столу. Виктор заметил, что импозантный, высокого роста бородач ухитрился даже в этом положении куснуть ломоть ветчины и ловко заглотнуть его. Улыбка сама собой выползла на лицо.

И это маг заметил.

— Кто ты такой?

— Я брат Тэль. Меня зовут Виктор.

— Хорошо. Можешь возвращаться домой.

Виктор покачал головой:

— Э, нет. Мне надо убедиться, что сестренка в надежных руках.

Маг яростно вскинул голову:

— Что? Ты не веришь мне? Я сам буду ее наставником!

— Мне родители сказали, — повышая голос, проревел Виктор, — раньше чем через полгода сестренку не бросать!

Тэль схватилась за его руку, всем видом изображая готовность слушаться старшего брата.

Анджей помрачнел, но голос его стал более спокоен:

— Дурные твои старики, парень. Разве ж маг мага обидит!

— А кто его знает? — Виктор пожал плечами. — Я с вами, магами, плохо знаком...

С любопытством взиравший на происходящее князь засмеялся:

— Молодец! Посмотри, Анджей, как высоки моральные устои на моих землях! Откуда ты, юноша?

По отношению к князю Виктор и впрямь мог считаться юношей.

— Из Смирновки, — выпалил он. Откуда взялось название — от слова смирность или от известного сорта водки, — и самому было непонятно. Князь, однако, понял однозначно:

— Что-то не больно вы смирные... балую я народ! А?

— Балуете, господин... — Виктор склонил голову.

— Садись тут, — бросил маг, видимо решив относиться к нему как к неизбежному злу. — А ты — рядом! Тэль...

По его лицу пробежала довольная гримаса:

— Что ты еще умеешь?

— Ну, я готовлю хорошо, — устраиваясь на соседнем кресле, торопливо сообщила Тэль. — Говорят, что здорово делаю...

— Нет! — Анджей замахал руками. — Я спрашиваю только о магии!

Народу в пиршественном зале уже не было дела до девочки с задатками великого мага, да и до Анджея — тоже. Видимо, и впрямь, распустил, разбаловал князь подданных...

— А... — поскучнев ответила Тэль. — Умею соки земные из недр вытягивать, чтобы растительность полезная в гору шла, а всякая сорная трава — дохла. Умею водные жилы находить... руду тоже, немного...

Маг жмурился, внимая Тэль в полном восхищении. Виктор со вздохом взял с ближайшего блюда толстый пласт мяса, налил полный бокал вина.

Ну зачем все это Тэль? Зачем?

Они крадутся, прячась от врагов. Жизни их под угрозой. И вдруг... такое нахальное появление, демонстрация магических способностей. Чего она добивается, глупая?

Меж тем Тэль кончила перечислять свои таланты и теперь, скромно потупясь, выслушивала одобрительные реплики Анджея.

— Только не возгордись, — оборвал вдруг маг свою речь. — Прошу тебя, не возгордись! Еще работать и работать! Силу попусту не трать!

Молчавший князь тоже вступил в разговор:

— Заклинания, как новые сложила, сразу в ход не пускай. Подумай вначале. Дай им отлежаться, года три или хотя бы два. А то в последнее время маги торопятся, пытаются скоростью и энергией взять то, что другим дается годами вдумчивого труда и великим потением...

Анджей одобрительно посмотрел на князя и ласково кивнул. Очевидно, это был его собственный тезис, доведенный ранее до сведения правителя.

— Я тебя научу, девочка...

Обучение он почему-то начал с того, что налил полный бокал белого вина и подал Тэль.

Нет, конечно, Виктор помнил, как Тэль без особых терзаний распила с ним бутылку вина! Там, на берегу реки, услышав про кровавое побоище в поезде... Но сейчас? Можно сказать — во вражеском стане?

Зачем?

Тэль, морщась, выпила вино и сияющими глазами уставилась на Анджея.

— Ой, какое вкусное! Это из-за вашей магии?

Какой-то бред...

Виктор решил предоставить ей полную возможность резвиться в свое удовольствие. Девушка-подавальщица опять приволокла свежие приборы — теперь уже не фарфор, а серебро. Откуда-то взялся кусок кабанины, пахнущий дымом и приправами.

Хоть поесть удастся по-человечески!

Полчаса он с удовольствием поглощал блюда, представленные на щедром столе. Легкое красное вино пилось как вода, Виктор чувствовал, что ничуть не пьянеет, и отдавался гастрономическим удовольствиям всей душой.

Тэль, похоже, не отставала...

Пробежали по залу мальчишки-слуги, сменяя догоревшие свечи и факелы. Притащилась откуда-то группа музыкантов с лютнями, арфами и гитарами. Как ни странно, такой странный комплект инструментов был вполне сыгран. Песня казалась нудноватой, в ней перечислялись заслуги Земных по изгнанию «крылатых кровопийц», а текст был так смутен, что это могло с равным успехом относиться и к драконам, и к вампирам, и к обычным комарам.

Но никто и не вслушивался. Под стоны арфы и гитарные переборы пирующие невольно повысили голос. Все чаще звенел женский смех. Несколько пар закружилось в танце.

Тэль тоже засмеялась — тонким, дрожащим голосом. Что-то сказала, запинаясь, будто ей уже не повиновался язык. Виктор обернулся.

Маг Анджей помогал Тэль выбраться из-за стола. Девочка пошатывалась, не прекращая хохотать.

— Тэль, тебе пора... — начал Виктор. И замолчал, наткнувшись на разъяренный взгляд Земного.

— Ешь и пей в свое удовольствие, гость дорогой! — процедил маг. — Присмотри себе подругу среди служанок. Будь счастлив — твоя сестра под моим покровительством!

Тэль, повисшая на сухоньком маге, окинула Виктора мут-
ным, плывущим взглядом. И сообщила:

— Так весело-о-о...

Кусок в горло больше не шел. Вино утратило вкус. Виктор
сидел, ковыряясь в очередной смене блюда — ассорти из десятка, наверное, сортов мяса, залитых острым соусом. Вокруг
чавкали, рыгали, ржали, взахлеб рассказывали невнятные истории.

Князь, замерший на своем троне, благостно поглядывал
на подданных. Мягко улыбнулся и Виктору.

Тэль тоненько взвизгнула.

Виктор обернулся — маг почти успел убрать шаловливую
руку. Они с Тэль танцевали, медленно смещаясь через зал. Все
больше и больше пар вступали в танец, заполняя свободное
пространство. Маг глянул на Виктора через плечо Тэль и коротко оскалился.

Сиди, не дергайся...

Они уходили куда-то в темноту.

Виктор резко повернулся к князю. Встретил понимающий,
снисходительный взгляд.

— Ваша светлость, позвольте слово молвить...

Князь нахмурил брови. Кивнул.

— Ваша светлость, моей сестре пора спать.

— Маг Анджей позаботится о ней, юноша. Не волнуйся.

Князь был вполне добродушен и благожелателен.

— Князь, маги — очень увлекающиеся... они не соизмеря-
ют своего могущества со слабыми человеческими силами. Я
думаю, Тэль не совсем понимает происходящего...

Князь покачал головой:

— Юноша, у всех есть свои слабости. Великие маги имеют
право на небольшое снисхождение... со стороны нас, смертных. Не волнуйся.

Виктор в отчаянии глянул через плечо. Маг и Тэль уже
скрылись в дальнем темном углу. На миг сверкнула полоска
света — открылась и захлопнулась дверь.

— Князь!

— Пируй!

Виктор вскочил, тяжелый дубовый стул опрокинулся прямо под ноги танцующим. На него недоуменно покосились.

— Тебе не дорога жизнь? — спросил князь. — Я не собираюсь защищать столь глупых подданных.

— А мешать им защитить свою честь?

Князь развел руками:

— Если твоя честь толкает тебя на смерть... Успокойся. Девочка понимала, что делает. Уж это я прочел в ее глазах.

Виктор молча двинулся между танцующих.

— Пропустить, — негромко и устало велел вслед князь. — Сам выбрал...

Верно, зачем князю портить свое реноме убийством брата будущей волшебницы? Лучше пусть с ним разберется маг...

Люди останавливались, расступались перед ним. Как ни странно, во многих взглядах было понимание и сочувствие. Значит, заметили, что происходит.

Неужели и эта жующая, сопящая, пьянствующая масса способна понять его?

Мужчина средних лет, в одежде темно-багровых цветов, в кольчужном нагруднике и с мечом на поясе, не ушел с дороги. Положил руку на рукоять меча, наполовину выдвинул его из ножен.

Что?

Виктор почувствовал, как шевельнулась и набирает силу слепая ярость.

Главное оружие Убийцы...

— Твой меч — жалкая железка, — негромко сказал рыцарь в багровом. — Возьми мой.

Ярость схлынула, растворилась в недоумении, наткнувшись на твердый взгляд рыцаря.

— Я знаю, что такое слово и честь. Возьми меч.

— Спасибо. — Виктор покачал головой. — Мне хватит моего клинка.

Вперед — в темные углы шумного зала — к закрытой наглухо двери — что за дверь-то такая, куда ведет, что могли предусмотреть хозяева замка, какие удобства предоставить пирующим? Что бы ни было за дверью — ее не выбить плечом, не открыть руками, не порубить мечом. Толстые доски, обшитые железными полосами, вроде бы для красоты, но откуда старые, потемневшие сколы на дереве, почему железные полосы помяты — словно уже стояли у этой двери, колотили в бессильной ярости, рубили мечом...

За спиной топтались танцоры, вроде бы двигаясь в такт музыке — но не отворачивая лиц, пытаясь не упустить ни единого мига спектакля.

Слабый вскрик из-за двери — или показалось? Слабый, придушенный, зажатый ладонью крик...

И алая ненависть того, кто жил в душе Виктора, снова полыхнула ослепительным пламенем. Сметая заботливо наложенные Лой оковы, выдирая из глубин послушную Силу.

Он взмахнул рукой — и гобелены по стенам затрепетали; жалобно зазвенели, рассыпаясь, узкие витражные окна; свечи и факелы мигнули в предсмертной судороге, посуда полетела со столов — когда послушный Воздух пришел на зов Хозяина. Сжатый тугим невидимым кулаком, пронесся через зал — замер на миг — направляемый волей Виктора. И ударил в дверь.

Брызнула щепа вперемешку с осколками металла. Осыпалась под ноги. Воздушный таран отпрянул, укутал Виктора кипящим покрывалом.

Открылся проход — в маленькую комнату без окон. Три факела горят на стенах, отражаясь в зеркальном потолке. Огромная кровать, кроме нее и нет ничего, не влезло бы в узкий каменный рукав... Большая деревянная бадья с водой, на цветастом ковре, укрывающем пол, разбросана одежда. Голый — и от того невыносимо нелепый, чахленький маг Анджей нависает над Тэль, прижимает к кровати, срывая с девчонки юбку. Выше пояса Тэль уже была раздета и сейчас лишь слабо сопротивлялась, пытаясь отстоять последнее.

— Что? — Маг взвыл, оборачиваясь на звук. Он был слишком занят процессом обучения юной волшебницы, чтобы заметить, как была выбита дверь. — Холоп!

Отпустив Тэль, он взмахнул руками. Коротким жестом, каким отгоняют надоедливую муху.

Потолок затрясся, каменные глыбы посыпались на Виктора. Воздушная скорлупа взвыла, когда две волны магии столкнулись.

Размолотые в порошок камни горками песка осыпались на пол.

В зале уже кричали. Там первыми поняли, что происходит не банальное смертоубийство.

— Взять его! — Голос князя, неожиданно сильный и властный, пронзил бессвязные вопли.

Еще удара в спину не хватало! Виктор уже не владел собой, ярость звенела, тело наполнилось дрожью. Стереть в пыль! Срыть замок до фундамента, до гнилых подземелий!

Он не видел — как можно было это видеть сквозь стены, он просто знал, что небо над городком наполнилось мечущимися, ревущими тучами, что вылетают в домах стекла и пригибаются сломанные посевы, что от всполохов молний стало светло, как днем. И прячутся по подвалам, возносят молитвы магам-покровителям сытые вассалы Земли.

В пыль!

Начисто!

— Ты маг! — завопил Анджей. — Ты... ты...

Расставив пальцы веером, он торопливо шептал какие-то заклятия. Тягучий подземный гул прокатился по замку. Пол задрожал. Стены горбились, будто внутри камня ползли неуклюжие существа.

Что-то чудовищной силы и мощи готовилось родиться. Он и впрямь был силен, маг первой ступени. Потенциально, наверное, куда сильнее Ритора или Торна...

Всхлипывающая Тэль сжалась на кровати, торопливо натягивая разорванную белую кофточку.

— Приказываю — взять его! — вновь велел за спиной князь. Раздался топот — бежали по залу, выхватывая шпаги, поднимая мушкеты, солдаты. И Виктор с холодным бесчувствием понял, что сейчас начнет убивать.

По-настоящему.

Так, что все предыдущие схватки станут жалкой пародией на бой. Обернутся детской потасовкой на фоне сталинградского сражения.

— Нет, князь!

Краем глаза Виктор увидел, как рыцарь в багровом обнажил меч — длинную, сверкающую полосу черной стали.

— Он вправе требовать поединка, князь! Анджей знал, что творит!

И рядом с рыцарем — нет, да не может быть такого, что за дело до него этой прожравшейся, сальной толпе — но рядом с рыцарем вставали все новые и новые пирующие. Сверкали извлеченные из ножен мечи — плотная шеренга отделяла теперь Виктора от замерших в нерешительности гвардейцев.

Ослепительная, кровавая ярость обмякла. Исчезла с жалобным беззвучным воплем.

В эту секунду с ним можно было сделать все что угодно. Сразить любым, самым слабым заклятием. Зарубить мечом, забить ногами. Виктор стоял, пошатываясь, с изумлением понимая, что жаждущее крови безумие схлынуло.

А маг Земли все творил свое заклинание. Земля тряслась, в ужасе перед тем, что должно было родиться. Камень стен исходил каплями крови. Смутные тени мелькали в воздухе.

Анджей все плел и плел нескончаемую цепь заклинаний...

Виктор шагнул вперед, подхватил с пола бадью и с ощущением внезапно нахлынувшей скуки надел ее на голову мага.

Пошатнувшись, волшебник сел на пол. Подземный гул сгинул, так и не превратившись в сокрушительное землетрясение, стены перестали дрожать. Лишь предчувствие Силы — могучей, идущей от самых корней земли, осталось вокруг...

Виктор раскинул руки — вбирая в себя оброненную мощь. От холодных ледников на вершинах гор и до горячих недр земли... Бескрайность спокойных полей и убийственный бег камнепада... Твердость гранита, блеск алмаза, щедрость родящей земли...

Маг сидел в луже, слабо шевеля тощими ручками, явно не понимая, что же произошло. Куда и как делась собранная великая мощь...

Тэль встала с кровати. Преспокойно надела блузку. Лицо ее уже не было заплаканным, наоборот — торжествующее и довольное. От недавнего опьянения и следа не осталось. Полноте, а было ли оно, это опьянение?

— Пойдем, Виктор? — огибая Анджея, спросила она. — Нечего тут делать.

Ладно. Потом. Мораль и объяснения — потом.

Они прошли сквозь молчаливый ряд рыцарей. Виктор встретился взглядом с мужчиной в багровом — тот вскинул меч, коротко салютуя.

— Я не забуду то, что ты сделал, — сказал Виктор.

Рыцарь слабо улыбнулся:

— Меч у тебя все равно плоховат...

— Ты можешь пойти с нами.

Покачав головой, рыцарь вложил меч в ножны.

— Мое место здесь, господин.

Князь все так же сидел во главе стола. Похоже, произошедшее ничуть его не смутило. Наверное, в схватках магов он находил какое-то удовольствие.

— Спасибо за стол, — сказал Виктор.

— И за вино, — добавила Тэль. — Было очень вкусно.

Перед ними расступались. Гвардейцы, поглядывая на князя, отошли к стенам, а кое-кто из пирующих уже наливал себе бокалы. Прислуга кинулась в спаленку, где ворочался в луже маг Земных.

И тут двери зала распахнулись. Появился глупо улыбающийся, какой-то одурманенный гвардеец, держащий за руку молодую женщину:

— Леди Лой Ивер...

Глава клана Кошки оттолкнула своего провожатого, окинула зал сузившимися глазами. Кивнула Виктору:

— Во двор, быстро!

— Все уже в порядке, Лой. — Виктор не удивился ее появлению. Волшебница была не из тех, кого легко сбросить с хвоста, права Тэль...

— Ритор почувствовал тебя, дурак! Ты сам понимаешь — какие силы призывал?

Схватив одной рукой Виктора, другой — Тэль, Лой потащила их по лестнице. Ругаясь на ходу, поглядывая на встречных гвардейцев так злобно, что те мигом разбегались.

— Я позаимствовала карету... с хорошими лошадками. Княжьи конюхи ее сейчас готовят. Надо спешить, Виктор!

— Что ты такая злая, Лой? — выкрикнула Тэль, пытаясь запахнуть порванную рубашку.

— А жизнь такая! — задорно ответила Лой. — Не бойся, на тебя не в обиде...

Она на секунду остановилась, взяла Тэль за подбородок, заглянула в глаза.

— Умница, девочка, — одобрительно сказала она. — Все-таки ты умница.

ГЛАВА 17

— Вот видишь, как все хорошо получилось. — Тэль озабоченно рассматривала в позаимствованном у Лой зеркальце ссадину на скуле. Оставленные когда-то ногтями волшебницы царапины упрямо не хотели заживать. И даже сама Лой не смогла залечить их одномоментно.

— Да уж, неплохо, — пришлось согласиться Виктору. Вся схватка с магом Анджеем теперь казалась анекдотичной и неопасной. Ругать Тэль за провокацию не хотелось. Победителей, как известно, не судят. Ведь даже Лой теперь поглядывала на Тэль с известным уважением.

Лой Ивер... глава клана Кошек... нечего сказать, хитра. Клонит к какой-то своей цели — но не понять, что ей надо. И до чего хороша, м-м-м, аж в глазах темнеет, хотя, по идее, думать он сейчас должен совсем не об этом. Не должен, однако вот — думается...

Княжеская карета послужила им недолго. Очарованные Лой конюхи, увы, приготовили им не крепкий дорожный экипаж, а разукрашенное вензелями и гербами чудище на колесах. Час бешеной езды привел к тому, что у кареты треснула ось. Оставив возницу топтаться у завалившегося набок экипажа, они двинулись пешком. Когда совсем стемнело, Лой привела путников в какой-то покинутый сарай на краю поля.

— Переждем здесь до утра... Виктор. — Обращаясь к нему по имени, она всегда делала эту небольшую, многозначительную паузу перед «Виктором». — Воздушные пока отстают, да и вряд ли станут нападать на таком открытом месте. Вот в Оросе — другое дело... Конечно, у Земных сейчас страшный переполох, но пока еще они снарядят погоню! Да и если снарядят, думаю, я их вокруг пальца обведу. Продержимся, сколько возможно долго... а потом я что-нибудь еще придумаю.

Тэль слушала все это, совсем по-девчоночьи недовольно надув губки. Но в словесные пикировки не лезла — Ивер действительно помогла им миновать засаду Воздушных, да и теперь так вовремя придя на помощь со злополучной каретой.

— А что станем делать утром? — поинтересовался Виктор у своих спутниц.

— В клан Огня, — нехотя ответила Тэль. — Лой Ивер, как долго...

— Может, я окажусь полезной еще разок, Тэль? Кто знает, какие превратности ждут вас?

— Постой, Тэль, — вмешался Виктор. — А зачем мне в этот самый клан Огня?

— Потому что... — Видно было, Тэль ужасно не хочется отвечать, да еще и при Лой. — Потому что ты должен научиться управлять своей Силой. А это можно сделать только пройдя посвящения во всех Стихийных кланах. Обычай требует пройти потом еще десяток тотемных, но... по нынешнему времени и так сойдет.

— А что он станет делать дальше, почтенная Тэль? — промурлыкала Ивер.

— Что захочет, — отрезала девочка. — И хватит об этом. А вот что станешь делать ты, Лой Ивер?

— Помогать вам по мере слабых сил моих, — тотчас отозвалась Кошка. — Мне с вами по пути. Если, конечно, ты сказала мне правду, почтенная Тэль.

Девчонка только фыркнула.

Наступило молчание.

А и в самом деле, чем плохо владеть Силой, подумал Виктор. Убийца Драконов — что ж, пусть будет Убийца. Если это судьба... В конце концов, он не дал сегодня воли ненависти, не обратил ее сокрушительной мощью, не разрушил весь городок Земных. А ведь мог, точно — мог!

Однако где-то глубоко внутри медленно оживал, набирая мощь, и другой голос.

«Есть еще одна треть мира, — мягко говорил он Виктору. — Ты видел ее... слегка, чуть-чуть, искоса — во снах. Там тоже найдется достойное дело. Почему бы не податься туда? И пусть эти сумасшедшие маги сами разбираются, кто им нужен, а кто нет — и желательно между собой. А туда им никогда не дотянуться. Это факт».

Он вспомнил Обжору. Что-то ведь очень важное хотел втолковать ему этот не шибко приятный тип. Как там говорила Лой? Прирожденные готовят вторжение? Да-да, кое-какие реплики Обжоры вполне можно было истолковать как предупреждение...

В это очень хотелось поверить.

Но, кажется, ясно одно — если он избавится от преследователей, то... то обретет свободу, о которой не мог и мечтать там, у себя... в Изнанке. И не важно, пусть даже все это — болезненный бред, а на самом деле он уже давно пациент института имени Кащенко — на такой бред он готов променять даже свою «реальность»... как тот ролевик Коля с баржи.

— Тэль, я стану Убийцей? — напрямик спросил Виктор. — Когда завершу посвящения?

Было что-то омерзительное в этом слове. Убийца... палач... кат... киллер... ассасин...

Девочка отвела взгляд.

— Не надо произносить вслух этого слова, Виктор. Не давай имени тому, что еще не случилось. — Ее голос упал до шепота.

Лой ревниво прислушивалась.

— Что я могу?

— Оставаться самим собой, — еле слышно произнесли губы Тэль. — А все остальное — судьба.

— А как же эти... Прирожденные? Кто это вообще такие? Я видел сны... но мутные, невнятные...

И Лой, и Тэль опустили головы.

— Это наше проклятие, Виктор, — наконец сказала Лой. — Дело в том, что мы все... все кланы, живущие здесь, в Срединном Мире, в свое время пришли из Мира Прирожденных.

Изнанка выталкивает чужеродных ей постепенно, каждого
поодиночке, а в том мире все произошло совсем не так. Наверное, должна была накопиться масса — критическая масса,
как сказали бы ваши... гм... физики. И потом наших предков...
выбросило. Мы пришли на Теплый Берег. Взяли под свою
власть всех, кто обитал в Срединном Мире. Но — ничего не
кончилось. Мир Прирожденных по-прежнему выталкивает
своих изгоев. Единицы не страшны, они даже порой вливают-
ся в кланы. Но зреет новая волна. Идут те, кто хочет распла-
вить наш мир и отлить его заново.

— Долгое время нас защищали Драконы. Крылатые Властители Срединного Мира, — неожиданно подхватила Тэль.

— Так, значит, Драконы хорошие? — удивился Виктор.

— Хорошие? — возмутилась Лой. — Как бы не так! Они
правили железной дланью; кто не с нами, тот против нас, и
приговор всегда только один! Сам понимаешь какой... Они
хотели знать все и править всем. Они вмешивались во все... И
не терпели возражений. Хотя — были и красивые, и сильные...

— Они не были ни плохими, ни хорошими, Виктор, —
негромко сказала Тэль. Поджала коленки к груди, положила
на них подбородок. — Они просто были. А теперь их нет. Потому что...

— Потому что кланам в конце концов надоела их тирания, —
резко вмешалась Лой. — Тиранию и деспотию, Виктор, как ни
называй — тем же самым они и останутся. Кланы восстали.
Был создан Убийца Драконов — объединивший в себе силы
всех стихий, многих тотемных кланов... И Крылатые Властители пали. Последних Ритор перехватил, когда они пытались
бежать к вам, в Изнанку.

— Почему же он не добил их? Почему оставил жить? Если
так ненавидел? Почему не стал преследовать дальше?

— Не знаю. — Тэль пожала плечиками.

— Вообще-то шастать между мирами — это привилегия
Неведомого клана, — хитренько улыбнулась Лой.

— А что еще входит в ваши привилегии? И чем вы знамениты? — Виктор решил не давать девчонке шанса отмолчаться.

— Расскажи же ему, Тэль, — ухмыльнулась довольная Лой. —
А если что забудешь или собьешься, я поправлю.

Девчонка ответила сердитым взглядом исподлобья.

— Неведомый — из стихийных... или нет, не так. Мы равны им по силам, но не прикованы ни к одной из Четырех Первооснов — Огню, Воде, Воздуху или Земле. Мы никогда не афишировали свое существование. И никогда не вмешивались в мелкие дрязги.

— Да уж, вы всегда играли по-крупному, — фыркнула Лой. В ее голосе была какая-то тайная, давняя обида.

— Завидовать нехорошо, — менторским тоном ответила Тэль. — Не я придумала этот порядок вещей, Ивер. Надеюсь, у тебя хватит ума это понять?

— Погодите! — взмолился Виктор. — Тэль, зачем тебе вся эта история? Зачем Неведомому клану Убийца Драконов?

— Вот именно, — безжалостно подхватила Лой. — Ну, Тэль, что же ты молчишь? Ага, покраснела?

— Если Прирожденные создадут своего Дракона... — прошептала Тэль.

Лой Ивер несколько секунд пристально смотрела на девочку, беззвучно шевеля губами.

— А может, вам какой-нибудь ЗРК пригодился бы вместо меня? — с горечью сказал Виктор.

— Пригодилось бы что? — растерялась Тэль, и Лой тоже удивленно подняла изящно выгнутую бровь.

— Зенитно-ракетный комплекс. Штука такая, самолетики-ракетки сбивать. Думаю, Дракон не намного прочнее будет? Выкатили бы на позицию, да и всадили пару ракет под брюхо...

— Виктор, перестань! — Это прозвучало как пощечина. Раскрасневшаяся Тэль вскочила на ноги. — Ты не мое орудие! И не орудие вообще! Ты сам по себе — Сила! Просто надо пройти определенный путь... иначе...

— А почему же Ритор охотится на меня? Почему хочет убить?

— Потому что он ждет прихода Дракона. — Шепот Тэль донесся еле-еле, словно дальний шорох ветра... шорох ветра во вьющейся на бегу золотистой гриве...

— Ну и что?

— Ты же... он думает, что ты...

— А разве нет? — чувствуя разверзающуюся внутри жуткую пустоту, проговорил Виктор.

— Пока еще — нет! — с напором отрезала Тэль. — Осталось последнее посвящение. У Огненных. А потом — остров.

— Остров? — На красивом лице Лой читался страх. — Остров Драконов в Горячем Море, возле самого Разлома?

— Да. — Тэль не отвела взгляда. — Посвящения завершит Хранитель острова.

— Великие Силы... — не стесняясь испуга, пробормотала Лой. — Тэль, если ты все-таки ошибешься — то это верная смерть... для тебя и для него.

— Да. Если он не выдержит. Но Виктор выдержит, — с железобетонной уверенностью заявила Тэль, словно хозяйка, нахваливающая собачку.

— А что, там еще одна драка? — уныло спросил Виктор. После случившегося в поезде, на мосту, на вокзале, в замке вассалов Земли о таком противно было даже и подумать.

— Не знаю, — призналась Тэль. — Никогда там не бывала. Знаю только дорогу. Могу открыть дверь. Но дальше — ты сам.

— И что?

— Что «что»? Будешь... закончен. Завершен.

— Нет, — с напором сказал Виктор. — Кем я буду?

— Убийца Драконов, — монотонным, словно на школьном уроке, голосом заговорила Тэль, — это квинтэссенция того, что именуется словом «уничтожение». Это — умение обратить на пользу себе все, что окружает. Независимо от того, мертвые ли это камни или живые люди.

Виктор закрыл глаза. Так оно и было. На вокзале в Хорске. И так чуть не случилось в замке — только куда с большим размахом.

— Убийца способен ненавидеть. Сильнее, чем любое иное существо Срединного Мира. Ненависть — его главное оружие. Он переплавляет в ненависть самого себя, и это, Виктор, — сильнее любой магии. Потому Ритору и удалось одержать победу... Никогда, даже в самых жутких наших междуусобных войнах враги не ненавидели друг друга так сильно, как способен ненавидеть Убийца. По сути, он — воплощенная Ненависть.

— Так сказано в книгах, Тэль? — негромко спросила Лой. — Или ты сама так чувствуешь?

Девочка провела ладонью по лбу. Прикусила губу.

— Этих книг нет, Лой Ивер. Никто не знает в точности, как становятся Убийцей. Ритор был последним. Знает только он. Наверное, это зависит от желания... сокровенного, глубокого. У Ритора никто не погиб от Крылатого Властителя, но он ведь всегда бредил свободой кланов, этот Ритор. — Тэль жестко усмехнулась. — И вот... добился.

— А чего же добиваешься ты? Ты ведь привела меня?

— Нет! Виктор, нет! — Тэль всплеснула руками. — Ты пришел сам. Изнанка вытолкнула тебя. Ты чужд ей, иначе бы не прошел и первого посвящения. Иначе тебя убили бы разбой... стражи Серых Пределов. Или водное чудовище Готора. А ты — ты прошел! Преодолел!

— А кто были те, что напали на нас? На переходе?

— Люди Торна.

— Зачем им делать это, если я — Убийца?

— Он не мог быть уверен. Торн позвал Убийцу... и меньше всего он рассчитывал, что рядом с ним окажусь я. Вот его стражники и сорвались с цепей. Это сейчас Торн готов с тебя пылинки сдувать...

Лой не удержалась, скептически подняла брови — хорошо еще, никто не заметил.

— Ну ладно, — сдался Виктор. — Твоя взяла, Тэль...

— Почему? И в чем?

Виктор неловко засмеялся. А и в самом деле — в чем взяла? На любой вопрос у этой девчонки найдется ответ.

— Так что сейчас нам надо отдохнуть — и последний переход, через ущелье, на берег, к Оросу... А потом — на Остров.

Лой нервно сплетала и расплетала пальцы. Казалось, сам разговор ее больше уже не занимал. Она думала о чем-то своем. Женщина знала явно больше, чем вырвалось на волю в этом разговоре, но делиться этим не спешила.

«Ну и на здоровье, — подумал Виктор. — Пусть молчит. Так оно и лучше. Остров Драконов — пусть будет остров. Не важно, болен я или нет, умру я взаправду здесь или проснусь в палате, а надо мной будет стоять санитар со шприцем, как боялся капитан баржи Коля. Пока я здесь, об этом думать не надо. За спиной — громадный мир. И чем дольше я тут, тем больше он мне нравится. А Тэль... Неведомый клан... Тут, конечно, все не так просто. Девчонка явно чего-то недоговаривает».

— Тэль, а вас много? Таких, как ты, из Неведомого клана? Тэль косо взглянула на него и ничего не ответила.

— Этого никто не знает, Виктор, — нервно хихикнула Ивер. — Неведомый клан считался погибшим. А потом оказалось, что нет. Вообще мне не нравится, что твоя девочка так много секретничает! А тебе? — Она взглянула с откровенным приглашением во взоре.

— Раз Тэль молчит, значит, так надо, — отрезал Виктор. Что эта Кошка себе позволяет?! Почему вмешивается? Гнев плеснул через края той самой «чаши терпения», отблеск его прорвался в глаза — и женщина тотчас же осеклась. Даже вскинула руку, защищаясь от чего-то невидимого.

— Прошу прощения... Виктор, — смиренно сказала Лой. — Просто я хотела бы знать, куда вы направляетесь дальше?

— Странный вопрос, — фыркнула Тэль. — Я же сказала — в клан Огненных!

— А если Ритор перекроет единственную дорогу в Орос? Что вы станете делать тогда? — вкрадчиво поинтересовалась Ивер. — Без меня? А? Будете драться? Мои дорогие, на этот раз Ритор выставит против вас целую армию. В том числе и ополчение клана Огня. Он, очевидно, убедил их в том, что ты, Виктор, — Убийца. Огненные слыли самыми стойкими приверженцами Крылатых Властителей... А кроме того, не забывайте — у нас на плечах может появиться гвардия клана Земли. Эти-то Драконов как раз не слишком любили, но после всего случившегося... — Лой сделала эффектную паузу. — Мне кажется, вам лучше взять меня с собой.

— Ты нам не нужна, Лой Ивер! — поспешно выпалила Тэль. — То есть... мы, конечно, благодарим тебя за помощь, но...

Последовавшая за этим сцена вполне достойна была украсить трагедии Шекспира. Лой рыдала. Лой горько сетовала на людскую неблагодарность. Лой ругмя ругала себя за наивность.

12*

Лой клялась, что больше ни за что, ни за какие деньги не станет никому помогать.

Тэль наблюдала за всем этим с холодным и отстраненным интересом. Виктор же не вмешивался. После случившегося у клана Земли он окончательно уверовал — Силой управлять возможно. Наверное, теперь он бы не побоялся выйти и против самого Ритора. Во всяком случае, это не казалось безнадежным. И даже... даже сладко хотелось поединка. Соблазн был велик.

...Вот только откуда ж он может помнить этого Ритора? Помнить его лицо, да еще и с такими подробностями? А может, так и надо — встретиться лицом к лицу, сшибиться грудь с грудью, по-мужски, чтобы решить все — и разом?

...Лой наконец успокоилась.

— Значит, вы хотите бросить меня? Здесь? Впереди — Ритор с Огненными, позади — Земные с Торном. Думаете, я так безумно хочу тут погибнуть? Нет уж, с вами — безопаснее. Ты — Сила, Виктор. Тебя они боятся. А меня... а мне... не знаю, что сделает со мной Ритор, попадись я к нему в руки. Или клан Огня — волшебница Огненных была с Ритором в засаде. Про клан Земли я уж и не говорю.

— Подумаешь, — равнодушно сказала Тэль. — Переспишь пару раз с кем надо — и все в порядке. Как будто тебе это впервой.

— Тэль! — резко сказал Виктор. — Лой пойдет с нами. Она права.

Девочка скорчила гримаску, однако взглянула на Виктора... и ничего не сказала. Только пожала плечами.

Дорога шла все круче и круче в гору. Клан Огня ревниво оберегал свои секреты... или же просто его маги любили уединение. Они старательно уничтожили все прочие пути, что вели через старые горы к их заповедной бухте с маяком. Единственный тракт проложили через глубокое затененное ущелье с отвесными склонами. Кривые южные сосны — вообще место очень походило на Крым — лезли вверх, цепляясь за каменные уступы. Воздух, несмотря на осень, был сухим и теплым. Вскоре путники взмокли.

— В горы подниматься — день, — чуть заметно задыхаясь, сказала Тэль. — Потом еще день — вниз. Если все пойдет хорошо — нас они не нагонят. Правда, Ритор умеет летать, да и остальные из его клана — тоже. Но мне кажется — он не рискнет. Бит один раз, да вдобавок знает, что ты уже прошел Землю. Нет. Скорее, может, попытается устроить засаду дальше, у самих Огненных. И вот там-то будет самое трудное.

Виктор только пожал плечами. Порой менторский тон Тэль начинал раздражать. И тогда и впрямь хотелось — перемигнуться бы с Лой... а потом сгрести ее за плечи и...

Этот тракт, что вел к Оросу, заканчивался тупиком. Однако рачительные хозяева клана устроили в своей бухте пристань — и потому телег, порожних и с товарами, хватало. Иногда их немного подвозили, чаще бесплатно, порой за мелкие деньги.

Заночевали они прямо на обочине, вдали от других путников. Было довольно холодно, заснуть никто не мог, а пользоваться Силой Тэль категорически запрещала. Оставалось только одно — покрепче прижаться друг к другу. Тэль свернулась в клубочек, сонно засопела. Лой же, похоже, и не собиралась спать. И необходимостью «прижаться» воспользовалась весьма вольно.

— Какая ночь... — услышал Виктор ее мурлыкающий теплый шепот. — Какая сегодня замечательная ночь...

Острые коготки игриво пощекотали Виктора под подбородком. Лой знала, о, очень хорошо знала, где именно и как это сделать, чтобы лежащий рядом мужчина залился невидимым в темноте румянцем, словно неопытный мальчишка.

— Лой... не надо...

— Почему? — Ее дыхание касалось его уха. — Ты разве не хочешь меня?

— Именно потому, что хочу, не стоит заниматься этим на обочине, — ответил Виктор Бог весть откуда взятой цитатой.

— Стесняешься Тэль? А давай и ее возьмем? — промурлыкала Лой. — Забавно будет...

— Ну уж нет! — возмутился Виктор. — Хватит, Лой!

Волшебница обиженно отодвинулась.

— Смотри, потом пожалеешь.

— Не сомневаюсь, — буркнул Виктор. Но тело его со столь целомудренным решением никак не соглашалось. Он проваллялся без сна битый час, слушая дыхание спящих женщин — и прекрасно понимая, что Лой откликнется на легкое прикосновение, откликнется весело и умело, со всем неугомонным пылом и огромным опытом... столетним, если верить Тэль.

Вот эта мысль и помогла расслабиться.

И сразу же накатил сон. Знакомый.

Виктор даже скрипнул зубами, когда понял, что под ногами — сияющий белый песок, небо — тускло мерцающая пелена, а рядом плещут черные волны.

— Сволочь!

Он закрутился на месте, пытаясь найти Обжору.

— Никуда я не пойду, слышишь? Не нужны мне твои тайны! Чтоб ты сгнил здесь!

Сгоревшие обломки лаборатории уже затянуло мхом и травой. Фиолетовый лес дрожал под порывами ветра. А далеко впереди, у склона гор, поднимались в небо клубы белого дыма.

— Не пойду я туда! — вновь крикнул Виктор. Уже понимая, что пойдет, никуда не денется, и ему продемонстрируют что-нибудь тягостно-неприятное, а то и просто омерзительное...

— Мяу...

Он обернулся и увидел, как по кромке прибоя, мягко отпрыгивая от забегающих волн, идет рыжая кошка. Вроде бы — та же самая, что смотрела на него в разрушенном городе.

Догадка казалась безумной.

Виктор присел на колени и протянул руку:

— Киска... а ты часом...

Кошка села и принялась умываться. Синие глаза насмешливо следили за Виктором.

— Погоди! — раздалось от леса. Сквозь осоку бежал Обжора, смешно спотыкаясь и причитая. — Это что за наглость... ему ж еще бродить да бродить... брысь, проклятая! Брысь!

Кошка, насмешливо глянув в сторону Обжоры, напружинилась — и прыгнула Виктору на грудь. Мяукнула в самое лицо, касаясь щеки теплой лапкой...

...Виктор открыл глаза. Качалось звездное небо, и на фоне его — женская головка с распущенными волосами. Лой поцелуем закрыла ему рот, ответила на невысказанный вопрос:

— Ты кричал, тебе страшный сон снился... Расслабься, расслабься, Виктор...

Ее ладонь скользнула по щеке.

— Небритый... — тихо и ласково сказала Лой. — Не бойся, сон ушел. Мы, Кошки, умеем отгонять дурные сны...

— Спасибо, — тихонько ответил Виктор.

— А твоя подружка, — с внезапной насмешкой сказала Лой, — даже не проснулась!

— Она маленькая уставшая девочка...

— Ага, — без всякой убежденности поддакнула Лой. — Маленькая девочка... волшебница Неведомого клана... Но я-то, я — взрослая женщина...

Она задышала Виктору в самое ухо.

— Эта паршивка, Тэль, она тебе, наверное, наговорила всяких гадостей про меня? Что мне двести лет, что я спала со всеми мужчинами, кого только видела?

— Ну... не совсем так...

Виктору было не по себе. Лой уже прижималась к нему всем телом.

— Все она врет! — яростно сообщила Лой. — Мне не двести лет... гораздо меньше. И к кому попало в объятия я не кидаюсь!

Помедлив, она добавила:

— К тебе — да. Я... если ты...

Виктор понял, что борьба бесполезна. В первую очередь потому, что бороться не было ни малейшего желания.

Он впился в мягкие, горячие губы Лой.

Да сколько бы ей лет ни было!

Хоть триста!

Ловкость у Лой и впрямь была кошачья. Руки скользили, в то время как они продолжали целоваться, Виктор и опомниться не успел, как был раздет, а Лой обнажена. Это напоминало не то изнасилование, не то совращение — только в роли насильника выступала женщина.

То, что в паре метров мирно посапывала Тэль, лишь добавляло происходящему остроты.

— Наконец-то, наконец-то ты со мной... — шептала Лой. В этом была не столько влюбленность, сколько радость победительницы — и все же это льстило. Так начинающему, но уже популярному певцу льстят юные поклонницы, правдами и неправдами прорывающиеся в гостиницу, ночующие под дверями квартиры...

Виктор не заметил, как сменились их позиции, как он оказался над Лой, покорной, отдающейся ему не то чтобы с безумной животной страстью — а с той радостной женской покорностью, что составляет саму основу секса.

Все заняло не много времени — хотя Виктору почему-то казалось, что игра могла длиться всю ночь и это доставило бы обоим только удовольствие. Но, видимо, Лой решила не зарываться... В какой-то миг он почувствовал, как напряглись и отвердели ее мышцы, как потом стало мягким и податливым тело, а затвердевшие соски расслабились. Лой шумно вздохнула, вжалась в него, давя счастливый стон. Лишь руки обнимали по-прежнему крепко, будто молили — «не уходи».

Ушла она сама, через полчаса, когда они повторили все еще по разу. Тихонечко отползла, на прощание прижавшись губами и прошептав:

— Спасибо... Я не буду требовать большего...

Виктор был благодарен ей за это. Сил не осталось, он чувствовал себя выжатым насухо.

Другое дело, что такой приятной усталости давно не доводилось испытывать...

И больше в эту ночь ему ничего не снилось.

Он проснулся, когда наступило утро. Холодное осеннее утро. Было еще темно, солнце пряталось за отвесными кручами, ущелье заливал промозглый туман, по-питерски липкий и противный.

— Х-холодно, — поежилась Тэль, стуча зубами. Мордашка у нее посвежела, она смотрела на Виктора со смешной серьезностью, будто укоряя его в наступившей прохладе.

Лой ничего не сказала. Грациозно изогнувшись, Кошка умывалась у лотка — здесь с верха, со скал был спущен вниз небольшой горный ручей. Веселая струя клокотала в деревянном желобе, уходя потом куда-то вниз, на север, к сухим степным полям.

ГЛАВА 18

В дорогу пустились в полумраке, задолго до всех возчиков и погонщиков, еще сладко дрыхнущих на своих возах. Тэль заметно нервничала, то и дело оглядывалась, а порой замирала, долго вглядываясь в даль, хотя, по мнению Виктора, там нельзя было ничего увидеть — только какие-то бледные и далекие отсветы, быстро поглощенные взошедшим солнцем.

С солнцем пришла какая-то странная легкость пополам с бесшабашностью. Состояние, когда человеку кажется — он неуязвим и с легкостью одолеет любые преграды.

Виктор даже принялся насвистывать. *Долгий путь позади, долгий путь, он ведет нас во тьму, долгий путь, долгий путь...* Тьфу, что за глупость! И откуда только взялось в голове?

Вниз, под гору, идти стало легче — однако и Лой Ивер, и Тэль отчего-то делались все мрачнее и мрачнее с каждой минутой.

— Нас там ждут... Виктор, — наконец сказала женщина. Первые слова, с которыми она обратилась к Виктору после ночного... гм... разговора.

Тэль лишь молча кивнула. За эти несколько часов она жутко осунулась — как говорится, «одни глаза остались» или «один нос торчит». И от спокойствия ее ничего — или почти ничего — не осталось.

— Виктор... кажется, они нас таки догнали. — Она говорила виновато, словно все случившееся — из-за ее оплошности. — Они заперли тракт и с севера, и с юга. У нас за спиной — весь клан Земли. Ждут, что мы повернем им навстречу. Впереди — Ритор и Огненные.

— А Торн? — резко спросила Лой. — Его ты не почувствовала, Неведомая?

В голосе и словах Лой впервые прорезалось нечто вроде уважения, если даже не почтительности.

— Торна не чувствую, — виновато призналась Тэль.

— Почему же, хотела б я знать?.. — пробормотала Ивер себе под нос. Тэль ничего не ответила.

— Другая дорога есть? — деловито спросил Виктор. В этом деле ему приходилось опираться в основном на опыт американских телебоевиков. Что ж, за неимением пипифакса используем наждачную.

— Другой дороги нет, — покачала головой Кошка. — По скалам ты, может, и взберешься, но там... сплошные кручи, обрывы, изломы...

— Но если другого выхода нет?

— Виктор! Помни, нам нужны Огненные!

Ну вот, опять Тэль за свое. Говорит, словно втолковывая урок непонятливому ученику.

— Тогда идем вперед и хватит этих разговоров! — раздраженно сказал Виктор. Ему и впрямь все это надоело. Тоже мне спаситель мира, за которым половина тех, кого он должен спасать, с энтузиазмом гоняется, имея целью его как можно быстрее прикончить... А когда они встречаются, гибнут, как всегда, ни в чем не повинные.

Он вспомнил обезумевший вагон и с трудом подавил приступ рвоты. До Страшного суда не отмыться, как говаривала мать.

...Интересно, а Бог здесь есть? Или все это тоже возникло при Большом Взрыве? И гномы, и эльфы, и Прирожденные?..

Кстати, о Прирожденных. Что там говорила о них Тэль? Проклятие нашего мира?.. Не слишком-то радующая рекомендация...

— Тэль, а почему нельзя договориться с Прирожденными? Что, собственно говоря, им от вас надо?

И девочка, и Лой одинаково картинным жестом схватились за головы.

— Великие силы, ну какое это сейчас имеет значение! — вырвалось у Тэль.

— А я любопытен, — огрызнулся Виктор. — Может, после того, как спустимся, я вообще больше ничего ни о чем не

узнаю, так что уж, сделай милость, расскажи сейчас! Все-таки
объясни: Прирожденные — какие они? Это люди? Чудовища?

— Ты разве еще не понял? Изнанка — мир без магии. Срединный Мир — у нас могут работать и заклятия, и пар с электричеством. Ваши... как их... компьютеры у нас, наверное, обернутся грудой железа, а в мире Прирожденных попросту сгорят.
Так вот, Виктор, — мир Прирожденных есть мир чистой магии. Сила Слова, сила Жеста, сила Знака. Прирожденные давно мечтают вырваться из-за Разлома Мира, добраться до нас,
обратить мир Срединный в свой.

— Понятно... Эдакие вселенские злодеи... — Виктор вздохнул. — Все равно я не понял. Отчего вы воюете? Что вам делить? Не можете договориться?

— Некоторые маги полагают, — сухо заметила Лой, — что
агрессия есть единственно возможный способ существования
Прирожденных. Понимаешь, Виктор? Представь, что у них
нет иного выхода, кроме как непрерывно творить боевые разрушительные заклятия. Должны же они быть на кого-то наце-
лены!..

— Не пойдет... — начал было Виктор. Он уже собирался
объяснить Лой, что в таком случае Прирожденным нет никакого смысла ничего захватывать — если все время надо что-то
разрушать. Правда, может быть, тут дело в масштабах...

— Виктор, смерть и разрушение — в природе у тех, кто
остался за Горячим Морем, — с жаром сказала Лой. — Понимаю, тебя приучили думать, что у всего есть причины и след-
ствия, что абсолютных злодеев не бывает, что всегда можно
найти компромисс... Не спорю, можно. Мы вот, например,
очень хорошо научились находить компромиссы с отвергну-
тыми Изнанкой. Даже обращаем на пользу их знания. Но как
могут найти компромисс положительный и отрицательный
заряды? Особенно если они рядом? Как могут договориться
вода и огонь, если вода льется на пламя? Как могут договориться дерево и топор дровосека? Бывает, что никакого комп-
ромисса уже не найти. Это печально, но это так. И тогда приходится выбирать. Один раз, окончательно и бесповоротно. Без
права перебросить кости. Так вот, мы с Прирожденными — как
те два заряда. Мира быть не может, только война. Они раз

нападали, но нас хранила сила Дракона. С ним Прирожденные так и не смогли справиться. Только Ритор... — Она махнула рукой.

— Погоди, погоди, — Виктор покачал головой. — Погоди, давай по делу и без красивых сравнений. Вы же сами — пришли из мира Прирожденных! Ну... пусть не вы, ваши предки... Что же, значит, вы смогли ужиться, смогли преодолеть «смерть и разрушения», а оставшиеся — навсегда подвинулись на жажде мести? Что там — стоят замки из человечьих костей, текут реки крови, воздвиглись империи зла, королевства порока? Уродливые монстры только и ждут мига, чтобы уничтожить Срединный Мир?

— Не империи и не королевства. — Лой покачала головой. — Да и про облик тебе ничего сказать не смогу. Есть ли облик у ветра? У струящейся воды? Прирожденные могут выглядеть как угодно. Былинкой, цветком, запахом мяты, парящим орлом или весенним громом. Могут и монстрами... конечно. Хотя — из зависти к нам — они, как правило, выбирают человеческие обличья.

Тэль, внимательно слушавшая этот монолог, покачала головой. Даже чуть заметно улыбнулась. Полагает, что не в зависти дело?

— А как они живут? Спроси что-нибудь полегче. Об этом не знали даже Крылатые Властители... вероятно. Наши предки, покидая дальний берег, не сохранили никаких воспоминаний. Да и пленные из числа Прирожденных ничего не могли рассказать, память отшибало. Потом их уже и брать перестали.

Тэль кивнула.

— Прирожденные — это все. И в то же время — это ничто. Абсолютная свобода и полное, совершенное рабство. У собственной природы. Они не способны измениться. При всей своей невообразимой изменчивости. Магия, что естественнее дыхания и зрения, — она служит и плохую службу. Перестаешь доверять рукам. Замыкаешься в себе. Ты сам — Мир, и весь этот Мир — в тебе, и он — в твоей власти. А это соблазн... — Тэль покачала головой. — Чувствовать себя безграничным повелителем. Наверное, поэтому Прирожденным ненавистна сама мысль о нашем существовании. Потому что мы — сами по себе, не в

них и не под ними. Кстати, они ненавидят также и Изнанку.
Но до того мира им пока не добраться, а вот наш — как раз у
них на пути.

Ох, больно уж красивая картина выстраивалась! Виктор с
сомнением смотрел на Лой, но волшебница, похоже, говорила
искренне. Она была уверена в своих словах... вот только стоило ли Виктору также проникаться верой?

— И вот... — Лой перевела дух, — иногда из-за Горячего
Моря приходят корабли. Красивые корабли, носы украшены
орлиными головами...

— Почему именно орлиными? — спросил Виктор. — Это
их герб?

— Герб? — Лой смутилась. — Нет... у них вообще нет гер-
бов. Просто такие корабли... это же так понятно! Ну, не в
обычных же торговых суденышках им плыть!

— А знамена?

— Знамена есть. Черное с золотом. И голова орла в середине. Когда с ними бились в последний раз, взяли немало
трофеев. Правда, сохранить не удалось. И оружие, и доспехи,
и знамена — все растаяло, словно туман. Маги по этому поводу очень горевали.

— Интересно... — задумчиво проронил Виктор. — Так, может, они просто призраки?

— Призраки?! Ты бы с ними встретился! — возмутилась
Лой. — Телеснее не бывает! Просто они могут быть любыми,
разве я не говорила?

— А трупы убитых? Они остались?

— Сгорели, — покачала головой женщина. — Мертвые,
они не выдерживают тяжести нашего мира. И потому не могут
здесь закрепиться. Они либо захватят его целиком, либо будут
отброшены. Ты хочешь спросить о чем-то еще?

Виктор взглянул на ее напряженное лицо и решил, что
сейчас, пожалуй, вопросов больше и впрямь задавать не стоит.

— Там, впереди, добрая сотня магов, жаждущих разорвать
нас на части, — укоризненно сказала Тэль. — А вы идете,
болтаете, как на загородной прогулке. Может, они нас уже
заметили! Может, уже пошли наперехват!

— Успокойся, Тэль, — сказала Лой. — Никуда они не пойдут. Сидят внизу, окопались и ждут. Они ж знают, что у нас

другой дороги нет. Им даже идти никуда не надо. Расскажи лучше, что ты знаешь об Оросе.

— Как будто у тебя нет там шпионов! — буркнула Тэль.

— Разумеется, есть, — спокойно отпарировала Лой. — Но чем больше сведений, тем лучше. Система защитных заклятий? Пароли? Коридоры прохода? Ловушки?

Тэль медленно покачала головой.

— В сам Орос нам прорываться нет смысла. Лишь бы дотянуть до берега.

— А потом? — напирала Лой. — Нас прижимают к воде и добивают?

— На берегу я открою Дверь, — непререкаемым тоном заявила Тэль. — А туда пройти могут только маги первой ступени. Так что преследователей мы отсечем.

— А у Огненных вообще не осталось сейчас никого с первой ступенью, — вспомнила Лой. — Так что... Торн, Ритор и я. Что ж, расклад неплохой. — Она заметно повеселела.

Тэль оглядела ее с головы до ног, неприязненно поджав губы, но ничего не сказала. Кажется, девочка ревнует, подумал Виктор. И думает, как бы от Ивер избавиться. Но теперь уже поздно. Нельзя никого бросать на верную гибель, а такая спутница, как Лой, может очень даже пригодиться. Один раз уже пригодилась.

Дорога начала петлять. Ущелье сворачивало то вправо, то влево, извивами спускаясь к морю. Здесь явно поработал огонь — стены стекали вниз застывшими каменными потеками. Клан спрямил старое ущелье, проложил по дну новую дорогу; за годы деревья вновь вскарабкались вверх по истерзанному пламенем камню.

— Они наверняка выслали дозор, — мрачно сказала Тэль, задирая голову и пытаясь что-то рассмотреть на рубчатых вершинах. — И, конечно, уже нас заметили.

— Тогда какой смысл таиться? — подняла брови Лой. — Виктор вполне может отбить у них охоту подсматривать.

— Нет-нет! — испугалась Тэль. — Не надо... никого убивать без крайней нужды. Только если они сами попытаются нас убить.

— А не опоздаем? — съязвила Лой.

Тэль молча пожала плечами.

Виктор тоже чувствовал чужой взгляд. Словно ко лбу прилепили две холодные, упрямо не тающие льдинки, а от них в бесконечность тянутся две невидимые лески, так что он стал напоминать самому себе какого-то чудовищного таракана с непомерной длины усами.

Повинуясь медленно вскипающему гневу, где-то глубоко внутри сжался упругий кулак Силы. Пока еще бесформенной, но готовой принять облик либо всесокрушающего урагана, либо водяного торнадо, либо сметающей любые стены каменной лавины. Они смеют преграждать ему путь! Они смеют подсматривать за ним! Когда ему, быть может, придет в голову поразвлечься с какой-нибудь из своих спутниц!

Тьфу, тьфу, тьфу, испугался Виктор, да что ж это такое в голову-то лезет?! Черно-кровавый туман медленно отступал. Судорожно стиснутые кулаки разжались. Он взглянул на Тэль, на Лой — кажется, никто ничего не заметил.

— За следующим поворотом — Орос, — одними губами сказала Тэль. — Их дозорный даже не прячется.

И точно — ясно видимый даже на голубом фоне неба, впереди, на самой высокой скале трепетал небольшой алый лоскуток плаща.

— Ишь, наглецы, — процедила Лой сквозь зубы. Согнула пальцы на манер когтей, подняла руку. — А вот посмотрим, сумеет ли он...

— Лой! — Девочка повисла у нее на плече. — Не надо! Слишком рано! Этого ты снесешь, но твое заклятие они расшифруют! И пустят удар обратно!

— Ну, как знаешь. — Ивер с недовольным видом опустила руку. Но видно было, что слова Тэль произвели впечатление даже на гордую Кошку.

— Не надо ничего делать, пока они не нападут сами. — Тэль умоляюще глянула на Виктора. — Обещаешь? Ну, пожалуйста!

— А они не угробят нас этим первым ударом? — как бы невозмутимо поинтересовался Виктор.

— Все зависит от тебя, — вздохнула Тэль. — Мы им не нужны... ну, разве что Ритору — Лой, отомстить. А так — не бойся за нас. Сейчас и в первую очередь им нужен ты и только ты.

— Тогда пошли, — сказали губы Виктора.

«Кажется, теперь я знаю, что такое «душа в пятках», — мрачно подумал он. — Нет, не гожусь я в герои. Совсем не гожусь. Ни в Конаны, ни в Терминаторы. Уж слишком отчетливо вижу себя мертвым и отпрепарированным. Небольшой урок патанатомии для молодых магов. Тут хорошо бы на ногах устоять да штаны не обмочить от страха. И почему Тэль никогда не говорила ему, как нужно колдовать?»

Открыто стоящий на скале дозорный остался позади. Лой даже помахала ему.

Последний поворот.

— Вот он, Орос, — негромко сказала Тэль. Бухта. Галечный пляж, вроде как в Судаке или Планерском. На остром молу, вынесенном далеко за черту прибоя, в открытое море, возвышается маяк. На черной вершине горит бездымное алое пламя, резко и отчетливо видимое даже днем. А между горами и морем — небольшой, аккуратный одноэтажный городок. И веселая краснота черепиц проглядывает сквозь сплетение вечнозеленых ветвей.

Здесь на виду не оставлено никого живого. Однако Виктор явственно ощущал сотни упершихся ему в грудь взглядов; словно чужие бесцеремонные руки, они шарили, цепляли нечистыми пальцами, колупали, бесцеремонно пытаясь проникнуть внутрь, разъять на части его мозг, встряхнуть на ветру память, выбивая из нее все «вредное», как считали они.

Ну, погодите.

— Виктор, мне страшно, — услышал он шепот прижавшейся к нему справа Лой. — Они убьют нас всех. Ритор... он обезумел. Кажется, на сей раз я попалась...

— Что, испугалась, Кошка? — немедленно огрызнулась Тэль. — Никто тебя с нами не тянул. Сама пошла.

— Здесь почти сотня магов. И около полутысячи бойцов. Считая и Воздушных, и Огненных. Ритор собрал всех, кого мог. Перебросил из своего клана. Молодец... — Лой покачала головой. — Не терял времени даром, не гонялся за нами. А прямо сюда. Молодец. Уважаю.

— Помолчи, пожалуйста, — не поворачивая головы, зашипел Виктор.

— Прости... — услыхал он ее шепот. Господи, услышь он такой шепот у себя в Изнанке, решил бы — женщина безумно влюблена.

Трое стояли на изломе горной дороги. На виду у всех затаившихся внизу бойцов. И Тэль, и Ивер одинаково прижимались к Виктору. А он застыл как дурак, смотрел вниз и категорически не знал, что делать.

Позиция здесь была, с точки зрения военного, хуже некуда — торчат на всеобщем обозрении. А с другой — Виктор как на ладони видел отсюда весь городок, до самых окраин. И, приди ему в голову «накрыть» его, — сумел бы сделать это, как говорится, «одним залпом».

Ни Лой, ни Тэль не осмеливались ничего советовать.

Что теперь? Ждем, пока они не начнут сами? Виктор чувствовал себя донельзя глупо. Но идти поперек сказанного Тэль не хотел.

Тонко-тонко завыл в высях ветер. Словно первое предупреждение. Словно боевой рог, вызывающий на поединок. Красиво...

— Виктор! — услыхал он отчаянный шепот Тэль. Она вся дрожала — неужто проняло и ее, неустрашимую? — Это петля. Они набрасывают удавку... Виктор, не смей спасать никого из нас! Если пройдешь Огонь... то, я верю, откроешь и Дверь. А если начнешь вытаскивать меня или Лой...

— Меня вытаскивать не надо, — резко и зло перебила девочку Кошка. — А тебя, Неведомая, я сама вытащу. Даже если для этого мне придется трахаться со всеми четырьмя Стихийными кланами разом!

— Тихо, вы, обе! — цыкнул Виктор. Прищурившись, он смотрел вверх — туда, где медленно развертывались незримые для простого взгляда серые петли чудовищного лассо. Это только первый ход, это даже не нападение, это просто проверка его защиты; они ждут, как он станет защищаться.

Внизу, среди густой зелени, замелькали огоньки. Десятки огоньков. Крошечные пламенные короны над головами поднявшихся в бой воинов клана Огня.

И в следующий миг Ритор резко натянул нить удавки.

Тэль взвизгнула. Лой мягко присела, выбросив вперед и вверх правую руку — когти наготове, — принимая боевую стойку. А Виктор стоял, бездеятельно смотря, как мир вокруг стремительно сереет, как приближается призрачная черта воздушной петли, понимал, что это конец, и... ничего не делал.

— Ви-и-иктор! — завизжала Лой. Петля захватила ей плечо и шею, повалила, поволокла по дороге, безжалостно обдирая о камни и платье, и кожу.

Как колдуют в бою? Как творятся убийственные чары? Как управлять покорными твоей воле стихиями? Желание? Прямой приказ? Повеление?

— Ви-и-и-и-ктор!

Тэль бросилась к Лой, падая, вцепилась ей в плечи, придавила к земле. Но даже ее сил было недостаточно — Ритор, наверное, и впрямь собрал всех, кого мог. Одна девочка, пусть даже из Неведомого клана, не могла справиться с полусотней волшебников Воздуха.

Над городком в воздухе медленно начало сгущаться громадное серое облако. Виктор знал — он видит его один. Видит готовое к удару заклятие Ритора, которое сомнет его, Виктора, вобьет в пыль сухой дороги, оросит кровью скалы, швырнет размозженное тело под обрыв, на камни и шипы.

— Нет, Ритор! — выкрикнул он. И размахнулся, целясь кулаком в туго натянутую нить, что волокла по дороге отчаянно барахтающихся Лой и Тэль.

Острый водяной хлыст метнулся вперед с быстротой молнии. Там, где Вода сшиблась с Воздухом, в разные стороны, точно кровь магии, брызнули белые брызги. Там, где они касались земли, вздымались фонтанчики пыли, словно от выпущенной в песок пулеметной очереди.

Воздушная нить лопнула. Внизу, в городе, словно сметенное мощным ураганом, рухнуло дерево.

— Так их, Виктор! — взвизгнула Лой.

Ответ снизу не заставил себя ждать. Виктор почувствовал, как из легких начинает рваться наружу воздух, как, ломая неведомые ему самому преграды, приближается туго свернутая плеть заклинания; и, не думая, ответил первым пришедшим на ум — вытянул руку, указал вниз — туда, где крылось сердце противостоящих ему — и прошептал нелепое здесь: «Огонь!»

Взвыло так, что и Лой, и Тэль поспешно зажали уши, морщась от боли. Вниз грянул могучий воздушный кулак — так, словно разом лопнула добрая сотня баллонов со сжатым воздухом. Со скал сорвались первые камни. Описывая длинные дуги, они взлетали высоко вверх, рушась на городок точно авиабомбы. Первый десяток вспыхнул еще в полете — навстречу им рвались огненные стрелы защитников. Часть отвела в сторону срочно поднятая воздушная волна — но куда больше каменных глыб прорвалось через все преграды.

Донеслись сдавленные крики. Виктор видел, как его воздушный кулак одно за другим валил деревья, разметывал черепицу, как взвивалась столбами смерчей пыль, волоча домашний скарб, какие-то обломки — и человеческие тела.

Вспыхнул было пожар, но, конечно, повредить своим повелителям не смог. Языки пламени взметнулись и упали.

Однако и Ритор не зря, наверное, прозывался сильным волшебником. Он очень быстро понял, что надо делать. Виктор слишком увлекся атакой. И Ритор, послав к чертям оборону, сам отчаянно ринулся в наступление.

Его удар опрокинул Виктора навзничь. Перед глазами замелькали разноцветные круги. Откуда-то из дальних далей донесся жалобный вскрик Тэль; и тут вперед двинулся Огонь.

Боль ввинчивалась в мозг, однако Виктор сумел встать на колени. Волна сухого жара приближалась, огонь вел замысловатый танец, повсюду на скалах, на голом камне вспыхивали костры.

А сверху падала смерть. Виктор видел ее — мерцающее жемчужным светом копье из туго стянутого, сгущенного воздуха. Копье разнесло вдребезги каменную глыбу — ее Виктор швырнул вперед чисто инстинктивно, пытаясь хоть как-то защититься; он успел пригнуться в последний момент.

Лицо рвануло болью, по шее заструилась кровь.

И Тэль, и Лой пропали, скрывшись во вздыбившейся вокруг них огненной туче. Скалы горели, жарко пылали сосны на уступах, с воем рвались вниз все новые и новые стрелы, на плечи наваливалась чудовищная тяжесть; Виктор задыхался, каждый глоток воздуха приходилось чуть ли не силой вдавливать в легкие; он упал на одно колено, заходясь натужным кашлем.

Чьи-то руки подхватили его под мышки, с силой рванули вверх, заставляя встать. Он обернулся — Лой! Лицо перекошено, окровавлено, перемазано грязью; глаза совершенно безумные.

— Вставай! Вставай, ну пожалуйста, Виктор!

Новый удар. Лой швырнуло на камни, она коротко охнула, обхватила голову руками; между пальцев заструилась кровь.

— Ну так получайте! — заорал Виктор. Сладкое бешенство вырвалось наружу; Вода и Ветер сплелись воедино. Грохочущий поток вырвался на волю из расколовшихся скал, гранитные глыбы покидали веками облюбованные места; коричнево-серая лавина селя, увлекая за собой тысячи тысяч камней, низринулась вниз. В авангарде наступающей армады мчалась невидимая конница Воздуха, за ней — тяжелые фаланги Воды; тяжко стонала Земля, посылая в бой боевых слонов — неподъемные валуны.

Огонь взвыл в агонии — Ветер не раздувал, напротив, срывал пламя, оставляя без пищи; а за Ветром наступала Вода, довершая разгром.

Из-за дыма вынырнула Тэль, вся ободранная, вновь кинулась к Лой, обхватила, словно родную мать.

— Вниз! К берегу! — завопила девчонка.

Лой, шатаясь, поднялась на ноги.

— Бежим!

Внизу лавина столкнулась со срочно воздвигнутым Воздушными щитом. Ветер неистово выл, валились деревья, столкнувшиеся потоки разметывали оказавшиеся рядом дома, ревущий поток Воды вздыбился до самого неба, тщась перемахнуть через внезапно появившуюся плотину; волна изогнулась, точно неведомый зверь перед прыжком, и встретила хлынувший ей навстречу поток огня грудью.

Наверное, клан Огня использовал всю отпущенную им в этом мире силу. Облака пара рванулись до самого неба и даже выше, разметывая стянувшиеся было грозовые тучи. Отвесно рухнувшая молния пропала даром, расщепив ни в чем не повинный платан.

Виктор чувствовал, как глаза заливает едкий пот, горячий, словно поры его начали извергать кипяток. Вокруг расстилалась мертвая пустыня — обожженный ударом Огненных камень, мокрая черная гарь, заполненные грязной водой расщелины, изуродовавшие дорогу и окружающие скалы.

— Стой! Сдавайся, вражина! — завопили сзади. И тотчас же гулко ударил мушкет.

— Земные, — прошипела Лой. Глаза ее горели нестерпимым огнем, и вообще она сейчас донельзя напоминала разъяренную кошку. — Догнали-таки...

— Господин Анджей. — Тэль сжала кулачки. — Ну, держись, маг...

— Да ложитесь вы, дуры! — заорал Виктор, потому что пули свистели теперь уже совсем рядом.

Из мглы у них за спинами одна за другой выныривали фигуры гвардейцев. Ничего не скажешь, вышколены они были неплохо. Палили навскидку, не ставя мушкеты на сошки, и довольно метко. Пуля расплющилась о глыбу совсем рядом с головой.

«Вот теперь уже точно хана. Зажали...» Виктору приходилось держать одновременно и заклятия Воздушных с Огненными, а при этом еще и выискивать самого достопочтенного господина Анджея.

Ох, тяжко...

Ага, вот ты где — за спинами рысью бегущих мушкетеров мелькнула знакомая тощая фигура.

А под ногами Виктора земля затряслась.

— И-и-й! — Лой резко взмахнула рукой, крестя перед собой воздух. Вырвавшийся вперед здоровенный детина — в дуло мушкета уже воткнут багинет — схватился за перерезанное горло и рухнул мешком под ноги товарищей.

Виктор кожей чувствовал сжимающееся заклятие Анджея, опять невероятно сложное, путаное, где конец и начало сплетались воедино, мелькали тени каких-то монстров; волнами шли они, коты, медведи, громадные насекомые, исполинские ящерицы; навалилось головокружение. Чувствовалось, что мощь в этом заклятии поистине огромная; и, если она только получит свободу, скалы сотрут в порошок и Лой, и Тэль, и самого Виктора, так что не поможет даже посвящение Земли.

Нет времени на настоящий контрудар, вот-вот лопнет тонкая скорлупа защиты; Виктор послал свистящее копье Воздуха. Кажется, удачно — Анджея удалось опрокинуть. Его гвардейцы явно потеряли охоту лезть вперед напролом, особенно после того, как Лой прикончила еще двоих.

— Бежим! — крикнула Тэль. Пошатываясь, Виктор двинулся следом. Поток селя проложил новую дорогу — словно громадный зверь провел языком.

Бежать вниз, под гору, было легко. Правее Огненные и Воздушные все еще боролись с чудищем Ветра, Воды и Земли, сотворенным Виктором. Там ревело пламя, завывал вихрь; Тэль явно решила воспользоваться моментом. За спиной вновь бабахнули выстрелы; хорошо, что посланный Виктором вихрь засыпал мушкетерам глаза песком и сбил прицелы.

...Наверное, это был последний натиск, натиск отчаяния. Они уже понимали, что с Убийцей не совладать, — но признаться в этом боялись даже себе. И этот удар Воздушных, нацеленный куда лучше первых, едва не достиг цели.

Виктора сшибло с ног и поволокло по земле. Ему показалось, он слышит, как трещат ребра, а тупой наконечник палаческого копья начинает ввинчиваться прямо в сердце.

Нет!

Это крикнула Тэль, или это он сам хрипит от боли, катаясь в агонии?

Стереть их с лица земли!

Кажется, в этот миг он совсем перестал думать о себе. Почти ослепнув от боли, потянулся к врагам всеми оставшимися силами. Воздух, Земля, Вода — сплелись воедино.

Перед невидящими глазами предстал аккуратный домик, как в замедленном кино, разваливающийся на части. Вверх рванулись фонтаны земли, словно там один за другим рвались тяжелые снаряды.

На миг показавшиеся фигуры мальчика, полной женщины и трех мужчин исчезли в неистовом вихре.

И боль поспешно отступила.

Виктор, Лой и Тэль уже выбрались на самый берег, оставив по правую руку окраины городка, когда из-за угла выступила тонкая фигурка, с головы до ног закутанная в алый плащ клана Огненных.

— Проклятие! — захрипела Лой.

Девушка стояла, не пытаясь атаковать. Просто во все глаза смотрела на Виктора. А у него совсем не осталось сил. И главное — злости.

— Сейчас... — Лой тяжело шагнула навстречу Огненной. — Эта паршивка была в засаде Ритора... сейчас я ее...

Тонкая рука Огненной нацелилась Виктору прямо в грудь. А он стоял, глупо хлопая глазами, не в силах пошевелиться, хотя бы броситься на землю, залечь...

С пальцев девушки потекло пламя. Гудящее, яростное, испепеляющее; рыжая волна ударила Виктора в грудь, но — не опрокинула и даже не обожгла. Сквозь безумную пляску рыжих языков проступило лицо Огненной. Глаза смотрели на Виктора... с ненавистью? Ужасом? Или... восторгом? Преклонением перед силой? Губы ее шевелились — беззвучно, слов Виктор понять не мог. Огонь втягивался, вползал внутрь него, укладывался там, словно зверь в логове, готовый в любой момент вырваться наружу.

Сила мягко вздохнула. Теперь она была полна. Четыре стихии слились в равновесии, и Виктор чувствовал — тело становится неправдоподобно легким, уходят усталость и боль, зрение проясняется, и кажется — за спиной разворачиваются крылья, готовые поднять его в небо, набухшее, набрякшее молниями небо, что вот-вот прольется ослепительным дождем пополам с громом и вспышками...

А потом этот поток пламени внезапно прервался. Лой Ивер повалила девушку-мага на камни. Взмах руки — нет, уже не руки, когтистой лапы — из четырех страшных ран на груди девушки выплеснулась кровь. Лой с неженской силой отшвырнула обмякшее тело.

Крик Виктора «нет!» опоздал.

А Тэль уже возилась на берегу моря, и ее призыв: «Сюда! Ко мне!» властно рванул Виктора обратно от несчастной жертвы. Он обернулся — ровно катил прибой, и не было ему дела до бушующей здесь, на побережье, бури. И прямо посреди кипящих волн Тэль сейчас открывала Дверь.

Ритор никогда и помыслить не мог, что Убийце подчиняются такие силы. Было отчего впасть в отчаяние. Ни одно заклятие не могло прорваться сквозь неожиданно отвердевшую защиту. И даже достать тех, кто был сейчас с Убийцей.

В городке царил полный хаос. Убийца бил насмерть, безжалостно и беспощадно. Ритор чувствовал обжигающую ненависть там, впереди, ненависть, ставшую Силой.

Яростные вихри валили вековые платаны и кипарисы. Град ударов обрушился на защиту Ритора, и силы добрых пяти десятков волшебников Воздуха почти целиком уходили на то, чтобы остановить это неистовое вторжение.

Обезумевший ветер срывал крыши, и черепица взмывала вверх причудливыми рыжими веерами. Рушились стропила, оседали стены, трескались фундаменты, под которыми внезапно просела вышедшая из-под власти защитных чар Земля. Ритор чувствовал Анджея — недавнего врага, но сейчас маг Воздуха готов был принять помощь даже от Прирожденных.

Убийца сам не ведал пределов своей Силы.

Ритор слышал ужасные крики погребенных заживо, плач детей, мольбы о помощи — и ничего не мог сделать. На каждый его удар Убийца отвечал десятком.

Огненные и Воздушные маги с огромным трудом сдерживали натиск селевого потока в самом центре. Если он прорвется — от Ороса не останется вообще ничего. Ну, Анджей, что же ты медлишь, опять запутался в своих зубодробительных чарах?! Почему не пошлешь сейчас к черту всю премудрость, почему просто не остановишь вышедшую из повиновения Землю?!

— Учитель!

Асмунд. Уже ранен, по щеке стекает кровь.

— Я держу его, Учитель!

— Где Солли, Сандра и Болетус?

— Бегут сюда!

Магам воздуха удалось сгустить барьер перед рвущимися вперед заклятиями Убийцы.

— В последний раз, друзья!..

Им не надо было ничего повторять. Силы сливались воедино.

И на этот раз они почти достали его. Ритор чувствовал ужас врага, чуял его боль и отчаяние... и, наверное, потому успел крикнуть своим: «Закройтесь!», когда боль и страх Убийцы стали Силой и острие оружия повернулось против самих нанесших удар.

Этот удар был страшен. Незримая палица Убийцы походя развалила оказавшийся рядом дом, обрушилась на пятерку магов, выдирая воздух из груди, превращая его в месиво воды и песка. Град булыжников хлестнул по Ритору и его команде; волшебник видел, как упал Солли — голова в крови; как Сандра отчаянным усилием отвела каменную глыбу от затылка Асмунда и сама упала, не в силах парировать хлесткую водяную плеть; и как упал сам Асмунд, хрипя, отплевываясь кровью и хватаясь за грудь.

Ритору хватило нескольких секунд, чтобы понять — все, бой проигран. Убийца прорвался. Он уже на берегу и принимает силу Огня.

Солли был мертв, мертв и горбоносый Эдулюс; у Сандры болевой шок, весь левый бок — громадная открытая рана, кровь смешивается с жидкой грязью; Асмунд скорчился у ног Ритора, у мальчишки переломаны почти все ребра, но жить, наверное, останется. Он только стонал, не в силах говорить, а вот Сандра что-то шептала. Ритор нагнулся к ней, легким движением перекачивая в нее немного силы. Совсем немного — не время спасать друзей, ослабляя себя...

— Me siento mal... duele el corazyn...

Похоже, в шоке старая волшебница заговорила на своем родном языке. Ритор успокаивающе положил руку ей на плечо, сказал:

— Держись! Кан поможет тебе. Держись, старая морская ведьма... пиратка...

Взгляд Сандры на миг стал ясным.

— Какая ж я пиратка... Меня от слабой волны укачивает... Шлюхой я была в портовом борделе, шлюхой в Кабо-Фистерра... пока сюда не пришла...

Она закрыла глаза.

И тогда Ритор захохотал. Жутким замогильным хохотом Неупокоенного.

Он не оставит погоню. Хотя и понимает, что почти все уже потеряно. Убийца уже на Острове... Ему, Ритору, пробиваться придется куда дольше.

— Займитесь ими! — рявкнул он на случившегося рядом Кана. Наконец-то брат оказался в нужном месте и в нужное время. — Быстрее!

Кана не надо было просить дважды.

— Нужны маги, Ритор! Очень тяжело!

— Бери, кого нужно. Я иду дальше!

— Это безумие, брат!

Ритор со всего размаха влепил Кану пощечину. Самую обычную, не магическую.

— Сандра и Асмунд должны жить! Если умрут — уничтожу!

Кан отшатнулся, с ужасом глядя на брата. Из разбитого носа сочилась кровь.

— Сюда, кто-нибудь! Займитесь ранеными! — зычно гаркнул Ритор. Несколько магов — и Воздушных, и Огненных — отозвались.

Ритор позволил себе только одну секунду промедления.

— Прости, Кан. Я иду дальше.

— Я не сержусь, брат, — тихо ответил травник. — Мальчика я вытащу... Сандру — не знаю, но сделаю все...

— Прощай, Кан.

— Прощай, Ритор...

Разумеется, никакой двери на берегу не было и в помине. Был провал, мерцание алых огней в полной золотистого сияния бездне. Колодец раздвигал землю и волны, уходя вглубь, и Тэль стояла на пороге, уже изогнувшись для прыжка.

Кровожадно улыбавшаяся Лой бежала назад — мягким охотничьим бегом большой кошки. На бегу она слизывала кровь с пальцев правой руки, и Виктор с трудом мог поверить, что именно этими, так хорошо умеющими ласкать пальчиками она только что пробила навылет живое человеческое тело, так что окровавленные ногти вырвались наружу из спины жертвы.

Поздно кричать. Лой защищала его, Виктора, защищала, как умела.

— Скорее! Ритор сейчас будет здесь! — выкрикнула Тэль. Голос ее срывался.

И все-таки Виктор успел — дотянуться до бесчувственной девушки-Огненной, незримыми пальцами коснуться остановившегося сердца... и от его касания сердце дрогнуло, толкнуло кровь раз, другой — и девушка застонала.

«Будет жить», — мелькнула банальная мысль.

Виктор повернулся к Тэль. За его спиной мощный селевой поток, разогретый до кипения стараниями Огненных магов, катился сейчас к морю, сметая на своем пути дома, словно игрушечные коробочки; защита двух кланов рухнула, все, что они смогли, — это пустить лавину по тому пути, где будет меньше всего разрушений. За дымом и паром, за поднятой ветром пылью ничего нельзя было различить; и Виктор, ныряя в колодец следом за Лой и Тэль, не видел, как из грохочущего хаоса вырвался старый маг в одеждах Воздуха с искаженным от ужаса и ярости лицом. Разразился диким, полубезумным смехом и очертя голову ринулся в колодец следом.

Из дыма и клубов пыли, перемешанной с паром, выступил человеческий силуэт. Маг Земли, господин Анджей, с разбегу выскочил на берег.

— Ага... — последовал злобный возглас. Брезгливо подбирая полы измызганного плаща, он вошел в воду. Погрузился по грудь, добрался до Двери; лицо исказилось от боли, однако маг все-таки вошел внутрь.

А последним оказался невысокий маг клана Воды по имени Торн. Появившись из-под волны, он сперва довольно ухмыльнулся, глядя на оставшийся после Убийцы хаос, а потом тоже шагнул в провал.

Вода сомкнулась, поглотив наглухо закрывшуюся Дверь.

ГЛАВА 19

Это не было, наверное, настоящим сном, в полном понимании этого слова. Скорее — обморок, долгое падение в темноту. Падение, закончившееся знакомым по кошмарам сумрачным светом.

Появлению Обжоры Виктор ничуть не удивился.

Скорее можно было удивиться тому, что его принесло не на берег моря, как раньше. Впервые Виктор оказался сразу у подножия гор. Будто выдернутый неведомой силой. Матовые прозрачные склоны светились каким-то внутренним светом, воздух пах серой и бензином.

Может, это и есть — Остров Драконов?

Нет, вряд ли. В теле — знакомая по снам пьянящая легкость. Ни Тэль, ни Лой рядом нет...

Хозяин снов одобрительно кивнул, глядя на Виктора. И уставился вперед — на исполинский кратер, затянутый густым молочно-белым дымом. Пробормотал:

— А времени-то мало осталось. Самому удивительно — как мало...

Виктор не ответил. Смотрел туда, где меж граней прозрачных серых скал курился белый дым. Шел из воронки вверх плотными белыми слоями, растекался, выбрасывал узкие щупальца в стороны — будто зондируя окружающий мир. Вот и к Виктору потянулся гибкий белый щуп... дернулся опасливо и отпрянул назад.

— Доварилась кашка. — Обжора кашлянул. Голос его стал мечтательным, чуть томным, будто у изнеженного аристократа, предающегося воспоминаниям о светских победах. — Сколько сил ушло! Нет, ты не поверишь... Исход — да, это давно было. В те-то времена... сам понимаешь.

— Нет.

Обжора метнул на него быстрый взгляд. Покачал головой:

— Все ты понимаешь, не ври. Когда взгляд у людей менялся... когда Миры разделялись. Думаешь — всем легко далось? Думаешь — забылось? Пусть и казалось вначале — навсегда. Ан нет! Крепко все связано, Виктор.

Он не удивился, что Обжора знает его имя.

— Сколько лет, сколько веков... — И вновь Обжора сменил тон, на напевный, размеренный, грустный. — И всегда — одно и то же! Как ушли тогда маги, заняли берег, людишек с эльфами к порядку призвали — так ничего не меняется! Да, хорошо, их было время. Понимаю! Так ведь пора и честь знать! Новое время — новые песни! Верно?

Виктор молчал. Белые клубы валили все гуще и гуще. Земля легонько дрогнула под ногами.

— Владыки и рабы, герои и трусы, прекрасные рыцари и подлые предатели. Любовь и ненависть, добро и зло... — Обжора сплюнул под ноги. — Хватит. Сколько можно? Ты — вот ты, когда жил в Изнанке... знаю я, все знаю, не пялься так! До того ли тебе было? Скажи? В сказки — верил?

— Нет.

— Уже хорошо!

— Я ни во что не верил.

— В том-то и дело! — Обжора всплеснул руками. — Нельзя так больше, нельзя! Новое время приходит, Виктор!

— Уверен?

— А то! — Обжора сложил руки на пузе. Довольно вперился в кипящий дым. — Сколько вложено, ты бы знал, сколько собрано, по сусекам скребли, по донцу ползали, каждую крошку — в дело.

— Там — Дракон? — спросил Виктор.

Обжора помолчал. Кивнул неохотно:

— Он... родимый...

— И все — ради войны со Срединным Миром? Ради горстки магов, что и так истребляют друг друга?

— Дракон — это не танк, что идет впереди пехоты, Виктор. Дракон — это символ. Знамя. Средоточие Силы. Было время, когда человек верил в себя, готов был всему миру бросить вызов... всем Мирам. Было — и ушло. Вы сами убили Драконов. А свято место... оно пустым не останется. Вы теперь, конечно, другие. Вы можете ночью через кладбище пройти, ваши мертвые навсегда уснули. И электричество для вас — не гномий промысел, а обычное дело. И властителей своих не боитесь — презираете только. Выжгли вы из души Дракона, Виктор. Выжгли начисто!

— Все ли?

— Не знаю. — Обжора вдруг обмяк. Вздохнул: — Порой, кажется — все! Никому оно не нужно, пропадай пропадом — умение меч поднять и против властителя шагнуть! Зачем, все же понимают, один в поле не воин, судьбе выбор бросать — фиговое дело, лучше в компашку поплотнее сбиться, зубки оскалить, да и бродить кучкой... И толкутся, толкутся такие... а за ними — дома пустые, души мертвые, города горящие, и по ночам кричат, от чего — сами не поймут... Нет Дракона в душе, нет врага, против кого меч поднять...

Обжора кашлянул. И чуть смущенно добавил:

— Меч — это так, фигурально... ты же понимаешь.

— А как же ваш Дракон? Дракон Сотворенный?

— О! — Обжора поднял палец, погрозил Виктору. — Нахватался, да? Стихии прошел, знаний поднабрался... Другим он будет, Виктор, другим. Такому вызов не бросают, даже если противен. Такому служат не из любви, не из страха — а лишь бы моменту соответствовать!

Виктор только усмехнулся. Обжора вздохнул:

— Хочешь сказать — все равно найдутся, и против него — с Драконом в душе?

— Да.

— А скажи... — С жадным любопытством Обжора заглянул в лицо Виктора. — Скажи, легко ли убить Дракона?

— Трудно. Надо... для этого надо стать почти Драконом.

— Правильно, — закивал Обжора. — Нелегкий труд — бить воплощенную Силу. Надо по меньшей-то мере встать вровень. А еще... понял, что еще надо?

— Ненавидеть. — Слово далось тяжело, натужно.

— Вот! — Обжора поднял палец. — Что там ни говори, а Драконы в этом послабее были. Ярость, неистовство... а все равно чистого разрушения боялись. И жизнь любили. Сильно любили...

— А этот?

Обжора задумался.

— Как бы попроще... для тебя. Ну, возьми табун. И волков. Кого-то дерут, а от кого и копытом в лоб получают. А теперь возьми стадо и...

— И собаку.

— Конечно. Она, может, и пасет... но мясо все равно любит. — Обжора засмеялся. — Только баранам с ней куда привычнее, чем с волком. И крови меньше, и в безопасности себя чувствуешь. Знай щипай травку, нагуливай жирок. А чем пастух пса накормит — то не баранье дело.

— Люди — не бараны.

— Полагаешь? — Обжора пожал плечами. — Может, тебе и виднее... только сомневаюсь. Когда сплошной крик идет... — Орн перевел дыхание и тоненьким голоском протараторил: — Сколько ж можно, одно и то же, с судьбой борись, себя отстаивай, пора жить-поживать, мир обживать, быть славным, добрым, внутри себя совершенствоваться...

— Не паясничай!

— Кто, я? Нет, Виктор. Это я лишь повторяю. Устали все, понимаешь? От схваток, от борьбы, от того, что надо либо рабом себя признать, либо вызов бросать. Никому это больше не нужно! Значит... значит, пора новому Дракону прийти. Хорошему, доброму, незаметному. Пастуху. Когда сами овечью шкуру натягивают, тут и волк полаять согласится. По доброте душевной...

Его голос утонул в грохоте. Серые горы задрожали. Дым вознесся фонтаном, заливая полнеба.

— Вот и дождались, — весело сказал Обжора. — Приходит! Приходит Дракон! Дракон Сотворенный!

— Это еще не все! — Виктор схватил Обжору за плечо, встряхнул. — Эй! Есть Дракон — будет и Убийца!

— Кто? — поразился Обжора. — Уж не ты ли?

— Пусть даже я!

— И что? Встречай его, Виктор! Выйди навстречу! А я посмотрю! Убийца в силах лишь рушить, не защищать! Убей Дракона, попробуй! Только что сделаешь с теми, кто уже привык жить под присмотром? Все они здесь, Виктор! Они — часть Дракона! Мир стал для них пустым, и боятся они лишь снов своих. Им хорошо — под стальным крылом!

Белые плети дыма плясали, свивались в неясные фигуры. Казалось — напряги зрение, и можно будет понять, увидеть.

Зыбкая, колеблющаяся тень — крадется, подступает, вот она уже совсем рядом — а стоит посмотреть прямо, и растворяется, тает, лишь остается ощущение чужого, едкого и безумного взгляда... Что-то крутящееся, несущееся, сминаемое и полыхающее — сплошная боль и вой ужаса... Призрачные замки, облачные города — в дыму и сами из дыма, по улицам бродят бесплотные духи... Стены, стены, бесконечные стены — туманная клетка, сосущая воронка, тюремная одиночка...

— Сами нас творите, Виктор! Зовете с Изнанки, маните! Вот мы и приходим! Не время больше Драконам. — Обжора заглянул ему в лицо. — Не время! Каким хотите — таким он и будет. Срединный Мир! Туда... туда и придете...

Из воронки заструился темный, багровый свет. Клубы дыма окрасились киноварью. Что-то мелькнуло — оранжево-красное, будто свежая лава. Рука сама скользнула к рукояти меча.

— Еще не поздно, Виктор! — Обжора подтолкнул его к воронке. — Все здесь! Те, кто заблудился в своем одиночестве; те, кто устал от своих страхов; те, кто сжег свою душу — все они тут! Присоединись!

Виктор тащил из ножен упирающийся меч. А лава все текла...

Лава?

Тело — аморфное, огненное, цветов свернувшейся крови. Лапы — чешуйчатая сталь, пасть — пылающее жерло. Стеклянный блеск немигающих круглых глаз. Дракон был огромен, неуклюж, он ворочался, вытягивая на поверхность темные полотнища крыльев.

— Ну? — задорно спросил Обжора. — Ты с нами?

Дракон раскрыл пасть. Блеснули зубы — сверкающие бивни, которым место в ковше карьерного экскаватора. Горячее марево прокатилось над землей. Лапа потянулась к Виктору — неторопливо, без всякой угрозы. Будто приглашая — ступить на нее и забыться, долгим-предолгим сном, в ласковом тепле драконьего нутра, под присмотром внимательных глаз...

С мечом — на такое?

Мир дрогнул, меняясь. Поплыл в стороны — будто сменился обзор, и Виктор теперь смотрел в выпуклое зеркало. Земля убегала вниз. Обжора стал крошечной фигуркой под ногами.

Под лапами, не уступающими лапам Дракона Сотворенного.

Чтобы сразиться с Драконом — надо стать им.

Это — путь Убийцы.

Виктор закричал — в волне слепой ярости, в знакомой жажде боя. Огненный вал ударил, расплескивая дым, растекаясь по Дракону Сотворенному.

И тот взревел в ответ.

— Ну! — пропищал далеко внизу Обжора. — Давай-давай!

Дракон Сотворенный взмыл в небо. В ореоле пламени, в порывах горячего ветра, осыпая каменное крошево с темных, свинцово-тяжелых крыльев. В немигающих глазах горела насмешка.

Виктор оторвался от земли.

Следом — он не удивлялся тому, что может летать, и не как раньше, на крыльях ветров, а на собственных крыльях, на гибкой радужной плоти, подминающей воздух. Тело стало огромным, наполненным неимоверной силой. Воздушная волна сбила Обжору с ног, он покатился, не переставая кричать:

— Сразись! Сразись с ним, Убийца!

Тягучая струя — не чистое пламя — кипящий вар, сгущенный бензин. Дракон Сотворенный будто сплюнул — метнул мимолетно в Виктора огненный заряд.

Не страшно...

Пламя сорвало ветром. Они взмывали все выше и выше. Кругами, не отводя друг от друга взгляда.

Дракон — и Убийца Драконов.

Как говорил Обжора? Стань одним из нас?

«И не только, — прозвучало в ушах. — Не хочешь — стань им сам».

«Им — это кем?!» — беззвучно выкрикнул Виктор.

Далеко внизу вокруг крошечной фигурки Обжоры взвился пылевой смерч.

«Сотворенным Драконом, — последовал лаконичный ответ. — Тем, кто примет и объемлет все. И всех успокоит. Пес при отаре».

У Обжоры изменилась даже речь. Куда делось и фиглярство, и шутовство!

Виктор не ответил. Его взгляд притягивали железное тело Дракона Сотворенного, мерно взмахивающие тяжкие крылья цвета нагого свинца, мертвые стеклянные глаза. Удушливая ненависть толкнулась наружу потоком яростного огня. На его пути вспыхивал сам Воздух; над изогнутым спинным гребнем собирался тугой комок водяного бича; а внизу загрохотала, поворачиваясь, выдираясь из вековых логов, сама земная твердь.

Гнев стихий в тебе и с тобой, Виктор из мира Изнанки. Победа Убийце Драконов!

Ликующее пламя ударило в подкрылье Дракона Сотворенного. Пластинчатое крыло нелепо задралось, железная тварь провалилась вниз. Глотка — раскаленное жерло, ведущее в ад, — извергла глухой рев, стеклянные глаза полыхнули изнутри. Длинный хвост из бронированных сочленений щелкнул, сложившись и вновь распрямившись; пасть распахнулась широко, широко, так что парившему выше Виктору стал виден черный провал глотки — настоящий путь в Ничто.

Прежде чем ты опомнишься, тварь...

Виктор не знал, что ненависть может быть настолько сладка. Нет и не может быть ни в каких мирах ничего слаще. Ни вино, ни власть, ни золото, ни женщины — с ненавистью не сравнятся. Видеть падающего, корчащегося в агонии врага, знать, что он — в твоей власти...

Что-то не слишком ты крепок, Дракон Сотворенный.

Тварь теряла высоту. Подбитое правое крыло взмахивало реже и с трудом. Нужно было добивать, и Виктор дал волю Воде.

Туго сжатый водяной бич распрямился. Ударил в раскаленную броню на морде чудовища. И — распался, пропал, взорвавшись облаком безвредного пара. А Дракон Сотворенный утробно взвыл, внезапно и резко во всю мощь загреб крыльями, разом оказавшись рядом с Виктором.

Воздух! Молнии!

Черное небо лопнуло. Стянутые по зову Убийцы тучи извергли поток ослепительно белых ветвящихся молний. Густая их сеть оплела неуклюжее тело железной твари, впилась в кровянисто-алые бока, и Дракон Сотворенный затрясся в судорогах. Крылья его внезапно сложились, он почти камнем рухнул вниз, перекувырнулся через голову; от его рева внизу начинали дрожать серые тела гор.

«Падай, ты убит!» — хотелось крикнуть Виктору.

Однако тварь из мира Прирожденных упрямо не собиралась умирать. Его полет вновь выровнялся. Вновь уперлись в воздух громадные крылья. И не мог Убийца, пусть даже и прошедший посвящения, заставить Воздух расступиться под свинцовыми крыльями врага, чтобы тот рухнул бы камнем на острые пики скал далеко внизу...

Убийца может только ненавидеть. И уничтожать. Прямой атакой. Творение так же недоступно ему, как червю — полет.

Дракон Сотворенный вновь поднимался. Глаза горели злой насмешкой. Я принял три твоих удара, казалось, говорил он. Теперь моя очередь. Держись, Убийца!

Что у тебя за спиной? Безумный «бег к морю», посвящения, принятые без понимания, что же, собственно, с ним делают? Чужой и нелепый мир, где он — игрушка, марионетка в руках искусных кукловодов? Заемная ненависть — поможет ли она тебе? Ритор — тот действительно ненавидел...

Дракон Сотворенный близился. Торжествующий рев твари заставлял в ужасе бежать даже грозовые тучи. Открылся серый небосвод; железные челюсти раздвинулись, и кипящая волна вара обрушилась на Виктора сверху.

Он закричал.

Крик рвал гортань, рвался наружу, как будто сам обратился Силой, тянущейся поразить врага. Мир померк; кажется, он падал вниз, охваченный дымным пламенем; жидкий огонь тек по чешуе, пытаясь найти щель.

Ветер, Вода, Огонь! На помощь! Земля!

Ливень. Страшный, когда все небо превращается в один сплошной поток. Он не в силах был загасить жидкое пламя, не пламя даже — горючий вар; вместе с Ветром Вода срывала пылающий яд с брони Виктора.

А снизу тянулся в один миг воздвигшийся лес исполинских трав. Мириады зеленых стволов — и Виктор со всего размаха врезался в них пылающим броненосным телом.

Травы-гиганты смягчили удар. Зеленый сок смыл остатки ядовитого вара, который очень хотелось назвать напалмом.

Виктор, уже в прежнем своем виде, стоял, держась за рукоять меча. А в небе горделиво парил Дракон Сотворенный.

Твоя ненависть слишком слаба, Убийца. Это не твой мир.

— Ну что? — Виктор даже не удивился, услыхав знакомый голос Обжоры. — Не выгорело? И выгореть не могло.

Зеленая чаща трав умирала на глазах, гигантские стебли рассыпались серым пеплом.

— Не сдюжить здесь Стихиям, — самодовольно сказал Обжора. — Дракон-то наш — эвон, кружит... А вот у тебя, Виктор, сил уже не осталось. Что так смотришь? Думаешь, вру? Ну, попробуй, взлети. Или огнем плюнь. Не выйдет ничего. Потому что Убийца ты только по названию. Сомневаешься много.

— Потому что я еще не прошел всех посвящений. И Острова Драконов, — прохрипел Виктор. Как ни странно, он был цел — жидкий огонь не оставил ни единого ожога. Осталась только слабость — казалось, дунь на него сейчас Обжора, и Виктор улетит, точно невесомый комочек тополиного пуха.

— Нет, — Обжора покачал головой. Поманил рукой Сотворенного Дракона. — Не поможет... хотя явиться туда, конечно, можешь. Девчонка твоя доведет. Хорошая она у тебя... ловкая. Но вот на острове... — Сочувственный вздох. — Не поможет. С тамошним Хранителем справляться самому придется. Вот только надо ли? А? Что скажешь?

— Хранитель?

— Не надейся, Виктор. Ничего я тебе про него не скажу. Сам разбирайся. — Обжора обиженно засопел. — Неинтересно мне с тобой стало. С Драконом не справился... Скучно.

И он вызывающе повернулся к Виктору спиной.

— Стой! — Виктор потянулся схватить наглеца за плечо — и очнулся от резкого рывка.

Он валялся на камнях у самой кромки прилива. Перед глазами — мягкий золотистый отблеск. Камень был теплым и гладким и словно бы светился изнутри.

Виктор приподнял голову. Вот какой он, Остров Драконов! В эти мгновения он напрочь забыл и о Лой, и даже о Тэль.

Над головой нависало низкое штормовое небо, все затянутое клубящимися черными тучами. Свинцовые волны в голодной ярости бросались на берег, жадно облизывая золотистые камни, и отступающая пена тоже начинала светиться блекло-лимонным цветом. Прямо от воды начиналась неширокая дорога, выложенная теми же золотистыми глыбами. Она огибала скругленный уступ, постепенно повышаясь и теряясь из виду.

По правую руку было море, по левую — вздымалась отвесная скала, угольно-черная, блестящая, словно политая водой. Абсолютно и неправдоподобно гладкая, без единой трещины или уступа, чего никогда не случается в природе, она казалась творением неведомых магических сил. Дорога обрывалась, вбегая прямо в пену прибоя.

Несмотря на сплошную пелену туч, было довольно светло — то ли от золотистых камней, то ли солнечные лучи каким-то образом пробивались сквозь накинутое на мир черное покрывало.

Виктор поднял голову.

Золотистая дорога частыми спиральными извивами карабкалась по исполинскому аспидному конусу, встающему прямо из океанских вод. Ближе к вершине черноту склонов пересекали выступающие острые гребни того же, что и дорога, золотистого цвета.

И сама дорога гладкой была только вначале.

На склонах великой горы Виктор увидел полные огня ямы, с перекинутыми через них кое-где узкими мостками, а кое-где и вовсе без них. Иные извивы дороги почти полностью скрывались за черными частоколами острых каменных клыков, жутковатой стражей выстроившихся вдоль обочины, и там золотой отблеск почти совсем терялся среди молчаливого каменного строя.

Виктор увидел неподвижно зависшие в воздухе воронки смерчей; кожей ощутил готовые к неистовому натиску Ветра, зависшие сейчас в недвижности горячего воздуха. А мирный накат легкого прибоя готов был в любой миг смениться яростной атакой обезумевших волн.

А еще выше, над плоской вершиной конуса горы Виктор увидел замок.

Он словно бы вырастал из костей земли. Он казался продолжением угольно-золотых склонов горы; и в то же время Виктор не мог избавиться от иллюзии, что замок не стоит, а парит в воздухе, что тонкая прослойка пустоты все же отделяет его фундаменты от плоского среза вершины.

Стены замка были непроглядно черны. Но не той привычно-блестящей чернотой каменного угля или драгоценного агата, но чернотой той самой вековечной тьмы, из которой в оный день было сотворено все сущее, когда еще не прозвучало даже «Да будет Свет!». В этих стенах тонул любой луч. Даже собственный свет, источаемый золотыми камнями острова.

А над кольцом зубчатых стен и острых боевых башен высились матово-жемчужные купола. Мягко-округлые, они являли разительный контраст с остротой и изломанностью внешних стен. На миг Виктору даже показалось — он видит кладку громадных, исполинских яиц, из каких только и достойно появляться на свет великим ящерам, двойникам Крылатых Властителей.

Замок был виден с удачной точки; к нему поднималась, оказывается, не одна — две дороги. Трудно было сейчас сказать, на которой оказался Виктор. Одна заканчивалась возле глухой стены замка; а вот вторая выводила к воротам, казавшимся крошечными на фоне такой громады. К воротам вел и еще один путь — от обширной площадки, отделенной от замка пропастью — с краями столь отвесными, что сама пропасть казалась настоящим разрубом, оставшимся от удара чудовищным топором. Через этот провал был перекинут мост... очень странный мост, напоминавший упавшую с небес радугу. Многоцветный туман клубился над пропастью, переливы алого, синего, темно-фиолетового — над разверстой пастью провала.

Чудовищная щель доходила примерно до середины конуса; потом с обращенного к Виктору бока вздыбливались черные скалы, однако сам Виктор отчего-то не сомневался, что провал этот уходит куда-то ниже океанского дна, в толщу земной коры — и не отсветы ли пылающей магмы видны на нижнем краю радужного облака?

— Виктор! — Из-за камней поднялась Тэль. Перемазанная грязью, одежда порвана... — Где Лой? Ты видел ее?

— Нет.

— Надо искать! И идти вверх, по дороге, к замку! Погоня...

— Какая погоня? — удивился Виктор.

— Маг первой ступени может пройти через Дверь. Как смогла Лой. За нами сейчас идут и Ритор, и Торн, и Анджей.

— И этот тоже? — изумился Виктор.

— Он — в особенности. — Тэль не удержалась, хихикнула. — Как ты ему бочку на уши-то надел! Какой маг такое переживет! Добро бы еще ты победил его в магическом поединке, на дуэли, по всем правилам — а то такой позор, да еще и перед вассалами! Он теперь землю грызть будет, но от нас не отстанет. Ладно! Шутки в сторону. Где Лой?

— Здесь я, Неведомая, — послышался мрачный голос.

Появилась Лой, растрепанная, с несколькими новыми прорехами на платье.

— Не все по таким дорогам ходят, словно по гномьему Пути катятся, — пояснила она. Встряхнулась — ну точь-в-точь вымокшая кошка! — взглянула вверх. И сразу же прикрыла глаза ладонью.

— Великие Силы... вот уж не верила, что когда-нибудь сама увижу... Замок-над-Миром, Виктор! Смотри, Замок-над-Миром!

— Да, — с некоторой долей торжественности подтвердила Тэль. — Замок-над-Миром. Начало всех дорог. И их же всех конец. Замок Хранителя.

— Ты никогда о нем ничего не рассказывала, Тэль.

— И не могла, Виктор. С ним говорить тебе. И больше никому.

— А как же ты, Неведомая? — встряла Лой.

— Ну да. — Тэль нехотя кивнула. — При особых обстоятельствах... могу и я. Только не хотелось бы. Потому что уж больно обстоятельства невеселые.

— Так что, надо просто дойти до Замка? И поговорить с Хранителем? — не поверил Виктор.

Тэль упрямо отводила взгляд.

— Да. Надо просто дойти.

— А почему две дороги? — не унимался Виктор.

Девочка грозно сверкнула глазами.

— Пойдем! Маги скоро пробьются сюда!

— Разве они нам страшны? — вдруг сказала Лой. — В Оросе их собралось куда больше. И ничего — мы прорвались.

— Лой, на Острове Драконов силы любого мага увеличиваются.

— А у Виктора?

— У Виктора — остаются прежними, — отрезала Тэль. — Идемте же, идемте, хватит стоять!

Так втроем они и двинулись вверх по спиральной дороге.

Остров Драконов оказался громадной скалой, одиноко вознесшейся в небеса посреди пустынного моря. На нем ничего не росло, ни единой травинки. Только золото плит под ногами да чернота скал по левую руку.

Наверное, с четверть часа они шли в молчании.

— И это все испытания? — Виктор чувствовал даже что-то вроде разочарования. — Пройти эту дорогу до конца?

— Говорят, что да. — Тэль хмурилась. Что-то ей определенно не нравилось.

— Огненные рвы... — заметила Лой. — Смерчи. И прочие стихийные прелести.

Тэль смешно наморщила носик.

— Это же просто последнее испытание... власть над четырьмя Первоосновами... Виктор должен пройти. Я слыхала, это сотворили еще в давние времена, когда многие могли открыть Дверь... и посягали на силу и власть Хранителя. Но без четырех посвящений никто не осилил бы и первых витков спирали.

— Хорошо. — Лой было явно не по себе. — Идем, только давайте почаще оглядываться назад — чую я, что вся троица уже недалеко.

Шаг, шаг, шаг. Странное их путешествие заканчивалось. Оборванные, грязные, усталые, они упрямо шагали и шагали — мимо причудливой резьбы на стоймя поставленных камнях, где чередовались священные знаки всех ведомых и неведомых религий, где сплетались воедино руны и иероглифы, арабская вязь и давным-давно забытая вавилонская клинопись.

Что означало все это?.. Древними тайнами, что старше моря, старше даже великих черных гор и подземных глубин, манили эти письмена; какие заклятия остались запечатленными здесь? И придет ли время прочесть их, вернув к жизни?..

Первое препятствие ожидало их, когда они почти одолели первый виток.

Заполненный огнем ров. Вроде бы ничего сложного. Шириной всего метра два. Наверное, можно просто перепрыгнуть с разбега.

Тэль и Лой остановились, не доходя до края рва десятка шагов.

Виктор осторожно приблизился. И пламя тотчас же загудело, огненные языки взметнулись сплошной стеной, тысячи палящих жаром рук потянулись к нему...

Здесь не перепрыгнешь. Правда, можно, наверное, перелететь — может, кстати, так и сделать? Пусть Лой и Тэль подождут здесь. А ты пока быстро — до Замка и обратно...

Фи, какой мелкий, какой глупый соблазн, подумал Виктор. Тот, кто придумывал эти испытания, явно не рассчитывал встретить человека с Изнанки.

Почему ты хочешь вредить мне, огонь? Почему хочешь вызвать во мне гнев? Обрушить на тебя воду, чтобы ты задохнулся? Или заставить стены этой ямы сойтись. Но ведь я все равно пройду. Все равно. И ты меня не остановишь.

В ответ — только рев безумного пламени.

Земля, ответь.

Дорога тяжко вздохнула под ногами. По камням прошла короткая судорога — словно чудовищный зверь повернулся с боку на бок, не разрывая плотных оков зимнего тяжелого сна. Лой Ивер непроизвольно ойкнула.

Каменный язык медленно потянулся над огнем.

Чтобы победить, не обязательно разрушать.

Земля повиновалась с трудом. Чувство было такое, словно из последних сил выжимаешь неподъемную штангу. Огонь обиженно взвыл, расступаясь в стороны.

— Пошли, — тяжело дыша, сказал Виктор. — Добро бы нам и дальше так идти...

Напоследок он подумал, что неплохо было бы обрушить мост — если погоня все-таки пожалует сюда, чтобы жизнь ей медом не показалась.

— Не надо, — услыхал он вдруг. Тэль пристально смотрела на него, да так, что готовые сорваться слова сами умерли, даже не достигнув сознания.

— Хорошо, — кивнул Виктор. И мостик остался невредим — легкая дорога для Ритора. Хотя этот, наверное, предпочтет просто взлететь.

И вновь — молчаливая дорога. Тэль, вся какая-то ссуту-
лившаяся и погасшая, брела, уставившись под ноги. Лой вела
ее за руку, тревожно поглядывала на девочку.

Что будет дальше?

Дальше был недвижно висящий над дорогой серый при-
зрак смерча. Безмолвный, он застыл, точно казненный; на зо-
лотистом уступе — ни малейшего дуновения ветра, ни единого
звука. Виктор очень живо представил себе, как по этой дороге
поднимался другой маг... прошедший великой ценой через
Дверь, одолевший Огонь — и со всего размаха врезался в ждущие, туго свернутые извивы смерча. Ведь едва ли кто-то, кроме магов первой ступени, способен различить этот непохожий
на обычные торнадо, незримый для обычного глаза вихрь.

— Тэль, что с тобой?

— Идем, Виктор, идем, — с тревогой в голосе сказала
Лой. — Она слабеет... начала слабеть, как только ты прошел
ров с огнем.

— Со мной все в порядке, — послышался слабый голосок
Тэль. — Идем, идем скорее... Как только мы доберемся до
замка, все будет в порядке... В порядке... — Она твердила это
«в порядке» точно заклинание.

Впереди — тугие, ждущие кольца смерча. И громадный
соблазн разнести это одним ударом. Взрезать острием водяного бича... смести натиском яростных волн пламени... заставить
дорогу еще раз взгорбиться, по туннелю миновать опасное
место.

Чем-то это напоминало компьютерный квест.

— Терпеть не могу эти игрушки, — пробормотал Виктор.

Нет, он не хотел ломиться в запертую дверь. Тэль тяжело
опиралась на руку Лой Ивер, почти висела на ней.

— Скорее, Виктор! Я не могу поделиться с ней силами!
Заклятие не работает! — крикнула волшебница.

«Ну что ж, Воздух. Я готов пойти к тебе без всякого колдовства. Тебе, наверное, тоже надоело исполнять прихоти глупых магов. Тебе, наверное, тоже хочется покоя. И кто сочтет,
сколько мельчайших частиц Силы кружится там сейчас в не-
скончаемой пляске, завороженных, покоренных могучими чара-

ми? Почему бы вам не пропустить меня? Просто так? Без войны?»

— Виктор! Что ты делаешь?! — Лой сорвалась на крик.

Он не повернул головы. Наверное, Убийца бы уже смел этот вихрь, стер бы его в ничто... Нет. Ветер расступится перед ним — потому что он чувствует его сердце, там, в самой глубине вихря.

— Идите за мной! — рявкнул Виктор. — Скорее!

Ивер не стала возражать или спорить — потащила девочку за собой, болезненно жмурясь.

Вихрь распался. Замер, рассыпался, разжав свои смертельные кольца. Чудовищного незримого змея больше не существовало.

Второй барьер. Теперь следует ожидать Воду и Землю.

— Ты хорошо идешь, — услыхал Виктор негромкий голос Тэль. — Тут Сила не нужна. Мы прошли чисто... а вот магам придется ломиться. Хотя Ритор умен. И не связан никакими законами — он уже проходил тут. А это...

— Молчи, и так еле идешь, — оборвала ее Лой. В словах Кошки сквозила невесть откуда взявшаяся нежность. Будто взяв свое от Виктора, Лой преисполнилась к маленькой сопернице сочувствием. — У тебя с каждым словом силы уходят! Быстрее, Виктор, быстрее, она ведь тебя держит, неужели не чувствуешь!

— Лой! — Тэль сделала слабую попытку вырваться.

— Не вздумай!.. Вперед, Виктор, вперед!

Еще один полный оборот спирали.

И стена ливня впереди. Совсем не страшного с виду, даже не слишком сильного ливня.

Только почему же от него так отчетливо веет смертью?

Ливень шумел. Струи воды колотили по угасшим камням, ставшим из золотистых просто желтыми. Пенящаяся вода текла по дороге, срываясь вниз, на аспидные скалы.

Быстрее, быстрее, Виктор! Надо отыскать ключ!

Нет. Пустота, заполненная ливнем, — и ничего больше. Дождевые капли таранят камни дороги, гибнут мириадами — но когда-нибудь в будущем их безумный натиск увенчается успехом. Вода просочится в щели между плитами, подмоет основание, и в один прекрасный день дорога рухнет вниз, потечет по склону золотистой рекой...

А что, если это просто ловушка? Маги слишком привыкли крушить и рушить. Любое препятствие, что окажется на дороге.

Виктор вытянул вперед руку и бездумно шагнул под дождь.

За его спиной Лой и Тэль одинаковым жестом вцепились друг в друга.

Виктор шел через лужи. По голове били капли, одежда мгновенно намокла. Но — никаких последствий.

Он повернулся. Махнул Лой и Тэль.

Вода осталась позади.

Что-то подозрительно просты твои задачки, Замок-над-Миром. Они настолько просты, что поневоле начинаешь подозревать впереди какую-нибудь особо извращенную гадость.

Теперь осталась только Земля.

Однако позади остался один полный виток, за ним — второй... Тэль уже еле волокла ноги, а новых ловушек видно не было.

Виктор не успел как следует удивиться этому. Дорога сделала последний поворот. Черные стены скал, как по волшебству, сошли на нет.

Перед ними во всей своей красе открылся Замок-над-Миром.

Но дорога, по которой они так быстро и без особенных трудов добрались до него, вела, оказывается, в никуда. Все-таки они пошли по неправильному пути. Он заканчивался у края мрачной пропасти; справа и слева — черные обрывы; а впереди...

Виктор осторожно подошел к самому краю. Незаметная снизу, бездна, оказывается, окружала весь Замок. На дне таилась тьма; из нее, словно из первородной субстанции, вырастали и стены твердыни Драконов. И где-то далеко-далеко внизу смутно переливалось что-то багровое.

Дальше дороги нет. Правда, Тэль явно стало лучше. Выпрямилась... Лой с тревогой смотрит на нее, отвлекшись на время от Виктора...

Что ж, если это — испытание Земли, то опять же очень нетрудное испытание.

Виктор неспешно поднял руку.

И так же неспешно опустил ее.

Незримый ветер донес до него издалека волну чужой Силы. По-настоящему великой Силы.

ГЛАВА 20

— Что же ты медлишь? — Лой требовательно глядела на него. — Виктор! Смотри! Туда — на юг!

Вдали, на горизонте, что-то двигалось. Вспухало, наливалось чернью, посверкивало огненной сеточкой молний.

— Шторм?

Лой покачала головой. Ветер трепал ей волосы, окутывал лицо золотым облачком.

— Не просто шторм, Виктор! Это — вторжение! Прирожденные двинулись в Срединный Мир!

Виктор невольно посмотрел на Тэль. Ища поддержки или досадливого покачивания головы — опять Лой фантазирует...

Девочка, закусив губы, смотрела вдаль. Глаза мерцали яростным желтым огнем. Кулачки сжались.

— Да, — прошептала она, почувствовав взгляд Виктора. — Да...

Лой словно подменили. Нет, не страх был в ее лице — недоуменное ожидание. Растерянность.

— Виктор, чего ты ждешь? Что тебе эта пропасть? Что тебе эти стены? Тебе надо войти в замок! Завершить начатое! Тэль, да скажи хоть ты ему! Тэль!

Девочка молчала. Может быть, не верила, что Виктор сможет что-то сделать?

Он встряхнулся. Еще раз посмотрел на пропасть.

Раз плюнуть, если уж быть откровенным... Лишь потянуться — вниз, к далекому каменному плато, к скальной платформе, к корням земли. Вздыбить из пропасти новую твердь. Выровнять весь остров, раскатать его в ровный блин. Или — того проще — перекинуть через пропасть воздушный мост.

Подойти к черным стенам — и ударить огненной волной, воздушным клином, водяным тараном...

Со всей услужливой яростью, со всей силой — дарованной Убийце.

Закончить круг. Взять Силу до конца. И встретить приближающиеся полчища — ибо он не намерен отдавать им Срединный Мир. Встретить того, чье тело гибкой сталью звенит над орлиноголовыми кораблями. Пес, не спеши гнать отару на бойню! Волк еще не ушел в лес.

Лишь взмахнуть рукой, отдавая приказ...

— Дракон идет, — сказала Тэль. Насмешливо и горько. — Дракон идет, Виктор. Кто встретит его? Битые маги потрепанных кланов?

Лой обняла девочку за плечи. Кивнула:

— Ну? Ты слышишь? Даже она понимает!

Белые купола Замка-над-Миром стали мерцать. Серебристый свет набирал силу — будто наперекор близящейся буре.

— Нет, — сказал Виктор. — Я понимаю... но так нельзя.

Лой в ярости повернулась, вскинула руку — указывая на юг. И замерла.

— Убийца!

Крик несся с берега. Далеко внизу, у начала дороги, маг Воздуха, бывший Убийца Драконов, Ритор, вскинул руки. Его голос, подхваченный ветром, бил в самые уши.

— Убийца! Я не дам тебе пройти мой путь! Нет!

— Уймись, несчастный! — Лой встала на самом краю обрыва. — Ты ничего не...

Воздух взвыл, когда Ритор нанес удар. Так неожиданно и так сильно — Виктор неуместно восхитился, падая и скользя по камням. Он был мастером, этот обезумевший от неудач маг, — и даже Сила, которой было куда больше у Виктора, не могла изменить ситуацию.

Скользя по янтарной желтизне дороги, Виктор увидел, как наливаются кровавыми отсветами стены Замка-над-Миром. Как распадаются, не в силах противостоять натиску заклинаний Ритора, его собственные воздушные щиты.

Что делать...

Лой закричала, когда порыв ветра снес ее с обрыва. Вниз, к петлям дороги... Тэль, вытянувшись в немыслимом прыжке, успела вцепиться в плечи Виктора, повисла на нем, всхлипывая, впиваясь ногтями в кожу.

Еще один удар ветра, еще один натиск — и Виктор с Тэль скатились с желтой ленты.

На предыдущем витке дороги, метрах в двадцати под ними, лежала Лой. Как ни странно — живая. Волшебница уже поднималась, встряхивая головой, пригибаясь под натиском бури. С такой высоты — и даже без переломов? Кошка...

А вот им предстоял куда больший путь.

Послушный Ритору воздух не дал им упасть отвесно. Нес, тащил, волок под углом — к берегу, к ногам торжествующего мага. Виктор попытался воспользоваться магией, раскинуть воздушные крылья...

Нет.

Ритор хохотал, глядя на тщетные усилия Виктора. Наверное, все они были видны старому магу как на ладони. Когда-то он и сам прошел этим путем. Поднялся по спирали дороги — ударил, врываясь в Замок-над-Миром.

И принял посвящение Убийцы.

— Ты можешь! — крикнула Тэль. — Ты можешь!

Ветер тщился оторвать ее, крутил два сцепившихся тела, вбивался между ними тугим клином, упругой подушкой...

Подушкой?

Виктор не пытался больше раскрыть крылья. Дождался, пока до прибрежных камней осталось чуть-чуть, совсем чуть-чуть, — и одним усилием стянул под себя плотную воздушную линзу. Упругую, мягкую, спасительную...

Ритор закричал, отшатываясь, закрывая лицо руками, — словно совершенное Виктором повергло его в шок. Воздушная линза лопнула, Виктора бросило ничком, Тэль оказалась сверху, и он успел запоздало порадоваться этой удаче.

— Нет, нет, нет! — кричал Ритор, отступая. Буря утихала, то ли старик выложился начисто, то ли... — Ну почему, почему ты — смог!

Виктор поднялся, придерживая Тэль. Девочка, кажется, впала в легкую прострацию.

— Чего ты хочешь, Ритор?

Маг Воздуха скривился, как от боли.

— Тебя, Убийца! Твоей жизни!

— Тебе ли отбирать ее, Ритор? Ритор — Убийца Драконов!

— Я проклял тот миг! — Ритор гордо вскинул седую голову, словно в самом покаянии его была доблесть. — И я искуплю свою вину — тем, что остановлю тебя!

— Зачем? Где тот Дракон, которого ты хочешь защитить? Уж не там ли? — Виктор кивнул в сторону клубящихся туч.

— Дракон придет. Настоящий Дракон! Тот, кто остановит Прирожденных, тот, кто защитит Срединный Мир!

— Пока идет лишь Сотворенный Дракон!

— Что ты знаешь о нем, Убийца?

— Достаточно, чтобы понять — не тебе с ним сражаться! — Виктор встряхнул Тэль, заглянул ей в глаза, но девочка никак не реагировала. — Подожди... ей не место в нашем споре...

Ритор неохотно кивнул. Виктор положил Тэль на камни, на всякий случай не отрывая от Ритора взгляда.

Маг ждал. Терпеливо, не пытаясь атаковать. То ли собирал силы, то ли с ним и впрямь еще можно было договориться.

— Я не хочу никому зла, Ритор! — Виктор пытался говорить предельно искренне. — Даже тебе! Хоть твоя свора и пыталась меня убить... хоть на ваших руках кровь невинных людей...

— Вокзал — твое преступление!

— Я не мог ничего сделать, Ритор! Я не мог контролировать себя!

— Ты и не сможешь, никогда... — Голос Ритора упал, превратился в шепот. — Это всегда сильнее тебя... всегда, поверь... И даже если ты убьешь Дракона Сотворенного — ты уже не остановишься. Я — знаю...

На какой-то краткий миг в глазах его мелькнула тень сочувствия.

А потом он ударил.

Уже знакомое Виктору воздушное копье — будто сотканная из ветров игла. И на этот раз он не успел отразить удар.

Боль. Раздирающая грудь, пронзительная. Его бросило на камни, прижало, и ревущий поток надавил на лицо. Втекая в легкие, распирая. Даже не крикнуть — глотай спрессованный ветер, истекай кровью рвущегося тела, умирай...

— Идиот!

Лой Ивер спрыгнула на камни. Взмахнула рукой — и одежды мага окрасились красным. Ветер взвизгнул, затихая.

— Что ты творишь, Ритор!

— А! Предательница!

То ли он посчитал кашляющего, отплевывающегося, хватающегося за грудь Виктора выбывшим из игры. То ли его внимание уже не могло удержать сразу двоих противников. Давящая тяжесть исчезла. Виктор попытался встать — и опрокинулся на камни. Все внутри горело. Легкие, казалось, просто полопались.

Лой и Ритор кружили возле самой кромки воды. Волшебница хищно выставила руки — пальцы согнуты, точно звериные когти. Ритор, болезненно шипя, прижимал левую руку к груди — по одежде расплывалось темно-красное пятно. Удар Лой все-таки достиг цели.

— Я убью тебя, Кошка, — прохрипел маг. С такой ненавистью, что, казалось, сила Убийцы вновь воскресла в нем.

— Тупица! — взвизгнула Лой. — Не смей, а то...

— Молчать! — рявкнул Ритор.

— Виктор, беги! Я его задержу, этого безумца! А-и-ий! — Пригнувшись, Лой прыгнула вперед, замахнулась — но вместо того, чтобы ударить, бросилась Ритору в ноги.

— Беги, Виктор!

Куда и зачем бежать? Вверх по золотистым изгибам, обратно к черному тупику стен Замка-над-Миром?

Самой мысли — можно ли бежать, бросая Лой и Тэль, даже не возникало. Нужно.

Скорчившись в три погибели, держась за бок, Виктор побежал. Дорога тянулась прямо в прибой; он с разгона ворвался в волны. Вздымая фонтаны брызг, вокруг черного бока скал — дно оставалось ровным и не понижалось.

Ага! Вот! Так он и думал...

Янтарные плиты выныривали из-под воды, оборачиваясь вторым путем наверх.

Он бежал. По второй дороге, выводящей к радужному мосту. Эта спираль раскручивалась к югу, к близящейся гряде туч. Уже видно было — штормовой фронт неестественно ровен и близится куда быстрее, чем положено простой буре.

За его спиной Ритор и Лой катались по камням. Они не использовали магию, на это не было времени в рукопашной схватке. Лой была куда более гибка и ловка, но Ритор оказался слишком силен даже для нее. Раз за разом, оказываясь сверху, он ударял голову Кошки о камни.

— Все равно... он не дойдет... — Ритор в очередной раз прижал Лой и вдруг замер.

Рядом стоял Торн.

Казалось, что Водный совершенно не интересуется схваткой. Он смотрел на бегущего Виктора — тот уже шел на второй виток спиральной дороги. Бежал тяжело, останавливаясь, временами поглядывая вниз.

На лице Торна была такая мука, словно он бежал вместе с Виктором.

Ритор застыл, отпуская оглушенную Лой. Поднял руку, складывая ладонь знаком Силы Воздуха.

— Оставь, Ритор, — не оборачиваясь сказал Торн. — Поздно убивать друг друга. Гляди — Прирожденные близятся...

Маг Воздуха медлил, держа на кончиках пальцев рождающийся ураган.

— Оставь месть, Ритор. Ты же видишь — я не пытаюсь его достать... — Торн кивнул в сторону Виктора. — Поздно строить личные планы, надо пользоваться тем, что дано судьбой.

— Достать? Его? — Ритор засмеялся. — Ты никогда не причинил бы ему зла!

— Почему же? — удивился маг. — Сейчас бы попробовал. Но Прирожденные...

Он наконец посмотрел на Ритора.

— Давай мы...

Что бы ни хотел он предложить заклятому врагу — услышать это было не суждено. Вода у берега вскипела. Разошлась круглой волной. Вверх из глубин поднимался узкий скальный столб, блестящий, будто обмазанный жиром. На вершине ползущего в небо столба скорчился Анджей.

— Нет! — крикнул Торн. — Да нет же!

Маг Земли не слышал союзника. Выпрямившись во весь невеликий рост, он шептал заклинания.

Остров вздрогнул. Тяжелая дрожь прошла по скалам. И Ритора, и Торна швырнуло оземь. Виктору пришлось еще хуже — желтая дорога стала рушиться, целыми пластами уходя вниз. По склонам золотой волной несся камнепад. Прижавшись к скале, будущий Убийца пережидал.

Видно, на этот раз Анджей решил пожертвовать сокрушительной мощью, произнеся заклинание попроще. Он не учел лишь одного — магия Земли никогда не отличалась точностью удара.

Столб, на котором он вознесся из моря, затрясся. Разломился напополам. Неумело согнувшись, Анджей прыгнул в воду. Вынырнул почти сразу — валящиеся вслед камни заботливо огибали барахтающегося мага. Поплыл к берегу, отчаянно молотя воду руками.

Торн в отчаянии покачал головой.

Анджей, похоже, и не понял, что произошло. Гибель своего плацдарма он расценил как ответный удар Виктора. Зябко ежась, маг выскочил на берег, уставился на Торна — но, видимо, во взгляде Водного не было одобрения.

Маг Земли бросился к Ритору.

Воздушный отшатнулся, но Анджей не собирался нападать. Вцепился в ворот плаща, закричал:

— Ритор, я прошу помощи! Помощи и защиты, у тебя, своего врага!

Торн, скривившись, отвернулся. Посмотрел на Виктора — тот стоял перед обвалившейся дорогой. То отступал, то шагал вперед — никак не решаясь прыгнуть. Торн медленно поднял руку, голубой ком вспух в ладони. Казалось, что маг колеблется, не решаясь нанести удар. Его взгляд то упирался в надвигающиеся тучи, то переходил на замершего в нерешительности Виктора.

Человек на скале присел, оттолкнулся и взмыл в небо.

Торн, все еще колеблясь, проводил его взглядом. Потом размахнулся — и скопленный заряд безвредно ударил в скалы, дробя их в мелкий песок.

Маги подняли головы.

Виктор летел, приближаясь к скальной площадке. Временами его тело изгибалось, словно пытаясь направиться прямо к замку. И каждый раз неведомая сила отклоняла его обратно.

— Вот и все, — сказал Торн. — Эй! Не пора ли нам принять неизбежное и помочь Виктору встретить вторжение?

Ритор оторвал от себя лапки мага Земли и покачал головой. Раскинул руки — Сила взвыла в отчаянном усилии.

Встающая с камней Лой сплюнула кровью из разбитого рта, уставилась на Воздушного и прыгнула ему на спину.

Но остановить Ритора уже было невозможно. Видно, остатки давних сил Убийцы и впрямь вернулись к нему — он все равно поднялся в воздух. Колотя локтями повисшую на нем Лой, Ритор летел вслед Виктору.

Торн, ссутулившийся и постаревший, пошел к лежащей навзничь девочке. Присел, заглянул в лицо. Прищелкнул языком.

— Какое... какое вторжение? — проскрипел Анджей.

— Помоги, — не оборачиваясь, сказал Торн. — Неведомая выложилась, подпитывая Виктора. Все-таки она была младше его... не ожидал.

— Какая Неведомая? Какое вторжение? — Голос Анджея был дерганым, колким. — Что ты несешь, Торн?

Разглядев лицо девочки, он насупился.

— Неведомая? Вот она. — Из ладони Торна струился к лицу Тэль ровный голубой свет. — А ты и впрямь думал, что все они погибнут вместе с Владыками?

— Одну отпустил Ритор...

— А другая ждала своего часа в Срединном Мире... — Торн убрал руку. Тэль открыла глаза, устало, непонимающе посмотрела на него. — Что до вторжения... глянь на юг, Анджей...

Близоруко щурясь, маг смотрел на горизонт.

— Буря...

— Корабли Прирожденных в сердце ее. — Торн встал. — Поздно копить обиды. Помоги мне встретить флот.

Глаза Анджея вдруг полыхнули страхом:

— Там... там... я чувствую...

— Дракон Сотворенный... — Голосок Тэль был еще слаб. — Он идет. Он и есть центр их силы. Только Крылатый Владыка сможет остановить его...

— Анджей, ты поможешь мне?

Маг Земли нервно мял подбородок желтоватыми пальцами.

— Нужно особое заклятие...

— Ну так плети, сожри тебя Дракон! — рявкнул Торн. — Подними рифы со дна! Хотя бы!

— Мне нужно... мне нужно... вернуться... В главном храме... только там я смогу... — бессвязно бормотал Анджей.

Торн бесцеремонно встряхнул его за плечи.

— Опомнись, маг! Здесь твои силы куда больше!

— Мне... мне надо освежить кое-что в памяти... тогда я приду сюда... Требуется покой, сосредоточенность, углубленность в детали...

Торн в ярости замахнулся.

— Ты не смеешь! — тонким голоском заверещал маг Земли.

— Сволочь... — Торн приблизился. — Я — смею! Я буду говорить и делать все, что...

Это была его ошибка. Анджей ловко скакнул в сторону, вскинул обе руки, громко выкрикивая заклятие. Очевидно, от страха он сплел его очень кратким и действенным. Прибрежные камни сложились в короткую лестницу, уходящую прямо в воду. Маг Земли вбежал на нее, волны послушно расступились, и миг спустя он уже скрылся.

— Гад... — Торн сплюнул. — Неведомая, ты можешь встать? Похоже, флот Прирожденных нам придется встречать вдвоем.

Он наклонился, непроизвольно-галантным жестом протягивая Тэль руку. И она ее не оттолкнула.

— Ты молодец, Неведомая, — сказал маг Воды, глядя на стремительно чернеющий горизонт — там надвигался сплошной занавес бушующих торнадо. — Обвести вокруг пальца всех до одного! Даже меня! И, наверное, самого Виктора тоже. Теперь все, да? Он не сможет — ничего не сможет сделать?

Тэль молча пожала плечами.

— А ты сможешь, Неведомая?

— Да.

— Но Хранитель...

— Не беспокойся, маг Воды. Мы встретим их флот. И Сотворенного Дракона тоже. Продержимся сколько можем. Только я прошу тебя... добей меня, если не справлюсь. Не хочу достаться живой этому сотворенному чудищу.

Несколько секунд Торн смотрел на затянутый бурей юг.

— Клянусь тебе, Неведомая. Если буду жив сам. Но я постараюсь не доводить до такого...

— Это мне придется стараться, — тихо сказала Тэль.

Каменная площадка сверху казалась правильным пятиугольником. Пентаграммой, вставшей в незапамятные времена вровень с Замком-над-Миром. Виктор на миг завис над ней — будто спортсмен в небывалом по высоте прыжке.

Потом черные камни метнулись навстречу.

Магия не исчезла. Виктор по-прежнему чувствовал четыре стихии. Вот только здесь этого было мало.

Здесь крылся исток.

Полнеба уже превратилось в ревущий ад. Может, и в Изнанке бывали такие бури — но сознание отказывалось воспринимать происходящее как реальность. Шторм несся прямо на остров, слегка прогибаясь, охватывая его в полукольцо. Какие-то глубинные силы еще сдерживали натиск — вяло, не подкрепленные живой волей.

Камни площадки были отполированы ветром почти до того же блеска, что и стены Замка-над-Миром. Лишь кое-где их прорезали глубокие борозды — словно что-то... кто-то... падая с высот, вонзался в них когтями, которые крепче камня.

Вонзался, тормозя стремительный полет. Отряхивал могучее тело, складывал крылья.

И шел к замку — по тонкому радужному мосту, что едва способен выдержать человека?

«Стены, черные как ночь,
Белый жемчуг куполов.
Пусть печаль уходит прочь,
Это крепость наших снов...
Плеск лазоревой волны,
Льется с неба солнца мед,
Дети облачной страны

Начинают свой полет...
И не думай, не гадай,
Где здесь сон и где здесь явь,
Одного не забывай — кто в ответе,
Тот и прав...
Есть властитель в мире дня,
Повелитель есть в ночи,
Но от тайного огня —
Одному даны ключи...
Плоть от плоти, сути суть,
Ты покинул высоту,
Повелитель мира грез —
Вновь на радужном мосту...
Тот, кто поднял этот груз,
Тот, кто принял этот путь,
Все, что пройдено тобой, —
В этот миг не позабудь...»

Здесь садились Драконы.

Крылья их обнимали воздух, горло выдыхало пламя, кипела у берегов вода, стонал под ними камень.

И уже в человеческом облике шли они через радужный мост — в свое гнездо, в свой замок, в свой дом...

Словно забыв, кто он, Виктор шагнул к разноцветной ленте. И услышал крик за спиной.

Ритор и вцепившаяся в него Лой падали на площадку. Кошка молотила мага по лицу, захватом сжимала шею — будто готова была разбиться, но утащить его с собой.

Ритор не поддавался.

Они свалились на камни вместе — свившиеся, будто любовники. Лой отскочила от мага, изготовилась. Виктор увидел, как на кончиках пальцев полыхнули острые тени.

И тогда Ритор, еще не успевший сложить воздушные крылья, взмахнул рукой.

Полотнище Ветра ударило по женщине, вминая ее в камень. Лой не успела ничего сделать — слишком чудовищна была мощь складывающегося крыла. Крик стих, уносимый ветром.

Глава клана Кошки лежала в позе, недоступной живому человеку. Даже магу. Шея вывернута, спина переломана.

Лой Ивер была мертва.

— Ты... — Ритор шел к Виктору, словно ему был сейчас повод захлебываться ненавистью, словно это его подруга и любовница лежала мертвой на холодных камнях. — Ты виноват! Во всем!

— Я лишь шел сюда, Ритор! Я просто шел туда, куда должен был прийти!

Сила Убийцы выла и рвалась на волю, сила Убийцы искала выход.

Но почему-то ей нельзя было дать шанс.

— Ты победил? Да? — Ритор посмотрел на черное небо. — Дракон — не пришел! Я гнался за тобой... я отдал все силы... я пожертвовал людьми... А Дракона — не нашел! Наш мир — беззащитен! Они придут... они воплотятся в новых повелителей мира, в новые мечты и страхи. А мы — уйдем. Навсегда!

Наверное, можно было сказать: «А чем вы лучше?!» Можно было спросить, напоследок потешить сердце.

— Ты хочешь остановить их? — выкрикнул Виктор, указывая на близящийся черный фронт. В наступающей Силе он уже мог ощутить сердце. Еще немного — и Сила распадется на части. Очеловечится здесь, на Разломе Мира, — для кого орлиноголовыми кораблями, для кого — ночными страхами, неотвязной тоской, давящим, сводящим с ума кошмаром ночей и дней... И кто знает, сколько будет вскрыто бритвами вен, чтобы только уйти от этого ужаса?

— Поздно! — крикнул Ритор.

Ветер трепал плащ мага — уже неподвластный ему ветер. Лишь ввалившиеся глаза на измученном лице продолжали жить своей жизнью. В устремленном на Виктора взгляде не осталось больше ненависти. Пронзительная тоска и безнадежная печаль.

— Ты победил, Убийца! Ты этого и хотел, да? Оттянуть мои силы? Не дать найти Дракона? Ты победил! Но что ты будешь делать со своей победой?

Ритор захохотал, поднимая руки к низкому черному небу. Буря набирала силу, буря рвала покров туч и штопала их иглами молний. Не было больше солнечного света, ничего не было —

лишь вереница вспышек, делающая движения ломаными, как в луче стробоскопа.

— Что ты сделаешь со своей Силой, Убийца?

Гирлянда шаровых молний повисла через весь небосклон. Сгустки пламени мерцали, то угасая, то наливаясь ослепительным светом. За их призрачным сиянием крутились, вырывая плоть океана, жгуты смерчей. И где-то еще дальше, невидимая, но ощутимая, шла Сила.

— Будет ли тебе место — в их мире?

Скалы затряслись. Судорога прошла по самым корням земли, выворачивая горы и сминая равнины. Далеко внизу, по самому берегу, залитому кипящей пеной, бежали Торн и Тэль. Виктор посмотрел на них — словно пытаясь услышать запоздалый совет, попросить о чем-то. Но ветер ревел, не давая ответа, и бушующий океан не повиновался больше магу Воды. Удар волны — Тэль заскользила по камням, Торн остановился, поймал ее за руку, пытаясь удержать.

— Не будет их мира, — сказал Виктор.

Скалы крошились под ногами. Лишь Замок-над-Миром оставался неподвижен, будто сила древних властителей хранила его до сих пор. В черных камнях стен плясали отблески молний, купола светились матово-белым светом. Открытые ворота манили — призрачной иллюзией безопасности.

— Тебе не остановить их, Убийца! — Ритор замотал головой. — Даже если ты сразишь Дракона!

Небо полыхнуло.

Огненная точка вспыхнула вдали. Кровавая звезда, несущаяся над морем. Хлынул ливень — холодный, острый, морозящий кожу.

— Именем четырех стихий... — Виктор замолчал. Не то! Не так! Перед ним — не царство мертвых, и не Серые Пределы ему ставить, запирая миры...

Ему?

Да разве он ставил Серые Пределы?

И в это мгновение Лой, мертвая Лой, зашевелилась! Ритор то ли не видел этого, то ли ему было уже все равно. Изломанное тело Кошки шевельнулось, выгнулось, в короткой судороге приобретая прежние грациозные формы. Миг — и рыжая женщина подняла голову, бросила быстрый яростный взгляд на мага Воздуха:

— Ты еще заплатишь мне за седьмую жизнь, Ритор!

Ветер срывал с ее тела последние лоскутки ткани, и Виктор, как ни неуместен был момент, вдруг ощутил волну влечения. И Лой словно почувствовала это — повернулась, отвечая признательной улыбкой. Мимолетной улыбкой:

— Что же ты стоишь, Виктор? Беги!

Он еще не понимал.

— В замок, дурак! — Лой метнулась к нему. Движения ее пока были неловки и угловаты. — В замок, Владыка! Что же ты стоишь, Дракон!

Ритор поднял голову, окинул Лой безумным взглядом, уставился на Виктора. Поднял руку, словно заслоняясь.

Лой обернулась на него:

— Ты почуял в нем свою кровь, Ритор! Как же ты не увидел остального? Что, старался прогнать из памяти тот миг?

— Нет! — закричал Ритор. — Нет! Не может быть!

Лой толкнула Виктора, взмахом руки указала на пылающую в небе кровавую звезду... Уже не звезду — комету...

— Делай же выбор, Виктор! Делай выбор, Дракон-Убийца! Чего ты хочешь? Кем ты станешь?

Скалы зашевелились. Пласты золотистого камня рушились вниз — в кипящие волны, на тропинку, по которой бежали вверх Торн и Тэль. К Замку-над-Миром уже было не пройти... или почти не пройти.

— Хочешь, чтобы это пришлось сделать ей? — Лой заглянула в глаза Виктору. — Неведомый клан не владеет всей Силой! Не посылай свою женщину в бой, Дракон! Для нее это — смерть!

Виктор побежал. По разъезжающимся камням, по рассыпающейся дороге. Радужный мост таял под порывами ветра, ледяные струи дождя ткали стену впереди. Он нырнул в сплошной поток — откуда столько воды, не способно небо удержать столько влаги! Его сбивало, сносило, он уже не бежал — плыл в густой взвеси воды и воздуха. Виктора волокло все дальше и дальше к обрыву, и он вдруг понял, что не устоит, что слишком поздно, Лой опоздала, безумная ярость Ритора отняла те минуты, в которые еще можно было успеть — добежать до замка и коснуться черных стен...

Вода схлынула. Будто раскрыли над дорогой огромный невидимый зонт. Внизу, на тропе, Торн уже не бежал — стоял, шатаясь, простирая над головой руки, тщась удержать разорванное небо. Тэль остановилась на миг, посмотрела на мага и бросилась дальше. К Замку-над-Миром, к черному камню стен, к открытым воротам...

Не посылай свою женщину в бой, Дракон...

Виктор побежал по радужному мосту. Вязь света под ногами, еще минуту назад казавшаяся прочной, как земная твердь, рвалась и прогибалась — подобно земной тверди. Брызги светящегося тумана вставали из-под ног, разноцветными искрами пронзая воздух. Сейчас они были на одинаковом расстоянии от замка — Тэль, бегущая вверх по тропе; Виктор, спускающийся по мосту.

— Остановись! — крикнул Виктор. — Стой!

Она не слышала. Или уже не верила ему...

Виктор поскользнулся. Мост таял. Полотнища света скручивались, расползались под ногами. Дрожащая земля далеко внизу тянула, манила, ждала.

Он проваливался. Он шел сквозь радужный кисель, погруженный в него по пояс. Под ногами уже не было опоры. Алая комета в небе взревела, раскрывая пасть...

Удар. Толчок в спину. Тугое крыло ветра, подхватившее его, швырнувшее вперед, сквозь исчезнувший мост, над бездной. Ритор за спиной упал, цепляя скалы скрюченными пальцами. Маг отдал все, что еще оставалось на дне его души, отдал без остатка, пытаясь исправить свою ошибку, расплачиваясь — за то, что было между ним и женщиной Неведомого клана, ушедшей в Изнанку, за бессмысленную погоню за собственным внуком, за потерянные минуты, которые решали все.

Виктор упал под ноги Тэль. Удар вышиб из него дыхание, болью пронзил тело. Но и Тэль не ждала этого, запнулась об него и покатилась по камням. Виктор поймал ее руку, рванул, прокричал:

— Нет!

— Пусти! Я должна...

— Нет! Последняя из Неведомого клана, я запрещаю тебе!

Девочка, задыхаясь, рвалась из его рук. Виктор встретил ее взгляд — и прошептал одними губами:

— Это мой мир, Тэль.

Небо наливалось кровью. Молнии лупили в берег. Ветер взвыл, обрушивая плети торнадо на Остров Драконов.

«Обновление...» — шептал дождь. «Перерождение...» — подтягивала буря. «Новое, новое, новое...» — чертили молнии.

— Мне решать, — сказал Виктор, отпуская ослабевшую руку Тэль. И повернулся к воротам Замка-над-Миром.

Хранитель стоял на пороге.

Виктор видел его другим в своих снах. Совсем другим — уж никак не хрупким подростком с растрепанными ветром прядями черных волос. И все же он узнал...

— Дай мне мою Силу, — делая шаг к Замку-над-Миром, сказал Виктор.

— Вправе ли ты? — голосом Обжоры, вдруг вернувшего себе юность, спросил Хранитель.

— Да!

— Попробуй. Докажи.

— Я вправе.

Виктор почувствовал, как тугая стена встает перед ним, монолитная и незримая, ждущая. Бедная стена...

— Я вправе — во мне кровь Владык...

Шаг...

— Я вправе — во мне кровь Убийцы Драконов...

Шаг...

— Я вправе — Неведомый клан, хранитель основ, призвал меня...

Шаг...

— Я вправе — я поверил и пришел...

Шаг...

— Я вправе — за меня отдали жизнь Стражи Пределов...

Шаг...

— Я вправе — я принял силу стихий...

Шаг...

— Я вправе — я отверг путь Прирожденных...

До Хранителя — рукой подать.

— Я вправе — со мной мои враги и мои друзья, со мной моя любовь и ненависть. Это мой мир.

Он коснулся черного камня стен.

— И ты возьмешь все? — Обжора покачал головой. — Жизнь и смерть? Поклонение и презрение? Будешь в ответе?

— Да.

— Ты решаешь, чем станут страхи и мечты Изнанки? Чем обернутся среди Прирожденных? Как пройдут сквозь Срединный Мир?

— Да. Верни мою силу, Хранитель!

Небо взорвалось белым сиянием. Молнии сплели огненную сеть, тщась обнять мир. Остров встряхнулся, вставая из кипящей воды.

Дракон Сотворенный, парящий в небе, взревел. Стальные крылья вспороли воздух, огненная пасть раскрылась, изливая реку напалма. Сверкающие когти распрямились, целясь в соперника.

Виктор потянулся.

Всем закованным в броню телом.

От острой плети хвоста до кончиков крыльев.

Владыка Срединного Мира взмыл над Островом Драконов.

Внизу, на тропе, презрительно скривившийся Торн сидел под дождем и ловил губами холодные капли.

Лой Ивер, обнаженная, обольстительная и живая, держала на коленях голову Ритора, что-то шепчущего в бессильном бреду, смотрела в небо — не отрываясь, лишь удивленно качая головой.

У ворот Замка-над-Миром белый единорог встряхнул золотистой гривой.

И орлиноголовые корабли Прирожденных, крадущиеся за стеной смерчей, замерли, когда высоко в небе Владыка-Дракон встретил Дракона Сотворенного.

Санкт-Петербург — Алма-Ата — Арзамас-16 — Москва
декабрь 1996 — июль 1997.

Официальная страница
Сергея ЛУКЬЯНЕНКО
в сети Интернет доступна по адресам

http://www.rusf.ru/lukian/
http://rusf.yingternet.com/lukian/(США)
http://sf.hikarigaoka.gr.jp/lukian/(Япония)
http://sf.alarnet.com/lukian/(Казахстан)
http://sf.dnepr. net.ua/lukian/(Украина)

Информация о самом писателе, список его произведений, интервью и много интересного для почитателей его творчества. В разделе представлены рецензии, написанные читателями, постоянно проводится несколько конкурсов: наиболее интересны и популярны конкурсы рисунков, VRML миров и конкурс на пароль хакера Падлы. Особенное место в разделе занимает галерея иллюстраций к работам автора. Страница производит очень приятное впечатление и не оставит равнодушными всех любителей фантастики!

Литературно-художественное издание

Лукьяненко Сергей, Перумов Ник
Не время для драконов

Художественный редактор О.Н. Адаскина
Компьютерный дизайн: А.С. Сергеев
Технический редактор О.В. Панкрашина
Младший редактор Н.К. Белова

Общероссийский классификатор продукции
ОК-005-93, том 2; 953000 — книги, брошюры

Санитарно-эпидемиологическое заключение
№ 77.99.02.953.Д.000577.02.04 от 03.02.2004 г.

ООО «Издательство АСТ»
667000, Республика Тыва, г. Кызыл, ул. Кочетова, д. 28
Наши электронные адреса:
WWW.AST.RU E-mail: astpub@aha.ru

ОАО «ЛЮКС»
396200, Воронежская обл., п.г.т. Анна, ул. К. Маркса, д. 9

Отпечатано с готовых диапозитивов
в типографии ФГУП «Издательство «Самарский Дом печати».
443080, г. Самара, пр. К. Маркса, 201.
Качество печати соответствует качеству предоставленных диапозитивов.